KLĄTWA ŚWIATŁA

Giulio Leoni

KLĄTWA ŚWIATŁA

PRZEŁOŻYŁA ANITA SŁOMAK

Wydawnictwo Znak
Kraków 2006

Tytuł oryginału
I delitti della luce

Copyright © 2005 by Giulio Leoni. First published in Italy
by Arnoldo Mondadori Editore S.p.A., Milano, in 2005.
This edition published in agreement with Piergiorgio Nicolazzini
Literary Agency

Projekt okładki
Witold Siemaszkiewicz

Opieka redakcyjna
Barbara Kęsek

Adiustacja
Urszula Horecka

Korekta
Barbara Gąsiorowska

Opracowanie typograficzne
Daniel Malak

Łamanie
Irena Jagocha

Copyright © for the translation by Anita Słomak

ISBN 83-240-0736-9
ISBN 978-83-240-0736-3

 Zamówienia: Dział Handlowy, 30-105 Kraków, ul. Kościuszki 37
Bezpłatna infolinia: 0 800 130 082
Zapraszamy do naszej księgarni internetowej: www.znak.com.pl

Dla Riccardy

PODZIĘKOWANIA

W czasie pisania tej historii wiele osób okazało mi swą pomoc. W szczególny sposób pragnę podziękować Piergiorgiowi Nicolavini i Leonardowi Gori, których przyjaźń zaiste okazała się nieprzeceniona. A przede wszystkim całej redakcji wydawnictwa Mondadori, która miała decydujący wpływ na kształt książki, czuwając nad nią na każdym etapie jej powstawania: od żmudnej pracy redakcyjnej po końcowy druk. I to z nieustającą odwagą, entuzjazmem i serdecznością, które dla każdego pisarza są prawdziwym szczęściem.

Si probitas, sensus, virtutum gratia, census,
nobilitas orti possint resistere morti,
non foret extinctus Federicus, qui iacet intus.

[Jeśli uczciwość, rozum, powab cnót, majątek
i szlachectwo rodu mogłyby śmierci się oprzeć,
nie zginąłby Fryderyk, który tu spoczywa.

(łac.)]

Palermo, lato 1240

Blask zachodzącego słońca sączył się przez listowie drzew cytrynowych, rozpalając na złocistej skórce owoców ogniste błyski.

W ogrodzie, otoczonym marmurową kolumnadą, powietrze przenikał mocny zapach kwiatów niesiony wiejącą znad morza bryzą.

Cesarz siedział rozparty na poduszkach z purpury i w zamyśleniu kreślił patykiem na ziemi geometryczne figury. Podniósł z murawy owoc drzewa cydratowego, leżący opodal, i wskazał go młodemu mężczyźnie stojącemu obok.

– Taki więc kształt ma Ziemia? – spytał po chwili zastanowienia.

– Kształt kuli, zakrzywionej na całej swej powierzchni – potwierdził Guido Bonatti, nadworny astrolog.

Fryderyk przez chwilę ważył w myślach te słowa. Nagle niespodziewanie rozchylił dłoń. Owoc potoczył się po ziemi.

– Co w takim razie utrzymuje ją na miejscu? – pytał dalej, zwracając się do innego towarzysza swych rozważań, zasiadającego nieco na uboczu bladego piegowatego mężczyzny o rudawych włosach.

– Ręka Boga – odrzekł najprzedniejszy z uczonych chrześcijańskiego świata, chluba jego dworu. Michał Szkot. Wygnaniec, niczym jedna z tych rzecznych trzcin, z których wznosi się parkany winnic.

– A jak daleko sięgają nieba, w których przebywa Bóg? Potrafilibyście mi to powiedzieć, Guido?

– Tak, jak daleko dociera ich światło, Wasza Wysokość – odrzekł astrolog, lewą ręką podnosząc owoc – które jest światłem Boga.

– A co znajduje się poza światłem?

– Dalej jest już tylko ciemność. Ta, która, jak mówi Pismo, pozostała po stworzeniu światła – odpowiedział Michał Szkot, wskazując palcem niebo.

Twarz Fryderyka rozpromieniła się w tajemniczym uśmiechu. Człowiek siedzący nieznacznie z tyłu, przyodziany w zgrzebny franciszkański habit, obserwował tę scenę w milczeniu.

Cesarz zwrócił się do niego.

– Przedstawcie mi swoją miarę, bracie Eliaszu. Swą miarę Boskiej siedziby.

1

Ranek 5 sierpnia 1300,
mokradła na zachód od Florencji

Zostawili konie obok domostwa przy trakcie do Pizy. Słońce stało już wysoko. Stamtąd wyruszyli w stronę łożyska rzeki, które przebiegało w odległości kilku mil, ukryte za parawanem trzcin i kępami bagiennych krzewin.

Niewielka kolumna już ponad dwie godziny przedzierała się przez podmokły teren. Ciężar rynsztunku utrudniał marsz przez moczary. Na czele pochodu, wyprzedzając pozostałych o jakieś dwadzieścia kroków, szedł Dante Alighieri przybrany w insygnia priorów Florencji.

– Priorze, zaczekajcie, zwolnijcie trochę. Po co ten pośpiech? – wysapał Komendant, krępy, niezgrabny mężczyzna, który w pełnej zbroi wyglądał jeszcze pokraczniej. Właśnie poślizgnął się, próbując dogonić Dantego.

Drogę przecięła im niewielka struga wody. Dante zatrzymał się i otarł rękawem pot z czoła. Po czym zdecydowanym ruchem zebrał poły szaty i przeskoczył przez strumień, dając przykład innym. Naprzeciw wyrosło pokryte zaroślami wzniesienie, zasłaniając horyzont.

– Tam widać wieżę Santa Croce... Powinniśmy już być na miejscu. – Dowódca straży, ciężko dysząc, wskazał na rysującą się w oddali budowlę.

Prior zatrzymał się nieopodal, w połowie podejścia, próbując strzepać z obuwia wilgoć i błoto.

Z obrzydzeniem oderwał od łydki pijawkę i cisnął ją daleko przed siebie. W miejscu gdzie przyssała się do skóry, pojawiła się niewielka smużka krwi. Obmył rankę wodą, przyglądając się ze zniecierpliwieniem niezdarnym podrygom Komendanta, który z głośnym sapaniem usiłował go dopędzić.

– A zatem gdzie to jest?

Przed nimi, w gęstwinie trzcin, ukazał się brzeg Arno. Nieco dalej rzeka ginęła za wzgórzem w miękkim meandrze.

– Powinien być tam... Za tymi krzakami.

Dante próbował spojrzeć we wskazanym kierunku. Jednak błotniste wzniesienie zdawało się spychać go w dół. Na ostatnim odcinku musiał pomóc sobie rękami, chwytając się kolczastych kępek porastających szczyt pagórka. Dopiero wówczas mógł się spokojnie rozejrzeć.

Jakieś trzysta kroków od nich majaczyła ciemna sylwetka, częściowo przesłonięta przez zarośla.

– A więc to prawda... Jest – wybełkotał Komendant.

Dante nie mógł uwierzyć własnym oczom. Przed nim znajdował się wojenny okręt z rzędem wyprężonych wioseł, jakby miał właśnie wypłynąć na głębię. Lekko przechylony na bok, wrył się w piaszczysty brzeg rzeki.

– Chyba sam diabeł pokierował nim aż tutaj – wyszeptał, trzęsąc się, Komendant. Dante nie umiał powstrzymać uśmiechu. Dobrze znał legendy krążące o tym miejscu. Jeśli to rzeczywiście diabeł, przekonają się przynajmniej, kto zacz.

– Na pokładzie nie widać nikogo. Wygląda na to, że załoga go opuściła – zauważył jeden ze strażników.

– Tak, ani żywego ducha – potwierdził poeta, przyglądając się uważnie pustej dziobówce. Nikogo nie było ani w wąskim przejściu przebiegającym przez środek pokładu, ani przy sterze. Statek nie wydawał się uszkodzony, jakby właśnie najspokojniej w świecie zacumował w jakimś porcie. Wielki trójkątny żagiel złożony był, jak należy, pod bomem. Dante poczuł przeszywający dreszcz. To niewyobrażalne, by tak wielka galera mogła żeglować po Arno dalej niż kilka mil od ujścia. Jej obecność tutaj była... no właśnie, była c z y s t ą n i e-m o ż l i w o ś c i ą. Próbował znaleźć jakiś szczegół, który podpowiedziałby mu, skąd przybyła, lecz z masztu zwisała smętnie tylko czarna chorągiew.

– Podejdźmy bliżej. Muszę to zobaczyć... i pojąć – zadecydował i rzucił się szybko w dół wzgórza, ponownie wpadając w błoto. Pozostali niechętnie pośpieszyli za nim.

Wyrwał miecz jednemu z ludzi Komendanta i, brodząc w wodzie po kolana, z zapałem torował sobie nim drogę przez zarośla. Pot lał się z niego strumieniami, lecz podniecenie związane z zagadką kazało mu zapomnieć o wszelkim zmęczeniu.

Ciął na oślep, nie wiedząc dokładnie, co ma przed sobą. Ostatni zamach i... Dante podskoczył z wrażenia, a za jego plecami podniosły się przerażone krzyki strażników.

Ich oczom ukazał się brodaty kolos w koronie, wysoki na przeszło sześć łokci, o dwóch straszliwych twarzach. Dwie pary złowrogich oczu ogarniały cały horyzont. Osadzony był na masywnym rzeźbionym trzonie zakończonym odlanym w spiżu szpicem, którego część spoczywała w mulistym podłożu.

Wokół rozlegało się natrętne brzęczenie. Chmara insektów nękających ich przez całą drogę wyraźnie zgęstniała i stała się jeszcze bardziej nieznośna. Niczym złośliwy obłok przesłoniła twarze galionu.

– Belzebub, władca much – mruknął Dante, opędzając się od nich ze wstrętem.

Powietrze przeszył nagły podmuch wiatru, przynosząc z sobą przenikliwy odór rozkładających się ciał.

– Musimy wejść na pokład – zawyrokował prior po chwili wahania.

Z otworu kotwicy przy dziobie zwisała sznurowa drabinka. Dante owinął usta i nos w woal spływający z czapki, po czym wdrapawszy się na część uszkodzonego taranu, począł się z trudem piąć w górę burty. W połowie drogi odwrócił się i krzyknął na Komendanta, który w dalszym ciągu wpatrywał się ogłupiały w galion. Odczekał, aż ten zacznie się wspinać, i ostatkiem sił wdrapał się na pokład.

Po chwili również Komendant znalazł się na mostku, zziajany. Podszedł bliżej, próbując stłumić dłonią okrzyk przerażenia.

– Oni przecież...

– Nie żyją. Tak jak donieśli wasi ludzie.

Kilkudziesięciu wioślarzy rzędami usadowionych na swych ławach i pochylonych nad wiosłami niczym w konwulsyjnym wysiłku zdawało się częścią jakiegoś makabrycznego *theatrum*. Na rufie obok steru majaczyły inne, leżące na wznak trupy. Ciała nieboszczyków, napuchnięte i pokryte oleistą mazią, zapewne od wielu dni wystawione były na palące promienie słońca.

Dante rozejrzał się niepewnie dokoła. Ciepły podmuch wiatru uniósł znad wioseł obłok słodkawej trupiej woni.

– Na tym statku jest zaraza! – wyszeptał Komendant, starając się osłonić nos przed gęstniejącym fetorem.

Dante pokręcił przecząco głową. Żeby doprowadzić statek aż tutaj, ktoś musiał nim wyjątkowo umiejętnie sterować. Czy dokonałby tej sztuki z załogą trawioną zarazą? Nie, istniało z pewnością inne wytłumaczenie tej hekatomby. Śmierć wślizgnęła się na pokład niepostrzeżenie, jak cichy gość, długo ważąc życie tych ludzi w swych szponach, nim zadała ostateczny cios. Spojrzał do góry, słysząc trzepot bandery na maszcie. Zanim na powrót opadła bezwładnie, udało mu się dostrzec trupią czaszkę i dwa skrzyżowane piszczele.

W połowie mostka znajdował się właz prowadzący do ładowni. Może ładunek galery odsłoni jej tajemnicę. Podniósł z ziemi drewniany kołek i owinął go nasączonym smołą kawałkiem tkaniny, który znalazł w pobliżu. Kilka iskier wystarczyło, by zapalić tę sporządzoną naprędce pochodnię. Oświetlając sobie drogę, zanurzył się pod pokład.

Nie ujrzał tam ani ekwipażu, zapasowych masztów czy żagli, ani żywności, ani beczułek z pitną wodą czy winem. Żadnych pomieszczeń dla załogi, ni kuchni, ni składu broni. Brakowało też balastu, co czyniło ze statku coś na kształt wielkiej, pustej w środku łupiny.

Najwyraźniej troska dowódcy sprowadzała się do tego, by do minimum ograniczyć zanurzenie, tak by móc żeglować po rzece. Spojrzał w stronę pomieszczenia pod rufówką. Drzwi do kajuty dowódcy delikatnie się chwiały, jakby ktoś tam w środku nań oczekiwał.

Wnętrze pogrążone było w mroku. Pośrodku kajuty zauważył trzech mężczyzn zasiadających wokół niewielkiego stołu, obok którego stał kandelabr z kutego żelaza. Spoczywali na rzeźbionych krzesłach, jakby przed chwilą, zmożeni nagłą sennością, przerwali pogawędkę przy winie. Pod ich stopami, w kałuży światła, leżał stos metalowych odłamków.

Dante zaciekawiony pochylił się nad nimi, zbliżywszy pochodnię. Był to jakiś mechanizm naszpikowany dźwigniami i zębatymi trybami. Na ich powierzchni z mosiądzu i lakierowanego drewna płomień rozpalił tysiące iskier. Przyrząd miał wysokość dwóch stóp, szerokość podobną, lecz trudno było się domyślić, jak wyglądał wcześniej, gdyż ktoś musiał się nad nim pastwić z całej siły, rozbijając go na kawałki. Na podłodze wciąż leżała siekiera, którą się posłużył.

Prior podniósł jeden z trybików i poczuł w palcach nieznaczne ukłucie metalowych ząbków. Wokół krawędzi biegł grawerowany napis, którego nie potrafił odczytać.

W tym momencie statek zachwiał się z głośnym skrzypieniem, jakby na rzece niespodziewanie utworzył się wir.

Pod pokładem pojawił się Komendant, rozglądając się z przerażeniem.

– Ale to... to Saraceni! Same trupy – wykrzyknął, nie zwracając uwagi na zniszczony przyrząd.

Dante podniósł wzrok na umarłych. Dwóch z nich miało dystynkcje dowódców floty. To musiał być kapitan i *comitus*, jego zastępca. Trzeci spowity był w kosztowną szatę, która zdawała się unosić po bokach niczym rozłożone skrzydła; szatę niespotykanego kroju, podobnie jak wielki turban na jego głowie. Falująca broda wschodnim obyczajem opadała mu na piersi. Na twarzy widoczne były ślady posuniętej starości.

– Same... same trupy – wciąż powtarzał oszołomiony Komendant.

– Zamilczcie – wysyczał nerwowo Dante. – Pozwólcie mi słuchać.

– Niby czego?

– Mowy umarłych. Ten człowiek nie należał do załogi. Z pewnością nie był marynarzem. Zwróciliście uwagę na jego ręce? I szaty? Był pasażerem. Gdy statek się zatrzymał, wszyscy byli już martwi. Z wyjątkiem jednej osoby. – Pokazał palcem puste krzesło i jeden ze stojących na stole kielichów, wciąż pełen. – Było ich czterech. Lecz jeden z nich nie tknął wina. I spójrzcie tutaj – dodał, wskazując przeciwną stronę kajuty. –

Są tu cztery płócienne łóżka i wszystkie były używane. Człowiek, który nie pił wina, wciąż żyje.

Przezwyciężając obrzydzenie, Dante obrócił głowę starca do światła wpadającego przez okno i rozchylił zaciśniętą szczękę. W na wpół otwartych ustach dostrzegł rząd nierównych zębów pokrytych czerwonawą pianą. Na posiniałych wargach widniały głębokie rany. Jakby nieszczęśnik w ostatnich podrygach życia przygryzł je sobie do krwi. Następnie powąchał resztki płynu w kielichu.

– Lecz jaką śmiercią zginęli?

Poeta zbliżył pochodnię do twarzy jednego z nieboszczyków, pokazując ją Komendantowi.

– Widzicie te nabrzmiałe usta i język? Jakby się utopił w zbyt gęstym powietrzu – wyjaśnił, oddaliwszy płomień od twarzy zmarłego, którego broda pod wpływem ciepła zaczęła się zwijać w pierścienie. – Trucizna. I to nie taka, co atakuje trzewia. Raczej substancja gasząca moc oddechu.

Gdy opuścił głowę zmarłego, z jego szyi niczym wąż ześlizgnął się jakiś przedmiot. Wyglądał jak pokryty drobnymi znakami i arabskim pismem pozłacany medalion zawieszony na skórzanym pasku.

Astrolabium, domyślił się, i to niezwykle kunsztownej roboty. Ruchoma wskazówka aliady została uszkodzona przez uderzenie, które wykrzywiło jedno ze skrzydełek. Lecz siatka, kilka ażurowych tarczek misternie powycinanych niczym droga biżuteria, była nietknięta – triumf spiczastych, błyszczących wypustek, oznaczających gwiazdy stałe.

Dante błyskawicznie obliczył, że musi ich być ponad setka. Nigdy wcześniej nie widział astrolabium, na którym byłoby ich więcej niż trzydzieści. Jeśli jakiś anioł chciałby wykreślić swój lot między gwiazdami, nie mógłby znaleźć lepszej pomocy.

Anioł... albo sam diabeł.

Szybko obejrzał pozostałe dwa ciała. I na nich śmierć odcisnęła okrutne piętno.

– Ten czwarty zabił swych towarzyszy, zatruwszy zapas wina. Istnieje zwyczaj, że gdy wyczerpie się on do połowy, częstuje się całą załogę. Tym sposobem i inni potoczyli się w otchłań śmierci – wyszeptał Dante. – Spróbujmy się raczej dowiedzieć czegoś o samym statku.

Rozejrzał się wokół siebie. W głębi kajuty znajdował się sekretarzyk przymocowany do ściany kilkoma żelaznymi obręczami. Pomagając sobie ostrzem sztyletu, wyłamał zawiasy drzwiczek. W środku leżał kajet w skórzanej oprawie, zapewne dziennik pokładowy. Przejrzał go naprędce i schował do torby.

Smród rozkładających się ciał stał się nie do wytrzymania. Chwycił go nagle atak gwałtownego kaszlu. Coraz bardziej kręciło mu się w głowie. Upewnił się tylko, że w kieszeniach nieboszczyków nie ma nic godnego uwagi, i opuścił kajutę.

Gdy tylko wydostał się na pokład, przystanął, by zaczerpnąć powietrza. Pomyślał o straszliwej śmierci wioślarzy. Rozumiał teraz, czemu zastygli w konwulsyjnym ruchu. Kogo oszczędziła trucizna, tego zakutego w łańcuchy w palącym słońcu dopadła śmierć z pragnienia. Zapewne do ostatniego tchu próbowali się z nich uwolnić, a ich zrozpaczone krzyki przez wiele dni na próżno rozlegały się wśród mokradeł. Niezrozumiały język, miast sprowadzić pomoc, wystraszył nielicznych mieszkańców, pewnych, że mają do czynienia z upiorami.

Zdawało mu się, że jeszcze słychać dochodzące z galery jęki. Zwrócił się do Komendanta:

– Każcie waszym ludziom zebrać dokładnie wszystkie odłamki przyrządu, które znajdą w kajucie. Niech je przewiozą

do Florencji, tylko ostrożnie! Zerwijcie żagiel i w nim umieść-
cie mechanizm.

– A co z nimi?

Poeta rozejrzał się niepewnie. Dla tych nieszczęśników
nic się już nie da zrobić. Nie można jednak pozwolić, by tu
gnili przykuci do statku.

– Podpalcie galerę. Niech stanie się ona ich żałobnym sto-
sem. Niech nasz i ich Bóg przyjmą pospołu ich dusze – zarządził.
– I na razie nie rozpowiadajcie nikomu o tym, co tu widzieliście.

– Przecież statek był zupełnie pusty. Ani śladu cennego ładunku, tylko te śmieci. Po co ta ostrożność? – zauważył podejrzliwie dowódca straży. – Chyba że chodzi o tych
umarłych.

– Tak, chodzi o tych umarłych – uciął krótko prior, kierując się do zejścia.

Ludzie Komendanta szybko uporali się z rozkazem, chcąc
jak najszybciej zbiec z przeklętego miejsca.

– Wracajmy do naszych koni – polecił Dante, widząc,
że płomienie zaczęły oblizywać kadłub. Kiedy się oddalali, ze
szczytu wzniesienia rzucił nań ostatnie spojrzenie. Czerwone
języki ognia wystrzeliwały coraz wyżej w niebo i stopniowo
objęły cały statek. Wyglądały jak ręce unoszące się ku niebu
z żałobnego stosu i proszące o sprawiedliwość.

Albo o zemstę.

Świt, 6 sierpnia

Dotarli do Florencji o brzasku następnego dnia, po cało-
nocnym forsownym marszu, który wyczerpał ludzi i zwierzęta. Nad ich głowami blakły już konstelacje zodiaku. Wysokie

mury lśniły w pierwszych promieniach słońca, jakby wzniesiono je z miedzi, a nie z kamienia i cegły.

W nocy kilkakrotnie zrywały się piaskowe burze, po których wypogadzało się na jakiś czas. Gdy na czystym niebie ukazywały się gwiazdy, Dante sprawdzał, jaką drogę mają już za sobą. W górze lśnił gwiazdozbiór Bliźniąt, w którym Słońce znajdowało się w momencie jego narodzin. Podwójne światło Kastora i Polluksa zdawało się go prowadzić i przydawać mu sił. Po wielekroć Komendant ośmielony narzekaniem swoich żołnierzy proponował postój, lecz Dante za każdym razem odrzucał ten pomysł dręczony wewnętrznym lękiem. Coś mu podpowiadało, że powinien się śpieszyć.

Ogień strawił namacalne dowody masakry, lecz nie prawo tych dusz do tego, by je pomszczono. Musi odnaleźć winnego, człowieka, który zbiegł, dokonawszy straszliwej zbrodni.

Przed jego oczami kołysał się płócienny sak z rozbitym mechanizmem. Koń zrywał się nerwowo na każdy metaliczny brzęk ładunku, jakby przeczuwał, że wiezie odłamki piekieł.

– Rozkazuję wam w imieniu władz Florencji: otwórzcie bramę! – ostatkiem sił zakrzyknął do strażnika na wieży, który usiłował dostrzec coś w dole, opuszczając pochodnię w prześwicie między występami blanek. W półmroku kolumna zmęczonych koni i jeźdźców wyglądała jak bezładna ciemna masa. – I nie ociągajcie się! – zawołał jeszcze poeta.

– Wynocha! – odkrzyknął z góry mężczyzna, składając dłonie wokół ust w tubę, aby go lepiej słyszeli. – To nie dzień targowy, nikogo nie wpuszczamy do miasta przed trzecią. Albo razem ze swoimi łapserdakami przeczekasz z dala od murów, albo zejdę z patrolem i porachuję wam kości.

– Przeklęty sukinsynu! – wrzasnął z wściekłością Dante, zamierzając zeskoczyć z siodła. Krzyki i gwałtowny ruch wystraszyły wierzchowca, który uskoczył w bok. Stopa wysunęła się poecie ze strzemienia. Grzmotnął w sam środek mulistej kałuży, wzbijając przy tym fontannę błota. Z trudem podniósł się na nogi. Za jego plecami rozległ się szyderczy rechot strażników, którzy najwidoczniej trzymali stronę swego kompana. Nawet Komendantowi wyrwał się szybko stłumiony uśmieszek.

Tymczasem nocne hałasy ściągnęły na mury innych żołnierzy, którzy wylegli na zewnątrz, głośno ziewając i podzwaniając rynsztunkiem. Ich posiniałe z zimna, rozespane twarze pojawiły się na blankach. Posypały się bluzgi i obelżywe gesty.

– Otwieraj tę bramę, kanalio! – Komendant, którego natychmiast rozpoznano, postanowił się w końcu odezwać. Wrzaski na górze z miejsca umilkły, a po chwili dobiegł ich szczęk przesuwanego łańcucha. Dante ściągnął cugle i przedefilował wolno przez niski łuk bramy. Starał się przyjrzeć strażnikom i dobrze zapamiętać wszystkie twarze, złorzecząc im pod nosem.

W tej właśnie chwili gdzieś w oddali rozległ się śpiew, jakiś niezrozumiały psalm. Dante myślał przez moment, że to halucynacja. Odwrócił się. Zza zakrętu drogi wyłonił się dziwaczny pochód, który wolno zmierzał w ich stronę. To idący w nim ludzie śpiewali.

Wyglądali jak cudem ocalali rozbitkowie. Na czele grupy szedł wysoki brodaty człowiek w zgrzebnym ciemnym habicie, z twarzą zakrytą kapturem. Podpierał się długą laską zakończoną krzyżem wpisanym w koło. Za nim podążał niewielki zastęp kobiet i mężczyzn odzianych tak, jakby ich przewodnik oderwał ich od codziennych czynności. Wieśniacy i kupcy, szlachta i rybacy, żołnierze i kurtyzany, medycy i lichwiarze, wieloraka, udręczona reprezentacja ludzkości.

W zakurzonym tłumie wędrowców dostrzec można było kilka mułów objuczonych do granic możliwości bagażem i pakunkami. Zwłaszcza jeden z nich buntował się pod ciężarem olbrzymiej skrzyni i to mimo żelaznego uchwytu wyglądającego na żołnierza mężczyzny, który prowadził go za uzdę. Ładunek przykryty był sztuką białego lnu z jaskrawym czerwonym krzyżem.

Po krótkiej przerwie pątnicy na nowo podjęli psalm zaintonowany przez prowadzącego ich mnicha. Orszak przetoczył się wolno przez bramę, nieniepokojony przez poborców myta.

– Któż to? – spytał poeta.

– Pielgrzymi w drodze do Rzymu, jak sądzę – odrzekł Komendant.

– Wszyscy chcą szukać zbawienia na dworze Bonifacego?

– Łączą się w grupy, licząc na to, że tak nikt ich w drodze nie napadnie. Jakby coś się dało ukraść tym łachmytom – odpowiedział dowódca straży, obrzucając tłum pogardliwym spojrzeniem. – Jeśli nawet oszczędzą ich złoczyńcy, to ostatni grosz wyduszą z nich w naszych gospodach – dodał szyderczo.

Dante śledził jeszcze przez jakiś czas oddalających się pielgrzymów, po czym ponownie dosiadł konia.

– Gdzie mamy to wyładować? – zapytał Komendant, gdy tylko ujechali jakieś sto kroków w głąb miasta. Jakby nie mógł się doczekać chwili, kiedy uwolni się od ciężaru roztrzaskanej maszyny.

– Potrzebuję eskorty do siedziby priorów w San Piero. Mechanizm zawieźcie do mistrza Alberta, Lombardczyka, który ma warsztat w Santa Maria. Niech obchodzi się z tym ostrożnie. Jutro do niego zajrzę.

Dziedziniec San Piero do połowy zalany był blaskiem słońca, które właśnie wzbiło się ponad dach budynku. Poeta podążył ku części wciąż pozostającej w mroku, gdzie znajdowały się schody prowadzące do cel. Na jednym z pierwszych stopni zderzył się z kimś zbiegającym w pośpiechu z góry. Z dziewczyną owiniętą skąpą szatą. Prior wybałuszył oczy ze zdziwienia, rozpoznając jej szczupłą twarz i zielone, lubieżnie płonące oczy.

– Pietra... – zdołał tylko wyszeptać rwącym się głosem. Dziewczyna wybuchnęła mu w twarz śmiechem z bezczelną miną i pobiegła dalej do wyjścia. W nozdrza uderzyła go fala pachnącego winem oddechu. Przez chwilę miał ochotę puścić się za nią w pogoń, lecz zatrzymał go odgłos ciężkich kroków. U szczytu schodów pojawił się zdyszany mężczyzna, również półnagi. Na widok Dantego zatrzymał się w pół kroku i wysłał mu porozumiewawczy uśmieszek. Poeta minął go, nawet nań nie spojrzawszy, kierując się do swojej celi.

– Och, *messer* Alighieri, po co ta wyniosłość? Przez dwa miesiące musimy trwać tu w zamknięciu, niczym w którymś z lochów Stinche! – krzyknął mężczyzna do pleców poety. – Zdaje się, że przynajmniej wam się udaje wymykać stąd nocami...

Dante gwałtownie się odwrócił i postąpił kilka kroków w jego stronę. Krew pulsowała mu w skroniach, hucząc niby wodospad. Wzrok zachodził mgłą z bólu i zmęczenia. Opadł z sił; zdał sobie z tego sprawę, śledząc swe ruchy jakby z oddali, gdy rzucił się z pięściami w stronę swego rozmówcy, który nagle jął zbiegać po schodach w kierunku strażnika.

– Nie będziecie chyba zazdrośni o swoją dziwkę, co? Jeśli macie ochotę, zawsze możecie ją znaleźć w Raju! – wysyczał tamten, cały czas trzymając się w bezpiecznej odległości.

– Tam gdzie i ja ją znalazłem!

Dante zacisnął pięści i ponownie ruszył w stronę swej celi.

– Lapo, to czysta ironia losu, że sprawujemy ten sam urząd. Tyle że ja staram się go wypełniać rozumem i szlachet-

nością, wy zaś znieważacie swoją miernością i zepsuciem. Ale
cóż? W kościele siedzisz przy świętych, w karczmie śród hołoty...*

Wymówił te słowa głośno i dobitnie, lodowatym tonem.
Nikt nie wyszedł na korytarz, lecz liczył na to, że pozostali priorzy się pobudzili i wszystko słyszeli. Otworzył na oścież
drzwi maleńkiej celi. Chyba niczego nie brakowało. Przejrzał
plik zapisków leżących na stole pod oknem i cenny rękopis
Eneidy. Dotknął pergaminu przezroczystego prawie od czę-
stej lektury. Niczego nie brakowało, to prawda, lecz o ile sobie przypominał, zostawił zapiski poukładane w inny sposób.
W czasie jego nieobecności ktoś szperał w jego rzeczach w poszukiwaniu jakichś sekretów, by móc je wykorzystać przeciwko niemu.

Na ustach Dantego pojawił się pobłażliwy uśmiech. Ślep-
cy. Głupcy. Swoje sekrety zapisywał w księdze pamięci, niedo-
stępnej dla nikogo.

Pewna wiadomość też znajdowała się na swoim miejscu,
ukryta między wersami pieśni szóstej. Czuł, że opuszczają go
siły. Schował księgę na dno sekretarzyka i wycieńczony, rzucił
się na łoże. Wreszcie mógł zasnąć.

---

* Dante Alighieri, *Boska komedia*, *Piekło*, Pieśń XXII, w. 14–15. Wszystkie cyta-
ty z *Boskiej komedii* w przekładzie Edwarda Porębowicza.

2

Późny ranek, 7 sierpnia

O**budził** go promień ostrego światła wciskający mu się pod powieki. Słońce było już wysoko, lecz nawet na głos dzwonu, który oznajmiał kolejne godziny, nie był w stanie przezwyciężyć w sobie wszechogarniającej słabości. Przez cały poprzedni dzień majaczył w gorączce. W końcu podniósł się i usiadł na łożu. Pokój wirował mu przed oczami, falując niczym statek, który obsesyjnie nawiedzał jego myśli. Czarna galera pełna zjaw wynurzała się w jego głowie z ładunkiem gnijących twarzy za każdym razem, gdy umysł popadał w tępe odrętwienie.

Zacisnąwszy powieki, odczekał, aż świat wokół niego przestanie krążyć. Wówczas chwiejnym krokiem zbliżył się do sekretarzyka i wyciągnął zeń swój rękopis *Eneidy*. Między stronicami księgi ukrył zapisany kawałek pergaminu.

Jeden ze strażników pobierających cło znalazł go w beli jedwabiu należącej nie wiadomo do kogo. Dante przeczytał po raz setny:

Zawierzcie naszemu dziełu, o Wyznawcy Miłości, i z czterech stron świata wypatrujcie przybyszy wezwanych, by wypełnił się plan. Wpierw wzniesiona zostanie nowa Świątynia i jej wspaniałe bramy. Na koniec przybędzie statek i nada jej kształt niewidziany. Na nim jest klucz do skarbca Fryderyka. On otwiera drzwi do Królestwa Światła.

Opieczętowany skrawek pergaminu, bez nazwiska adresata. Znać, że spodziewał się on tej wiadomości i odebrałby ją w składzie z suknem, gdyby przypadkowa inspekcja go w tym nie uprzedziła.

Sięgnął do torby, którą rzucił na skrzynię za łożem, i wyjął z niej kajet znaleziony na statku. Jął ostrożnie rozchylać karty posklejane od panującej na morzu wilgoci. Był to dziennik pokładowy, jak można było wnioskować z nawigacyjnych zapisów, które powtarzały się z monotonną regularnością. Tu i ówdzie inkaust się rozmazał, zacierając litery. Udało mu się jednak rozszyfrować kilka nazw miejscowości nad Morzem Śródziemnym i spis towarów. Pod koniec widniało parę nazwisk, zapewne członków załogi, a po nich krótki wykaz napraw, jakich dokonano na Malcie.

Chrześcijański okręt. Lecz z niezwyczajną załogą, jeśli owe nazwiska rzeczywiście należało brać za nazwiska jej członków. Niemal wyłącznie Francuzi z Langwedocji. I jeszcze pasażerowie opisani jako „mieszkańcy Outremeru".

Dlaczego na pokładzie chrześcijańskiego okrętu znajdowali się poganie i to nie jako niewolnicy przy wiosłach, lecz panowie podróżujący w kapitańskiej kajucie? Co więcej, pod tym przerażającym godłem na dziobie. Oni strzegli cesarskiego skarbu. Ale co miało oznaczać owo Królestwo Światła?

W liście było jednak coś, co brzmiało znajomo. Owo miano – Wyznawcy Miłości. Tajne zgromadzenie, do którego on sam przynależał za młodu, zakonspirowana grupa walcząca z tyranią papieża. Gorące umysły i serca.

Nie słyszał o nich, odkąd opuścił ich szeregi, by poświęcić się politycznej walce we własnym mieście. A teraz oni wrócili, wiodąc z sobą śmierć.

Śmierć. Od jakiegoś czasu stała się jego wierną towarzyszką. Słyszał jej ciche stąpanie, gdy przemierzał zalane słońcem ulice Florencji, czuł jej oddech, gdy włosy jeżyły mu się na głowie bez wyraźnej przyczyny niczym psia sierść.

Przeżywał w sobie każdy wers swego kolejnego dzieła. Wielkiego poematu o ziemi i niebie. Dysputy wędrowca z duchami wielkich przodków ludzkości, którzy zdradzą mu wszelkie sekrety zaświatów.

Jego wzrok poszybował do stosu arkuszy na stole, zapobiegliwie gromadzonych kart papieru i pergaminu, z których ostrożnie zeskrobał inkaust, by móc je ponownie zapisać. Wziął kilka z nich do ręki.

Na jednej z pierwszych naszkicował Ziemię, dokładnie odmalowując jej podział na lądy i morza. A w jej wnętrznościach – wielki dół dla potępionych, ulokowanych w kręgach olbrzymiego amfiteatru, w piekielnej studni, w której na wieki zatrzaśnięto Lucyfera. Dalej potężną skałę wznoszącą się nad wodami, na którą wspiąwszy się, dusze grzeszników oczyszczały się z win. A potem... Potem pustka. Jego fantazja zdawała się ślepa, niezdolna odnaleźć widzialnej formy, która z taką samą precyzją oddawałaby całe piękno niebios.

O ile łatwiej pokazać zło.

Od dłuższego już czasu Dante słyszał za oknem niezwykłą wrzawę ludu zmierzającego w stronę Ponte Vecchio. Jakby cały tłum zdążał z Oltrarno na północ miasta. Początkowo, pogrążony w lekturze swoich zapisków, nie zwracał uwagi na te odgłosy. Uliczny zgiełk wciąż jednak narastał. Odruchowo spojrzał w kierunku drzwi. Może doszło do jakichś zamieszek albo, co gorsza, buntu gręplarzy, na który zanosiło się zresztą od dawna. Wybiegł z budynku prosto w rozkrzyczany tłum przewalający się przez ciasną uliczkę niczym wzburzona rzeka.

W ścisku, pośród skromnie odzianych rzemieślników, dostrzec można było gdzieniegdzie dostojne szaty członka któregoś z ważniejszych cechów lub uniform strażnika dzielnicy. Rozpoznał jedną z tych twarzy.

– Messer Duccio? Co wy tutaj robicie? Co tu robią ci wszyscy ludzie?

Sekretarz komuny, człek w średnim wieku, zupełnie łysy, wypchnięty przez tłum, prawie się na niego przewrócił.

– Śpieszą do Santa Maddalena, priorze! – wysapał mężczyzna. – Ujrzeć relikwię z krain Wschodu!

– Relikwię? Ten motłoch? – syknął poeta z niedowierzaniem.

Sekretarz wzruszył ramionami, jednocześnie mocnym pchnięciem usuwając sprzed siebie jakiegoś wieśniaka, który zatarasował im drogę.

– Mnich Brandano, kaznodzieja czyniący cuda, przybył właśnie z ziem Francji!

– Z ziem Francji nigdy nie przybyło jeszcze nic dobrego. Jedynie zepsucie naszych zacnych zwyczajów i najgorsze odmiany zarazy. Wyglądają, jakby powariowali.

– Macie rację, rzeczywiście, jakby powariowali. Jednak kiedy i wy ujrzycie...

– Co miałbym zobaczyć?

– Cudowną Dziewicę. Chodźcie!

Dante spojrzał na niego w osłupieniu. Ale tamten popłynął już dalej, niesiony przez tłum, wciąż pokazując mu na migi, żeby za nim podążył.

– Chodźcie, wy także! – zdążył jeszcze krzyknąć, zanim całkiem wchłonęła go ludzka masa.

Opactwo Santa Maddalena mieściło się na tyłach starożytnego forum, nieopodal Santa Maria in Campidoglio. Była to masywna budowla, która wyrastała na fundamentach antycznej rzymskiej insuli, powtarzając prostokątny zarys jej murów. Z przodu wznosił się kościół opacki o prostej fasadzie z wypalanej cegły, a za nim przylegający do apsydy budynek zamieszkiwany niegdyś przez kilku benedyktyńskich mnichów. Wysoki jednolity mur ciągnący się po lewej stronie skrywał klasztorne krużganki wciśnięte pomiędzy kościół i sąsiednie zabudowania.

– Wytłumaczcie mi coś, *messer* Duccio – krzyknął Dante do swojego towarzysza, próbując torować sobie drogę w masie, która stłoczyła się przed portalem. – Byłem pewien, że opactwo jest opuszczone.

– Bo jest. Mnisi, którzy je zamieszkiwali, powymierali. Ostatni opat tego miejsca pożegnał się z życiem jakieś dziesięć lat temu, w czasach Giana della Bella.

– Do kogo więc teraz należy?

Sekretarz komuny wzruszył ramionami.

– Trudno powiedzieć. Powinno było powrócić pod zarząd San Piero. Ale w rzeczywistości, ponieważ z dwóch stron graniczy z domostwem Cavalcantich, zostało włączone do ich posiadłości.

Dante podniósł wzrok na sąsiednie budynki. Dobrze znał owe mury. Wieżę pnącą się w górę na pięćdziesiąt łokci i graniczące z nią budowle połączono zabudowanymi kładkami i tarasami. Tym sposobem, po zamurowaniu okien w zewnętrznych murach i ufortyfikowaniu bram, posiadłości rodziny przekształcono w fortecę w samym sercu starej części miasta.

– Może *messer* Cavalcanti przed śmiercią poczuł pragnienie posiadania rodzinnej kaplicy. Lecz kościół zieje pustkami, zwłaszcza odkąd jego syn Guido, ten wichrzyciel, został skazany na wygnanie – dodał *messer* Duccio.

Dante tylko przytaknął. To on podpisał nakaz banicji. Serce kolejny raz ścisnęło mu się w poczuciu winy.

Mężczyźni i kobiety tłoczyli się w nawie kościoła, pod naporem wciąż napływającego tłumu przyciśnięci do filarów i nagich kamiennych ścian. Pomiędzy dwoma filarami przy prezbiterium rozpięto żelazny łańcuch broniący dostępu do ołtarza. Za prostym marmurowym blatem wznosiła się kamienna przegroda, która niczym kurtyna zasłaniała widok na apsydę.

Tuż za łańcuchem ustawiono drewnianą skrzynię wysokości człowieka, przykrytą kawałkiem białej wełny z wyszytym na nim szkarłatną nicią krzyżem. Dante nie mógł się oprzeć wrażeniu, że widział już wcześniej ten dziwny przedmiot. Próbował sobie to przypomnieć, gdy nagle ktoś popchnął go w plecy tak mocno, że aż jęknął z bólu. Tym, kto tak bez skrupułów torował sobie drogę w ścisku, okazał się młodzieniec w stroju studenta, który niezwłocznie poprosiwszy o wybaczenie, ustawił się obok niego.

Dante obejrzał się do tyłu, szukając Duccia, lecz ten rozpłynął się w morzu głów. Wtem przez tłum przeszedł cichy szmer.

Zza ołtarza wyłoniła się wysoka postać, od stóp do głów spowita w tunikę z kapturem ze zgrzebnego płótna, jaką zwykli nosić pielgrzymi w Ziemi Świętej, ściągniętą w pasie konopnym sznurem, na który zatknięty był duży drewniany krzyż.

Spod kaptura wystawała jedynie część męskiej twarzy okolonej czarną jak smoła brodą spływającą do połowy piersi. Ręce ukryte były w szerokich rękawach.

Był to mnich, którego Dante widział na czele dziwnego pochodu, przy bramie. Poeta był tego pewien. I ta sama skrzynia, na którą zwrócił uwagę przy Porta al Prato. Teraz jednak, u stóp ołtarza, mnich nie wydawał się nawiedzonym ascetą, jakim jawił się Dantemu w nieśmiałych promieniach świtu.

Teatralnym gestem zrzucił kaptur, odsłaniając czaszkę kompletnie łysą z dostojnie zarysowanym czołem. Przypominał marmurowy posąg starożytnego Rzymianina, który nagle ożył. Nie ma w nim ni cienia pospolitości, pomyślał Dante, obserwując go uważnie. Ze swym szerokim torsem żołnierza, imponującym wzrostem i przede wszystkim dumną sylwetką kogoś, kto raczej przychodzi rzucić wyzwanie, niż prosić o jałmużnę, był ucieleśnieniem mnicha wojownika.

W milczeniu mężczyzna podszedł do skrzyni i zrzucił przykrywającą ją tkaninę, ukazując oczom zebranych bogato zdobioną kasetkę przypominającą niewielkie przenośne ołtarzyki, jakie Dante widywał u wędrownych kaznodziejów. Następnie rozchylił drzwiczki.

Wewnątrz, na podpartym jedną nogą blacie, spoczywał relikwiarz z brązu, wysoki prawie na trzy stopy. Przedstawiał popiersie kobiety, oddane z zadziwiającą maestrią i przybrane mnóstwem różnobarwnych klejnotów. Poeta widział wcześniej podobne dzieła złotniczej sztuki, stworzone, by pomieścić szczątki świętych. W kształcie rąk, nóg, czasami głowy. Lecz ten był tak wielki, że z łatwością mógł pomieścić cały ludzki tors.

Nie dawał mu spokoju wyraz rzeźbionej twarzy. Artysta przydał jej rysom nieokiełznanej rozwiązłości i podłości. A jednocześnie naznaczył okrutnym cierpieniem, ściągając w straszliwym grymasie usta, z wystającymi zębami z masy perłowej. Zaiste, niezwykły kunszt musiała posiąść ręka, która stworzyła to oblicze, aby z taką biegłością zamknąć w metalu twarz królowej piekieł. Dante rozejrzał się wokół siebie, uważnie śledząc reakcję zebranych, jednak nikogo zdawała się nie oburzać obecność tak niestosownego wizerunku w świętym miejscu.

Odczekawszy chwilę, by podnieść napięcie, mnich zbliżył się do relikwiarza i dotknął go, jakby chciał ogrzać metal. Najpierw rozpiął klamrę podtrzymującą podstawę torsu. Potem, poruszając niewidzialny zamek, obrócił fragment rzeźbionej twarzy i otworzył górną część. W środku zalśniło coś białego. Kość jakiegoś świętego albo męczennika, pomyślał Dante znudzony. Nigdy nie pochwalał obyczaju kawałkowania ciał, miast pozwolić im spokojnie doczekać trąby Sądu Ostatecznego. Lecz może chodziło tylko o jakiś posąg z kości słoniowej, jak wizerunki antycznych bogów.

Mnich wyciągnął przed siebie ramiona, żeby uciszyć tłum. Potem ujął w palce maleńki uchwyt, który wystawał z popiersia. Pociągnął go do siebie i odsłonił w końcu całą jego zawartość.

Był to fragment ciała młodziutkiej dziewczyny, odcięty na wysokości bioder. Przepiękną nieruchomą twarz zdawała się powlekać cienka warstwa przezroczystej substancji, jaśniejszej od kości słoniowej, która utrwaliła jej rysy w spokojnym śnie. Głowę osłaniał wyszywany perłami i złotą nicią czepek, spod którego wystawał zaledwie rozkoszny łuk czoła. Ręce, skrzyżowane w geście, który powtórzono w formie relikwiarza, skrywały pod sobą słodycz drobnych piersi. Rzeźba z wosku, jak można było sądzić po kolorze karnacji i pozbawionym wyrazu obliczu.

– Patrzcie, relikwia! – podniosły się głosy.

– To prorok! – wykrzyknął ktoś inny.

Ponownie przyjrzał się temu nagiemu popiersiu, tym razem z poirytowaniem. No tak, to nie rzeźba, lecz zabalsamowany kawał ciała, pomyślał z obrzydzeniem. Jednak gładka cera, krągłość policzków i wypukłe gałki oczu, których można się było domyślić pod zamkniętymi powiekami, nadawały mu wygląd żywej istoty, jakże różny od owych zasuszonych straszydeł coraz częściej wystawianych w kościołach.

Przepchnął się w tłumie do przodu, zatrzymując się dopiero przy łańcuchu. Parę kroków przed nim prorok, jak go nazwano, rozpościerał ramiona z twarzą zwróconą ku niebu.

– Oto Dziewica Antiochejska, która wzywa was, byście pomścili nieszczęścia Ziemi Świętej! – krzyknął natchnionym tonem. Miał niski głos, w którym wyczuwało się chropawość typową dla przybyszy z południa. – Jest tu, by napominać wasze sumienia!

Tu zrobił teatralną przerwę, jakby chciał zebrać siły przed dalszą przemową.

– Kiedy poganie, w pył obróciwszy chrześcijańskie zastępy, wtargnęli na ulice naszych miast i do naszych domostw, rozpoczęli okrutną rzeź. I poczęli znieważać niewiasty. To święte dziewczątko ukryło się w swym domu, lecz poganie sforsowali drzwi. Wówczas jej ojciec sam postanowił uchronić córkę od tortur, jakie zadałoby jej to szatańskie plemię. Jednym ruchem miecza przeciął jej dziewicze ciało. I wtedy zdarzył się cud, który poraził oprawców. Spójrzcie, jak wszechmocny jest Bóg!

Kaznodzieja opuścił nagle ramiona i prawą ręką wskazał posąg. Dante ujrzał po chwili, jak powieki Dziewicy się podnoszą, odsłaniając błyszczące źrenice.

Ludzka masa stłoczona w nawie zastygła w pełnym osłupienia milczeniu. Wtem rozległ się grzmot, który z ust zebranych wyrwał wspólny okrzyk zdumienia.

Nawet poeta bąknął coś w zadziwieniu, nie mogąc oderwać wzroku od relikwii, która nie przestawała się poruszać. Otworzyła szeroko oczy i rozejrzawszy się dokoła, płynnym ruchem rozłożyła ramiona i uniosła prawicę, by pobłogosławić obecnych. Wątły tors z zawiązkami piersi zdawał się rytmicznie falować.

– Oddycha... Ona żyje! – usłyszał obok siebie czyjś głos w potężnym chórze okrzyków, który eksplodował w kościele. Relikwia zaczęła obracać głową i nieruchomymi oczami sondować przestrzeń, zupełnie jakby kogoś wypatrywała. Ona żyła naprawdę, jakkolwiek nieprawdopodobne mogłoby się to wydawać.

Pierwsze rzędy gruchnęły na kolana, tratowane od tyłu przez gapiów, którzy przepychali się z całej siły w kierunku cudu, wyciągając przy tym szyje, by lepiej widzieć.

– Ostrze rozpłatało jej ciało na wysokości lędźwi. A mimo to, Boskim zrządzeniem, pozostała przy życiu! Z jej ust do niewiernych popłynęły słowa straszliwe, wprawiając ich w popłoch i każąc zapomnieć o ślepej furii. I gdy oni w pomieszaniu błąkali się niby w ciemnościach, kilku ocalałym z rzezi udało się zbiec i zabrać ją ze sobą do ziem opromienionych Bożą łaską. – Dziewica w dalszym ciągu lustrowała tłum swym lodowatym spojrzeniem. Błękitne źrenice były tak jasne, że wydawały się niemal białe. Gdy napotkały wzrok Dantego, poeta miał przez moment wrażenie, że właśnie jego szukały. – Ona powiedzie nas ku utraconym krainom Wschodu. Z nią zdobędziemy je na nowo. Powrócimy tam, by otoczyć opieką Grób Pański i posiąść skarby, które niewierni wydarli naszym braciom. Wsłuchajcie się w jej głos, kiedy do was przemówi. I wspomóżcie jej misję, każdy według swych możliwości – ciągnął Brandano, wskazując niską przysadzistą postać szczelnie zawiniętą w identyczny mnisi habit, który czynił ją zupełnie niewidoczną.

Nowo przybyły przez jakiś czas kręcił się wśród tłumu, potrząsając sakwą, w którą zbierał sypiące się szczodrym strumieniem monety. Dante zauważył, że trzyma się on z daleka od niego z głową głęboko wciśniętą z zakonny kaptur, jakby obawiał się napotkać jego spojrzenie. Może dlatego że na jego twarzy łatwo było wyczytać dręczące go wątpliwości, pomyślał.

Rytuał prezentacji relikwii najwyraźniej dobiegał końca. Dziewica powoli zamknęła oczy, ponownie przyciskając ręce do piersi. Wyglądało na to, że powróciła do wiecznego snu, na nowo pogrążając się w marzeniach o chwale i sprawiedliwości. Mnich Brandano pozamykał wszystkie drzwiczki z brązowej blachy, skrzące się od klejnotów, i na powrót spiął podtrzymującymi je na miejscu klamrami, po czym zwrócił się po raz ostatni do przejętego wciąż tłumu. Następnie zamknął kasetkę i zarzucił na cudowną skrzynię tkaninę z haftowanym krzyżem.

Dante czuł się zbity z tropu, co nie oznaczało bynajmniej, że wraz z otaczającą go podnieconą z wrażenia tłuszczą poddał się stanowi bezmyślnego oszołomienia. Po tylekroć oglądał jarmarczne popisy różnych odmieńców i kalek, których samo istnienie zdawało się zadawać kłam prawom natury. Musiało być jakieś wytłumaczenie, które ludzki rozum może i powinien znaleźć.

Choć Dziewica zaiste jawiła się jako triumf niemożliwego. Jakim sposobem ciało, ugodzone w najdelikatniejsze wnętrzności, mogło przetrwać bez połowy potrzebnych do życia organów? I oddychać, nie zwijając się przy tym w najstraszliwszych bólach? Jak mogło się żywić owo stworzenie, nie inaczej jak podtrzymywane ręką Boga w każdym momencie swego ułomnego istnienia?

Starożytni też nieraz doświadczali cudów, a sam Arystoteles przyznał, że w wypadku zjawisk nadprzyrodzonych tyle samo jest argumentów za tym, by w nie wierzyć, co za tym, by podawać je w wątpliwość.

Dlaczego jednak jakaś nadprzyrodzona siła wybrała ten właśnie sposób, by ukazać swą moc? Tego umysł Dantego nie potrafił pojąć. Czyżby majestat Boga doprawdy objawiał się w konwulsjach ciała, w jego okrutnym okaleczeniu? Czy naprawdę Bóg musiał się nim posłużyć, by uwolnić z rąk nieprzyjaciół krainę, w której na świat przyszedł jego Syn?

– Przynosi nieszczęście... Przeklęta – mruknął ktoś za nim.

Dante odwrócił się, szukając miejsca, z którego dochodził głos. Owe słowa dawały wyraz jego złym przeczuciom, które nie opuszczały go, odkąd zobaczył relikwię. Wypowiedział je starzec zgięty pod ciężarem lat, odziany skromnie, lecz nie jak człek z ludu.

– Dziewica? Dlaczego miałaby być przeklęta? – zapytał z niepokojem.

Starzec wciąż wpatrywał się w przejście, w którym znikneli mężczyźni z relikwiarzem.

– Nie Dziewica Antiochejska... ktokolwiek to jest, lecz owa bezecna powłoka, która ją skrywa. Widziałem już coś podobnego w czasach mej młodości. Znam rękę, która stworzyła to oblicze. Poznałem ją ponad pół wieku temu, w warsztacie mistrza Andrei ludwisarza, gdzie razem terminowaliśmy, zgłębiając tajniki sztuki odlewniczej. Ja i on.

– Co za on?

– Guido Bigarelli. *Magister summus. Magister figurae mortae*[*].

---

[*] Najwyższy mistrz. Mistrz martwego kształtu (łac.).

– Guido Bigarelli? Architekt Fryderyka Drugiego? Ten wielki Bigarelli?

– Och, wielki zaprawdę... w planowaniu niegodziwości. Ten relikwiarz... Ja wiem, jak to zrobił...

Staruszek potrząsał głową. Dante nie wiedział, co o tym sądzić: może umysł tego człowieka odpływał w nieznane albo już całkiem pogrążył się w odmętach starości. Lecz owo nazwisko, Guido Bigarelli, rozbrzmiewało w jego pamięci niczym dzwon na trwogę.

Cesarski architekt, prawa ręka Fryderyka w urzeczywistnianiu jego najbardziej przewrotnych marzeń. Podobno ozdobił dlań sekretną kaplicę w Palermo po powrocie cesarza z Outremeru. On również miał okazję go poznać, gdy przez krótki czas jako rzeźbiarz pracował dla braci z Santa Croce. W owym czasie poeta był zaledwie chłopięciem i dopiero zaczynał poznawać sztukę słowa. Lecz zapamiętał dobrze złamany nos i zmierzwioną brodę, które czyniły tego człowieka podobnym do satyra, i jego wzrok zagubiony pośród dalekich obrazów.

– Mistrz umarłych? Dlaczego? – chciał wiedzieć Dante. Nie docierało doń zamieszanie panujące w kościele. Obchodziła go tylko odpowiedź na to pytanie.

– Ja wiem, jak to zrobił – powtarzał starzec. – Wylał rozpuszczony metal na ciało swej zmarłej kochanki. Miast formy z wosku ludzkie mięso... Ja to widziałem.

W tym momencie między nich wdarło się kilku ludzi popychanych przez podążającą za nimi rozwrzeszczaną grupę. Prior zauważył młodego studenta, który nieomal go wcześniej stratował. Przypatrywał się im, próbując z uwagą słuchać słów starca, który teraz oddalał się niesiony ludzką falą. Chciał jeszcze zadać mu kilka pytań, lecz zatrzymał się w pół kroku, słysząc swoje imię.

Obejrzał się za siebie, usiłując dojrzeć coś ponad głowami, i zadrżał. Człowiek, który go zawołał i teraz wpatrywał się w niego ciemnymi oczami, górował nad tłumem co najmniej o piędź. Dante ruszył w jego stronę.

– *Messer* Alighieri, wy też przyszliście podziwiać cuda? – zapytał mężczyzna, gdy obaj schronili się pod filarem.

Dante otworzył usta ze zdziwienia.

– Tak... podobnie jak wy, mniemam – wybąkał, nie wiedząc, co rzec.

Tamten w dalszym ciągu się uśmiechał, odrzuciwszy do tyłu burzę wciąż czarnych, kontrastujących z siwą zupełnie brodą włosów, których tu i ówdzie zaczęły przenikać białawe pasma. Przysunął się bliżej poety, lekko powłócząc nieco krótszą prawą nogą.

– Ciekawość to pierwszy fundament każdej nauki. Akurat wy powinniście to wiedzieć. Kiedy się poznaliśmy w Paryżu, również próbowaliście przenikać sekrety Natury.

Wspomnienia tego krótkiego czasu spędzonego na wydziale sztuk stanęły nagle Dantemu przed oczami. A wraz z nimi twarz tego człowieka, Arriga da Jesi, który obejmował tam podówczas katedrę filozofii przyrody.

– Kiedy opuściliście Paryż? – zapytał.

– We Francji czasy się zmieniły. Po atakach popleczników papieża nie dało się dłużej w spokoju nauczać. Tak więc przekroczyłem Alpy i pomieszkiwałem przez jakiś czas w różnych miastach na północy Italii. Ostatnim miejscem, w którym wykładałem, była Tuluza.

Początkowe zdumienie ustępowało, w miarę jak ojcowska postać tego człowieka przyoblekała się w pamięci Dantego w coraz żywsze barwy. Arrigo był owym nauczycielem, który w owym czasie wywarł na nim największe wrażenie dzięki przenikliwości, z jaką wykładał myśl starożytnych filozofów.

– Dlaczego mnie nie odszukaliście, mistrzu? – z serdecznym wyrzutem zwrócił się doń poeta. – Mimo mych skromnych środków przyjąłbym was tak, jak na to zasługujecie.

Arrigo znów się uśmiechnął i poufałym gestem poklepał go po ramieniu.

– Wdzięczny wam jestem, lecz nie domyślajcie się we mnie nieszczęsnego wygnańca. Mam wystarczające środki do życia i od czasu do czasu wciąż wykładam. Miałem zresztą nadzieję, że i was spotkam przy tej okazji, abyśmy mogli odnowić naszą znajomość w przestrzeni słowa, jedynej godnej mędrca. W jedynym jego królestwie – zakończył po krótkiej pauzie, obserwując panujące wokół zamieszanie.

– Me publiczne obowiązki trzymają mnie z dala od tego królestwa. Lecz nigdy nie zapomniałem waszej nauki. Podobnie jak wy, jak widzę, nie zapomnieliście mego imienia.

– Czy mógłbym zapomnieć swego najbystrzejszego ucznia?

– Zdaje się, że nie tylko tajniki przyrody i Boskiej natury zaprzątają waszą uwagę – ciągnął Dante, wskazując zamieszanie za ich plecami.

– Wiedzieć jest powołaniem mędrca. A wiedzieć wszystko – jego najszlachetniejszym pragnieniem – rzekł Arrigo po chwili.

– Wiedzieć wszystko... Toż to inny sposób nazwania wszechwiedzy. A wszechwiedza jest przymiotem Boskim i tylko Boskim, jak nauczają Tomasz z Akwinu i święty Bonawentura oraz wielu innych – odpowiedział poeta. Nieświadomie powrócił do pojedynku z dawnym nauczycielem, podejmując rzucone niegdyś wyzwanie.

– Są też inni mistrzowie zdolni rozjaśnić mrok naszych wątpliwości. Oprócz tych wielkich, o których wspomnieliście, inni podążali i podążają za światłem. O kilku z nich moglibyśmy zresztą pomówić. O pozostałych nie byłoby to roztropne, nawet we Francji.

– A tu we Florencji?

– Kto wie.

Dante poczuł, że zaczynają stąpać po grząskim gruncie.

– A co sądzicie o tym, co właśnie widzieliśmy? – zapytał, by zmienić temat.

– O tym, co widzieliśmy... Macie pewność, że obaj widzieliśmy to samo?

– Naturalnie, nasze oczy różnią się, podobnie jak ręce czy nos. Lecz esencja obrazu, który nasz umysł tworzy na podstawie tego, co przekazują mu zmysły, musi być ta sama. Ponieważ umysł nasz jest zwierciadłem umysłu Boga, który jest jeden.

– A jeśli Bóg nie istnieje?

– Bluźnicie, Arrigo! – napomniał go żartobliwie Dante, grożąc mu przy tym palcem. Nie wierzył, by ktoś, kto wykładał na wydziale teologii, mógł w rzeczy samej żywić podobną wątpliwość. Tamten jednak zdawał się nie podzielać jego wesołości.

– Mam na myśli: jeśli nie istnieje jeden tylko Bóg. Jeśli tak jak światło i cień również istota Boskości dzieli się na królestwo Dobra i jego przeciwieństwo? A w takim razie, czyjej władzy podlega to, co przed chwilą widzieliśmy?

Poeta poczuł się zbity z tropu. Arrigo wzruszył ramionami.

– Wybaczcie, *messer* Alighieri. Podważanie każdego pewnika łatwo wchodzi w nawyk komuś, kto tak jak ja posługuje się nim jako metodą w zgłębianiu tajemnic Natury. Wróćmy jednak do straszliwego spektaklu, który się przed nami rozegrał. Zdaje się, że Bóg zawiesił wszystkie swe prawa. Nigdy w moich studiach nad fenomenami przyrody nie spotkałem się ze stworzeniem zdolnym przeżyć bez połowy wewnętrznych organów.

– Czy i wam przyszła na myśl lalka wyposażona w jakiś poruszający nią mechanizm? – zapytał Dante.

– Być może. A być może nie. We Francji widziałem mnóstwo owych ruchomych kukiełek, montowanych dla ozdoby w zegarach wież. Lecz żadnej, która wyglądałaby tak naturalnie. Chciałoby się wręcz pomyśleć...

Pochłonięci rozmową, skierowali się do wyjścia. Lecz naraz tłum przed nimi się zatrzymał i rozległy się podniesione głosy, jakby z przodu doszło do sprzeczki. Dante wspiął się na palcach, chcąc wybadać, co się dzieje. Rozpoznał Komendanta, który rozglądając się na boki, przepychał się brutalnie w ścisku na czele grupki żołnierzy.

– *Messer* Durante! – krzyknął, kiedy go zauważył. – Powiedziano mi, że was tu znajdę!

– Skąd w was takie pragnienie ujrzenia mnie? – odciął się prior, w jednej chwili nakazując sobie ostrożność.

– Jesteście potrzebni w gospodzie Pod Aniołem. Znaleziono tam zwłoki.

Dante pochylił głowę i z całej siły przycisnął pięści do powiek, próbując opanować nagły zawrót głowy. Serce zaczęło mu bić jak szalone, a w duchu narastała głucha wściekłość. Jeszcze jeden! Wziął kilka głębokich wdechów.

Jakby ulice Florencji zamieniły się w ścieżki Hadesu. Poczuł, że dusi się ciepłym powietrzem. Spróbował przywołać w pamięci jakiś inny obraz. Twarz Pietry, jej pogardliwy śmiech.

– Wy się tym zajmijcie... ja mam dosyć. Na pewno któryś z priorów będzie wam mógł w tym pomóc. Zapytajcie.

– Nie... – Tu Komendant zaciął się, jakby nie potrafił znaleźć dalszych słów. Rzucił podejrzliwe spojrzenie na Arriga, który dyskretnie usunął się w tył. – Zmarły to ktoś... kto tam nie pasuje. Jest bardzo stary. I odziany na sposób turecki – dodał, kładąc nacisk na ostatnie słowo.

Dante zmrużył oczy. Czwarta osoba. Czyżby kosa śmierci dopadła ją na drodze ucieczki? Poczuł, jak na tę niespodziewaną wiadomość w jego członki wstępuje niespodziewana moc. Słabość zdawała się odchodzić.

– Gospoda Pod Aniołem, mówicie... Chodźmy zatem. Może uda się nam dokończyć rozmowę ze statku.

– Przecież wam mówię, że on nie żyje!

– A ja chcę z nim pomówić. Zawsze możemy wysłuchać jego cichego świadectwa, jeśli tylko to potrafimy.

Pożegnawszy filozofa skinieniem ręki, ruszył ku bramie kościoła, wykorzystując wąski korytarz, który otworzył się w tłumie po przejściu straży. Komendant, potrząsając głową, wybiegł za nim.

Gospoda Pod Aniołem wychodziła na niewybrukowaną uliczkę przy starożytnych rzymskich murach, po drodze do Santa Maria Novella. Pierwotnie była to zapewne jedna z wież strażniczych. Jej szczyt zawalił się w zamierzchłych czasach. Teraz górowała nad resztkami murów niczym ostatni zwiad zaginionego wojska, otoczona przez późniejsze, ciągnące się w stronę wsi budynki. Do cylindrycznej podstawy dobudowano z solidnych drewnianych belek kilka przestronnych izb, w których mieściła się kuchnia i pokoje dla mniej zamożnych wędrowców. Tu dawano im nocleg w wielkich prostych łożach mogących pomieścić i trzy osoby.

Po przeciwnej stronie uliczki biegł niewysoki mur z kamieni ułożonych bez zaprawy, za którym rozciągały się winnice. Brzęcząca chmara much unosiła się nad zwałami ekskre-

mentów, którymi konie przyjezdnych znaczyły błotniste pod-
łoże, czekając na swe miejsce przy drągu koło bramy.

– Do kogo należą te ziemie? – zapytał poeta, wskazując
przed siebie.

– Do Cavalcantich... tak mi się zdaje – odrzekł Komendant po chwili namysłu. – Gospoda też była niegdyś własno-
ścią rodziny. Dawno temu był to jeden z ich młynów. W wieży
zaś mieścił się skład. Potem przebudowano go na miejsce po-
stoju dla pielgrzymów.

Znowu ci Cavalcanti. I znów to samo podstępne poczucie
winy. Prior wzdrygnął się i aby się od niego uwolnić, jął z uwagą studiować budynek gospody. Szyld przedstawiał anioła z roz-
postartymi skrzydłami. Czyjaś ręka pokryła część napisu nad
słowem „Aniołem" warstwą kolorowej farby. Lecz upływ czasu
i słoty skruszyły ją, tak że usunięte litery stały się na powrót czy-
telne. Pod Upadłym Aniołem... tak początkowo nazywała się
gospoda. Poeta uśmiechnął się do siebie: pewien był, że to Guido wymyślił tę nazwę, bardzo do niego pasowała.

– Gdzie jest nieboszczyk? – spytał, odrywając się nagle od
własnych myśli.

– Chodźcie za mną. Na górze, w wieży urządzono kilka
pokojów. Właściciel gospody podejmuje w nich majętnych
gości, którzy życzą sobie spać oddzielnie. Trup leży w jednym
z nich, na ostatnim piętrze.

Dante zatrzymał się jeszcze na chwilę: chciał, by wyraźny
kształt całości odcisnął się w jego umyśle, nim poszybuje ku
urywkom wrażeń, których zmysły doświadczą we wnętrzu. Po
czym, nie oglądając się na Komendanta, przeszedł przez niskie drzwi i ruszył w górę kręconych schodów z dębowej klep-
ki, biegnących wzdłuż kamiennych ścian wieży.

Natychmiast wyczuł w atmosferze tego miejsca coś dziwnego. Nie umiał jednak tego przeczucia nazwać.

Począł się wspinać z impetem, lecz w połowie schodów nagle opuściły go siły. Z trudem łapał oddech w gęstym gorącym powietrzu, które wypełniało ów kamienny lej. Na każdym z trzech pierwszych pięter widniała para niedużych drzwi. Na czwartym były już tylko jedne: cały szczyt wieży zajmowało jedyne pomieszczenie, z sufitem z masywnych bali z kasztanowego drewna. Panował w nim cuchnący zaduch, w którym ledwie wyczuwało się słaby wiew powietrza dochodzącego do środka przez maleńkie okienka.

– Gdzie... – zaczął, przekraczając próg, lecz zatrzymał się w pół zdania porażony tym, co ujrzał przed sobą. Izba o średnicy dziesięciu łokci, może niewiele mniejsza, kształtem powtarzała kolisty plan wieży. W głębi stało nieduże drewniane łóżko, w którym ledwie zmieściłby się człowiek średniego wzrostu. Obok skrzynia na ubrania, nad którą migotał płomień niemal wypalonej świecy.

Pośrodku pokoju królowało krzesło z wysokim oparciem, ustawione za niewielkim stołem do pisania. Na krześle zasiadał w sztywnym bezruchu jakiś mężczyzna. Był martwy, lecz ciało jego nie pogrążyło się w spokojnym śnie śmierci. Nie wzywało też zemsty, gdyż żaden głos nie mógłby się już z jego gardła wydobyć. Głowa mężczyzny, niemal odrąbana od torsu bestialskim ciosem, spoczywała przekrzywiona na jego ramieniu.

Dante zdusił krzyk, który na tak okropny widok podpełzł mu do gardła. Potem przekroczył próg i zbliżył się do trupa. Zapewne obfity strumień krwi wytrysnął z rany, na szaty zmarłego i arkusz pergaminu, na którym wciąż spoczywała jego prawica. Dokładnie na środku kartki widniał naszkicowany węglem ośmiokąt. Przechylona głowa zdawała się przyglądać korpusowi, od którego ją oddzielono. Prior musiał opanować nagły zawrót głowy, nim jego oczy zdecydowały, na której części rozpłatanego ciała powinny się skupić.

Odzienie nieboszczyka było zacne, zauważył. Lekkie i obszerne, udrapowane w sposób przydający sylwetce dostojeństwa, na kształt rzymskiej togi. Część czoła zakrywał zapleciony woal. Była w tym stroju jakaś niezwykłość, co tłumaczyło, dlaczego Komendantowi przyszło na myśl, że człowiek ten ubrany jest na sposób turecki. W rzeczywistości był to strój podróżny, mniej odpowiedni na zatłoczone miejskie ulice. Najwyraźniej mieli do czynienia z zamożnym pielgrzymem, na co wskazywała jego obecność w wystawniejszej części gospody. Przezwyciężywszy odruch obrzydzenia, prior uniósł ostrożnie głowę trupa, odgarniając długie pasma opadających wzdłuż twarzy siwych włosów, i się nad nią pochylił.

Twarz ofiary zastygła w niespokojnym grymasie, z wytrzeszczonymi oczyma. Jednak, tego był pewien, nie z powodu bólu czy zaskoczenia. Nie, ten człowiek do ostatniej chwili chciał widzieć. Poznać doświadczenie śmierci, a nawet spróbować się jej wymknąć. W czerni powiększonych źrenic Dante starał się odnaleźć ślad ostatniego widzianego obrazu, który – jak mówią – odciska się w oczach umierających. Znalazł tam jednak tylko ciemną otchłań. Głębokie zmarszczki na czole i w kącikach wpółotwartych ust odsłaniających żółtawe, niekompletne uzębienie, a także kolor skóry, naznaczonej przez upływ czasu, świadczyły o zaawansowanej starości. Zapewne za sprawą ubioru Dante przypomniał sobie twarz przybysza z Orientu na statku. On też był w podeszłym wieku i jak ten tutaj, nie dostał się na tamten świat w naturalny sposób.

A przecież ciało, które miał przed sobą, zdawało się muskularne i dobrze zbudowane. Pod szatą można było wyczuć wciąż silne mięśnie.

Przez moment podejrzewał nawet, że oto ma do czynienia z fragmentami zwłok dwóch różnych osób i że utrzymujący je razem pas skóry to jakieś oszustwo. Podniósł głowę trupa i na powrót osadził ją na zmasakrowanej szyi. Ślady cięcia idealnie do siebie pasowały, a skóra łącząca obie części była nienaruszona.

W czasie tych zabiegów przyjrzał się znów dokładnie twarzy zmarłego. Te rysy kogoś mu przypominały. Zdawał sobie z tego sprawę od pierwszej chwili, gdy obrócił jego głowę ku sobie, lecz teraz w jego pamięci poruszyło się zaledwie ulotne widmo utkane ze strzępków głosów i wyblakłych barw. Ponownie ułożył ją na ramieniu, nie odrywając od niej wzroku.

W niewielkiej izbie panował nieład. Obok otwartej, przewróconej skrzyni na ubrania leżała skórzana sakwa. Spinające ją rzemienie przecięto, być może tym samym ostrzem, które wbiło się w szyję mężczyzny.

Dante z uwagą zbadał jej wnętrze w poszukiwaniu jakiegoś śladu, lecz okazała się zupełnie pusta. W nozdrzach poczuł ledwie uchwytny zapach wosku, a wraz z nim wyraźniejszą woń inkaustu. W środku musiały być jakieś zapiski, które zabrał z sobą zabójca. Domysł ten potwierdzała ciemna plama w rogu sakwy i kawałek złamanego pióra. W skrzyni znalazł mosiężny liniał oraz kompas.

– Wezwijcie oberżystę – polecił Komendantowi.

Ten po chwili wrócił w towarzystwie trzęsącego się człowieczka, który zbliżył się niemal przyklejony do ściany, byle tylko nie patrzeć na zmarłego.

Poeta zmierzył go badawczym wzrokiem.

– Czy to wy jesteście Manetto del Molino, który prowadzi gospodę w imieniu Cavalcantich?

Tamten skinął tylko głową. W panującej ciszy wyraźnie rozlegało się szczękanie jego zębów. Właśnie wtedy Dante pojął dziwne uczucie, które towarzyszyło mu, odkąd przekroczył próg gospody. Nie było tu słychać typowych w takich miejscach hałasów. Żadnych krzyków, śmiechów, żadnego kobiecego głosu.

Żadnego pobrzękiwania naczyń czy stukotu końskich kopyt na bruku. Wszystko zdawało się martwe, jak ta ofiara.

– Kim był ten człowiek?

– Pielgrzymem w drodze do Rzymu. Przedstawił się jako Brunetto da Palermo, dekorator. Pomyślałem, że to jeden z wielu, którzy ciągną na dwór papieski do pracy przy budowlach, co mają uświetnić jubileusz...

Poeta rzucił okiem na ręce zmarłego. Powykręcane przez starość, pokryte ciemnymi plamami, lecz wciąż mocne. Bonifacy zbierał najprzedniejszych artystów, by Rzym olśnił wszystkich przybywających uczcić *Centesimus**. Jego przyjaciel Giotto też miał lada dzień wyruszyć.

– Czy coś stąd zabieraliście?

– Nie, na Boga! Nie miałem nawet odwagi, żeby tu wejść, kiedy powiedziano mi, że... że...

– Kto znalazł ciało?

– Jedna z dziewek *monny* Lagii. Weszła na górę, żeby sprawdzić, czy któryś z gości nie ma ochoty na... No, wiecie sami, jak się sprawy mają...

Dante przytaknął w roztargnieniu. Zafrapował go pewien szczegół.

– Powiedzieliście: goście. Kto zatrzymał się w pozostałych izbach?

Oberżysta odchrząknął.

– Mamy sześciu klientów. Poza... poza nim – rzekł, wskazując na ciało i w dalszym ciągu starając się na nie nie spoglądać.

– Podajcie mi nazwisko każdego z nich i wskażcie, gdzie mieszka.

---

* Stulecie (łac.).

– Mogę zaproponować wam coś lepszego, priorze. Pokażę ich wam. Zebrali się w sali na dole, żeby napić się wina. Jeśli zechcecie pójść za mną...

Dante podążył za nim, a za Dantem ruszył z kolei Komendant. Na pierwszym piętrze w podłodze z desek otwierała się sporych rozmiarów klapa, zapewne pozostałość z czasów gdy był tu skład. Oberżysta podniósł ją i dał priorowi znak, by się przybliżył.

Pod nimi, wokół dębowego stołu, zasiadało kilku mężczyzn popijających z glinianych dzbanów. Pogrążeni byli w cichej rozmowie, jakże odmiennej od płomiennych tonów zwykłych karczmianych dyskusji. Jakby na coś czekali i próbowali zabić czas.

– To wszyscy wasi goście? – zapytał szeptem poeta.

Tamten, szybko spojrzawszy w dół, skinął głową, że tak.

Dante przyjrzał się całej grupie, chwilę zatrzymując wzrok na każdym z nich. Pokazał palcem człowieka, który siedział u szczytu stołu, z głową w ramionach, z gniewną miną na twarzy o szlachetnych rysach. Zdawało mu się, że już gdzieś go widział. Był najmłodszy w tym gronie, miał jakieś dwadzieścia lat, może nawet mniej.

– Franceschino Colonna, Rzymianin – wyszeptał oberżysta. – W drodze powrotnej z Bolonii do Rzymu. Jest studentem.

Prior przypomniał sobie nagle, że to młodzieniec, na którego zwrócił uwagę w kościele z cudowną relikwią.

– Ten to Fabio dal Pozzo – ciągnął oberżysta, widząc, że Dante wskazuje mu siedzącego obok przysadzistego mężczyznę z kielichem wina w dłoni. – Kupiec bławatny. Przybył z północy, by handlować tu wełną z gór Szkocji.

W milczeniu Dante wskazał następną dwójkę, która zasiadała na rogu, po przeciwległej stronie stołu, zabawiając się grą w kości. Pierwszy mężczyzna, z wielkim brzuszyskiem, na którym szata opięta była jak skóra bębna, powoli mieszał kości w kubku, jakby nie miał ochoty mierzyć się z losem. Drugi – o karnacji niemal tak ciemnej jak jego odzienie, przeraźliwie chudy – z roztargnieniem śledził ruchy kompana.

– Grubas to Rigo di Cola – szepnął oberżysta. – Kolejny handlarz wełną. I on wybiera się do Rzymu z okazji jubileuszu. Ten obok zwie się Bernardo Rinuccio. Wozi z sobą potężny zapas papieru i inkaustu. Chyba coś pisze. Nieustannie przesiaduje u braci w Santa Croce, szukając czegoś w ich papierzyskach – dodał z grymasem niepokoju.

Patrząc na zapadnięte policzki tego człowieka, miało się wrażenie, że jego kości jarzmowe niechybnie przedziurawią skórę i ukaże się zaraz naga czaszka. Dantego przebiegł dreszcz.

Właściciel gospody zdawał się podzielać jego niepokój.

– Wygląda, jakby już nie żył... Prawda?

Dante przytaknął.

– A ten? – zapytał cicho, pokazując palcem postawnego mężczyznę, który mimo piekielnego upału owinięty był szczelnie płaszczem z białej wełny. Jego twarz o charakterystycznym orlim profilu znaczyła długa blizna biegnąca od brwi do końca policzka. Tylko cudem można przeżyć taki cios.

– Jacques Monerre, Francuz – wyszeptał oberżysta.

– Francuz? Co go sprowadza w te strony?

Oberżysta wzruszył ramionami.

– Powiedział, że pochodzi z Tuluzy. Jedzie z Wenecji. To *literatus*, jak ten stary z tyłu.

– Tuluza... Ale jedzie z Wenecji – powtórzył poeta, szczypiąc wargę. – A ostatni?

Wskazał mężczyznę, który pierwszy zwrócił jego uwagę: wysokiego starca o długich siwych włosach podzielonych na dwa równe pasma opadające na szczupłe plecy. Miał na sobie ciemny, oszczędny w kroju strój medyka. Twarz naznaczoną siatką głębokich zmarszczek rozświetlała para jasnych oczu szklących się młodzieńczym blaskiem. Zakryty po szyję ciężką szatą, wyglądał tak, jakby jakiś okrutny mróz dręczył jego członki. Również ręce osłaniał rękawiczkami z ciemnej skóry.

– *Messer* Marcello – podpowiedział człowieczek tonem, w którym mieszały się szacunek i podejrzliwość. – Zdaje się: słynny lekarz. Z północy. Zmierza do Rzymu, by wypełnić ślub. Przynajmniej tak powiedział swoim kompanom. Słyszała to jedna z moich służących.

Dante rzucił na całą grupę ostatnie spojrzenie i odsunął się, by nikt go nie zauważył. Nie chciał, by wiedzieli, że ktoś im się przyglądał.

– Zamknijcie drzwi i upewnijcie się, że nikt się nie dostanie do środka. A jeśliby próbował, przyjrzyjcie mu się i zdajcie mi relację – polecił oberżyście, zanim wyszli na zewnątrz. Następnie zwrócił się do Komendanta:

– Każcie przewieźć ciało do szpitala Santa Maria. I to tak dyskretnie, jak to tylko możliwe w tym mieście plotkarzy. Nikomu też nie tłumaczcie, co tu się wydarzyło.

– Nie tłumaczcie? To nam ktoś powinien wytłumaczyć, co się stało – zauważył sarkastycznie dowódca straży.

– To prawda. Niewiele wiemy, jednak rozum mędrca z radością porusza się w zakamarkach myśli, gdzie umysły prostacze gubią się lub obawiają wstępu. Zaś mój rozum... Ale to w swoim czasie.

– Chcecie przesłuchać tych ludzi? Może...

Dante pokręcił głową.

– Jeśli zabójca to jeden z nich, już zdążył zatrzeć za sobą wszystkie ślady. Gdyby przesłuchać go razem ze wszystkimi, dałoby mu się tylko przewagę. Wmieszałby swe słowa między słowa pozostałych, wtopiłby się w ich kompanię jak wilk między wilki. Lepiej, by sądził, że wiemy więcej, niż wiemy naprawdę. Tak zasiejemy w nim niepokój, a jednocześnie fałszywą pewność, że jest bezpieczny. I między tymi Scyllą i Charybdą ja zarzucę swą sieć.

Ruszył w kierunku schodów. Idąc w dół, wygładził troskliwie fałdy szaty i poprawił na głowie czapkę, upewniwszy się, że spływający z niej woal ułożony jest jak należy na prawym ramieniu. Na dole przedefilował przed grupą siedzących mężczyzn i skierował się ku plamie światła widocznej za drzwiami.

Nim jego oczy przyzwyczaiły się do oślepiającego słońca, musiał przesłonić je ręką.

3

Poranek 8 sierpnia, Pałac Signorii

– ◆to informacje o gościach gospody, o które prosiliście – rzekł sekretarz Signorii, pokazując Dantemu zapisany arkusz. – Nie było to łatwe: musiałem przepytać dowódców wart z wszystkich bram.

– Oczekujecie pochwały, *messer* Duccio? – parsknął Dante i wyrwał mu papier z ręki. Była na nim lista nazwisk, a obok każdego z nich kilka słów komentarza. – Owoc waszego dochodzenia nie wygląda imponująco.

– Florencja to kraina wolności. Nie szpiegujemy podróżnych, jeśli nie ma ku temu ważnych dla bezpieczeństwa komuny powodów – odciął się tamten, urażony.

Dante wzruszył ramionami i pogrążył się w lekturze. Raport niewiele dodawał ponad to, czego dowiedział się od oberżysty.

Jedyną nowością było określenie dat wjazdu gości do miasta. Wędrowcy zjechali ze wszystkich stron świata i przekroczyli mury w różnych miejscach. Pierwszy przybył Brunetto, ofiara, drugiego sierpnia. A razem z nim Rigo di Cola. Nazajutrz Bernardo, kolejnego dnia młody Colonna i Fabio dal Pozzo. Potem francuski rycerz i na koniec sędziwy medyk, zaledwie przed dwoma dniami. Jakby wyznaczyli sobie spotkanie, czekając na ostatniego pielgrzyma. A zamiast niego zjawiła się śmierć, najmniej pożądany z gości.

A może śmierć już tam na nich czekała, żółtawa czaszka ukryta pod obliczem jednego z nich. I w zmurszałej wieży szykowała się, aby przejąć ster ich życia, tak jak już to uczyniła na upiornym okręcie.

Słońce nachyliło się ku zachodowi, różowiąc fasady domów. Gdy Dante dotarł w okolice Orsanmichele, przemknęło mu przez myśl, by wybrać drogę przez Torre della Castagna, obok domostw Cerchich. Mógłby wtedy choć na chwilę zobaczyć swoją rodzinę, która mieszkała na tej samej ulicy. Zmienił jednak zdanie, widząc, że cień gnomonu na logii sięga niemal godziny siódmej. Przed sobą miał jeszcze spory kawałek drogi i, jeśli chciał zastać mistrza Alberta w warsztacie, nie mógł tracić czasu.

Zagłębił się w labirynt ulic za ruinami starożytnego amfiteatru, pomiędzy skromne murowane domy i drewniane budy, w których mieszkała i prowadziła swe warsztaty większość florenckich rzemieślników. Dalej na południe, w kierunku Arno, drogę zamykał ciąg wykańczalni farbiarzy i potężnych młynów wodnych gręplarzy wzdłuż brzegu rzeki. Przebył ostatni odcinek, mijając stragany kotlarzy, i dotarł w miejsce, w którym wąska uliczka rozszerzała się nieco, okrążając pozostałości rzymskiego portyku. Nieco dalej przejście zamykał niewielki murek z budulca czerpanego z antycznej konstrukcji. Znajdująca się w nim brama prowadziła na niewielki dziedziniec, przy którym stał dom mistrza Alberta, Lombardczyka.

Na placyku przed warsztatem ujrzał zbiegowisko. Mężowie i niewiasty pośród gromkich okrzyków i wybuchów śmiechu w napięciu śledzili pewien spektakl. Myśląc, że to jakiś kuglarz pokazuje swe żałosne sztuczki, prior zaczął przedzierać się przez tłum, gotów go przepędzić.

Nie było to jednak to, czego się spodziewał. Na rogu ulicy ustawiono dyby. Spomiędzy drewnianych belek wystawały głowa i ręce człowieka w stroju wieśniaka, który wniebogłosy wykrzykiwał swe żale. Lamentował tym donośniej, im głośniej rozlegał się śmiech widzów. Jednocześnie z kilku miejsc szybowały w jego stronę kamienie i podniesione z ziemi śmieci.

Prior postanowił się nie zatrzymywać. Ktoś jednak musiał go rozpoznać, gdyż przez tłum przeszedł zaniepokojony szmer. Potem nagle nastała cisza. W tej pustce ponownie zabrzmiał znienacka głos skazańca, bezładny bulgot przetykany łacińskimi słowami.

Dante, który dotarł właśnie w pobliże dybów, przystanął zaciekawiony.

– Na co tak wyrzekasz, nicponiu? Za co cię zakuto? – spytał, pochylając się, by móc popatrzeć nieszczęśnikowi w oczy. Widząc jednak, że tamten nadal wpatruje się w ziemię, schwycił go za rzadką czuprynę i na siłę uniósł jego głowę.

Mężczyzna, krzycząc z bólu, obrócił szyję ile mógł i w końcu na niego spojrzał. W opuchniętej twarzy jedno oko zniknęło zupełnie pod wielkim sińcem, w drugim wciąż tlił się złośliwy ognik.

– Och, *messere*, klnę się, że wystawiono mnie na to pośmiewisko jedynie z powodu *quaestio irresoluta**, odmiennej interpretacji – wyjaśnił spokojnie.

---

* Nierozwiązana kwestia (łac.).

– I to z powodu filozoficznych subtelności Komendant kazał cię przytroczyć do tego krzyża? – zapytał zdumiony poeta, puszczając jego głowę.

– Nie inaczej, *messere*. Po waszych butach zgaduję, żeście mąż szanowany i uczony – powiedział skazaniec – a zatem łatwo pojmiecie, że jestem niewinny.

– W więzieniach, a w i samym piekle roi się od niewinnych, to rzecz nie nowa – zauważył ironicznie Dante.

– Kiedy jednak poznacie historię mego nieszczęścia, na pewno się ze mną zgodzicie. Wszystko zaczęło się od tego, że chciałem powiększyć skromną winnicę mych ojców, kupując kawałek ziemi, która z nią graniczy. Ułożyliśmy się z moim sąsiadem, że przesuniemy granicę o trzydzieści kroków, które ja sam odmierzę, własnymi stopami.

– No i?

– No i odmierzyłem dokładnie trzydzieści kroków, ale on okrzyknął mnie oszustem... i oto widzicie mnie tutaj.

– Ale z jakiej przyczyny? Dotrzymałeś przecież umowy.

Na wspomnienie zdarzenia tamten zaniósł się szyderczym śmiechem, jakby dyby nagle rozpłynęły się w powietrzu.

– Odmierzyłem trzydzieści kroków biegiem, *messere*. Lecz miast docenić dowcip, ten obłudnik, mój sąsiad, popędził zaraz, by mnie oskarżyć.

Dante, chcąc nie chcąc, przyłączył się do śmiechu.

– Zaiste, mój przyjacielu, to sprawa godna tęgiego umysłu. To naturalne, że miara się zwiększa, jeśli geometra jest szybki – potwierdził.

Tamten zdawał się ukontentowany takim wyrokiem.

– Wstawicie się za mną? – spytał niepewnie.

– Nie. Ponieważ jesteś filozofem, jak filozof przyjmij swą karę i czekaj zmierzchu. Jeszcze parę batów i będziesz wolny.

Mechanicus montował właśnie w długiej szynie krążki nowego dźwigu, który miał trafić na budowę katedry. Zauważywszy poetę, przerwał pracę.

– Rzecz, którą poleciłem wam dostarczyć... gdzie ona? – uprzedził go Dante.

Tamten wskazał mu róg warsztatu, między szafą a niewielkimi drzwiami. Pakunek leżał tam, wciąż obwiązany sznurem.

– Nie dotykałem niczego, według wskazówek straży – odrzekł mistrz Alberto. – Lecz cokolwiek znajduje się wewnątrz, trzeba to wyciągnąć czym prędzej. Płótno nasiąkło wodą.

Poeta sprawnie rozsupłał sznur i jął wyciągać ze środka fragmenty mechanizmu, podając je mistrzowi, który układał je na roboczej ławie.

W miarę jak kolejne odłamki przechodziły przez jego ręce, na jego obliczu malowało się coraz większe zdumienie. Dante uważnie śledził jego reakcje.

– Jak zatem sądzicie: do czego to może służyć? – zapytał, gdy opróżnili już płótno.

Nie odpowiedziawszy, Alberto zdjął z półki lampę z mosiężną tarczką wbudowaną za knotem, tak by skupiała światło. Zapalił ją, mimo iż wnętrze warsztatu wypełnione było jeszcze słonecznym blaskiem, i skupił swój wzrok krótkowidza na ułożonych w równych rzędach odłamkach maszyny.

– Wygląda mi to na mechanizm zegara... Z takich, co montuje się na wieżach. Różni się jednak od tych, które znam. Poza tym...

– Co takiego?

– Na jednym z kół jest grawerunek.

Dante przysunął się i spojrzał we wskazane miejsce.

– Pismo Maurów – orzekł po chwili.

Tamten przytaknął.

– Ten mechanizm zbudowany został przez niewiernych. Skąd go macie?

Prior nie odpowiedział. Przed oczami stanęła mu na moment galera ze swym ładunkiem śmierci. Wykonał niejasny gest i bąknął coś o dochowaniu tajemnicy handlowej.

Jego rozmówca zdawał się nie przywiązywać do jego wyjaśnień większej uwagi. Dużo bardziej zajmowało go to, co miał przed sobą.

– Bądź co bądź, zawsze byli od nas zręczniejsi w tej sztuce. Również wielki Fryderyk musiał się do nich zwrócić o pomoc, gdy powstawał zegar w Palermo – zauważył.

– Jesteście w stanie to odczytać? – zapytał poeta, przesuwając palcem po powierzchni grawerunku.

– Ja nie, lecz mój sługa z pewnością tak. On zna pismo swych ojców.

Mechanicus oddalił się na chwilę, by powrócić w towarzystwie młodzieńca średniego wzrostu o oliwkowej skórze i rysach wyostrzonych głodem i niechęcią.

– Oto Amid, wzięty w niewolę u wybrzeży Egiptu. Ocaliłem go od wioseł, kiedy odkryłem, jak biegły jest w obróbce każdego kruszcu. Lecz najwyraźniej nie jest mi za to wdzięczny.

Starzec podał niewolnikowi trybik, pokazując napis. Ów przyjrzał mu się, lecz po chwili odwrócił gwałtownie wzrok. Jego oblicze, wpierw obojętne, powlekło się gniewem.

– No i? – ponaglił go Dante zniecierpliwiony jego milczeniem.

Młodzieniec nadal nie odpowiadał. Jego oczy pałały coraz większą urazą.

– To bluźnierstwo. Znieważa Allaha potężnego i miłosiernego – wyszeptał w końcu. – Po cóż to domagacie się, bym powtórzył tę obelgę, tłumacząc ją na język niewiernych?

Dante zatrząsł się na te słowa. Pomiarkował się jednak: na twarzy młodzieńca wyczytał oznaki prawdziwego upokorzenia. Może rzeczywiście bluźnierstwo jest nim we wszystkich językach.

– W mej mowie ta zniewaga wyda się twemu Bogu lżejsza. Czytaj!

– Allah jest wielki – zaczął ostatecznie Saracen – lecz Al-Dżazari... jest odeń większy. – Ukrył głowę w ramionach, jakby bał się, że Allah się im przysłuchuje.

– Al-Dżazari. Któż to taki? – zapytał go Dante.

– Ja wiem – wykrzyknął rzemieślnik. – Al-Dżazari to członek perskiego rodu konstruktorów automów. Największy pośród nich.

– Automów?

– Machin naśladujących żywe stworzenia. Szczerozłotych pawi rozkładających swe ogony z lapis-lazuli. Lwów ze spiżu, co ryczą jak prawdziwe u wrót pałaców władców Orientu, i podobnych diabelskich sztuczek. Zdaje się, że cesarz zamówił u niego jakiś mechanizm, by jeszcze większego splendoru dodać własnemu dworowi – ciągnął Alberto. – Widział wytwory owego poganina w Jerozolimie, kiedy udał się tam z krucjatą. Niezwykły to był umysł. – Dante odpłynął gdzieś wzrokiem. Wpatrywał się przed siebie. Myślał o relikwii, którą ujrzał w kościele, o tak doskonałym złudzeniu życia. Nigdy nie rozstał się z przypuszczeniem, że to jakiś ukryty mechanizm ożywia posąg. – Lecz jednocześnie umysł... przewrotny – mówił dalej Alberto.

– Przewrotny? Dlaczego? – chciał wiedzieć Dante, którego nagle zastanowiły te słowa.

– Jest coś bezecnego w pragnieniu naśladowania życia, w chęci, by odwrócić porządek stworzenia i na równi z żyjącymi istotami postawić maszyny uczynione z drewna i metalu, by pozwolić im zasiedlić świat ludzi.

– Odwrócić prawa rozumu i natury? – zapytał prior. To poddało mu pewną myśl. Galera, którą odkryli, też jawiła się jako nieprawdopodobne odwrócenie porządku rzeczy. Stworzona, by chronić życie w nieprzyjaznych odmętach mórz, zamieniła się w barkę Charona. – Lecz przecież Bóg nakazał nam czynić ziemię sobie poddaną, nadawać imiona jej bogactwom, porządkować jej zmienność. Wasze zegary, *messer* Alberto, to nic innego jak szlachetne chomąto, które pozwala okiełznać czas. Czy zatem nie jest bluźniercza także wasza sztuka? Czyż na waszych zębatych kołach nie powinniście i wy wypisać podobnej myśli? – Alberto potrząsnął głową, szykując ripostę, lecz Dante go uprzedził. – Powiedzcie mi lepiej, czy z tych fragmentów potraficie odgadnąć przeznaczenie machiny?

Tamten wzruszył ramionami z niepewną miną. Ponownie jął się przyglądać odłamkom i przekładać je na stole, próbując zestawiać z sobą na różne sposoby. Zagryzione wargi i zmarszczone czoło zdradzały, że nie jest z siebie zadowolony. Po kolejnej próbie się poddał.

– Być może. Lecz nie do końca. Brakuje tu kilku ważnych części. Pod wieloma względami przypomina ona niewątpliwie wielki zegar. Widzicie ten zębaty sworzeń i ten kawałek łańcucha? To serce mechanizmu, tego jestem pewien. Ten pasek stalowej blachy owinięty ciasno wokół jego osi wprawia w ruch pierwsze koło, które porusza kolejne, coraz mniejsze tryby, dzięki zwiększającej się następnie prędkości obrotów, którą dałoby się wyliczyć, gdybym miał do dyspozycji wszystkie części...

– I mówicie, że zbudował ją ów Al-Dżazari – podjął Dante po krótkiej chwili, kiedy to usiłował przemyśleć wyjaśnienia tamtego.

– Al-Dżazari był najgenialniejszym konstruktorem mechanizmów w całym znanym nam świecie, największą chlubą naszej profesji. Gdybyśmy tylko mieli jego dzieła... – Alberto znów spojrzał na metalowe części wzrokiem pełnym nabożnej czci. – Gdyby nie został pozbawiony życia... – dodał jeszcze.

– Al-Dżazari został zabity? Dlaczego?

– Został skazany na śmierć przez swych pobratymców w wierze. Zdaje się, że oszalał. Albo przynajmniej takie wieści krążyły wiele lat później, w chrześcijańskich krainach.

Prior zastanawiał się nad czymś intensywnie, gładząc się po podbródku. „Allah jest wielki, lecz Al-Dżazari jest odeń większy". Bluźnierstwo. Ślepa pycha. Czasem nawet wielcy padali jej ofiarą.

– Kiedy to się stało?

– Około połowy stulecia. Odszedł jeszcze przed cesarzem Fryderykiem.

Dante po raz kolejny przyjrzał się machinie. Jeśli więc ów skomplikowany mechanizm był dziełem Al-Dżazariego, jak wszystko zdawało się wskazywać, musiał powstać co najmniej pięćdziesiąt lat temu. Gdzie go przechowywano przez taki szmat czasu? Dlaczego teraz objawił się ręka w rękę ze śmiercią, w ziemi tak odległej od kraju, w którym go stworzono? I najważniejsze: do czego mógł służyć?

– Mówiono o nim jeszcze inne rzeczy. – *Mechanicus* prawie szeptał, lecz to wystarczyło, by wyrwać Dantego z jego zadumy.

– Co na przykład?

– Że przez swoje odkrycie oszalał.

– Przez którąś z machin?

Tamten pokręcił głową.

– Nie, one były jego dumą, jego radością. Al-Dżazari oszalał, ponieważ odkrył granice Boga.

– Granice Boga?

– Tak mówiono.

Dante milczał przez chwilę. W myślach pląsały mu twarze umarłych. Nagle przypomniał sobie o astrolabium, które wraz z ludźmi Komendanta znalazł na statku. Odszukał je w torbie. Teraz, w dziennym świetle, odkrył, że drobne znaki to nie ornament, lecz precyzyjnie wygrawerowane oznaczenia stopni i orbit. Wokół brzegu tutaj również biegł rząd arabskich liter. Przedmiot niezwykle delikatnej roboty.

Obrócił się, szukając młodego Saracena. Amid, zwrócony do ściany, klęczał na niewielkim dywaniku i się modlił.

Dante podszedł do niego. Podał mu instrument.

– Co tu napisano?

Niewolnik zawahał się, jakby się bał, że zostanie zmuszony do kolejnego bluźnierstwa. Szybko rzuciwszy na przedmiot okiem, najwyraźniej się uspokoił.

– To dedykacja. „Dla tego, który mierzy gwiazdy". Dar sułtana dla głównego astrologa na dworze w Damaszku.

W oczekiwaniu na ciąg dalszy poeta i *mechanicus* wymienili spojrzenia. To jednak był już koniec. Zastanawiając się nad tym, co usłyszał, zaciekawiony Dante zaczął się rozglądać po warsztacie. Za wielkim stołem roboczym znajdowały się półki wypełnione narzędziami i częściami rozmaitych mechanizmów. W rogu izby zauważył niewielką wnękę, w której leżała mata i zwinięte prześcieradło. Tu pewnie sypia niewolnik, pomyślał. Wtem kątem oka spostrzegł oprawę kodeksu wystającą spod prześcieradła.

Z zainteresowaniem pochylił się nad matą i wziął go do ręki. Była to bogato zdobiona księga. Arabeski pisma zlewały się harmonijnie z malowanymi ornamentami na marginesach. Gdy Dante podniósł głowę, by zadać niewolnikowi kilka pytań, napotkał jego spojrzenie.

– To kosztowny rękopis, poganinie. Jaki jest jego tytuł?

– Historia snu. To *Kitab al-Miradż*.

Prior bezwiednie zacisnął palce na oprawie kodeksu, jakby chciał go zatrzymać. Przed laty jego mistrz Brunetto opowiadał mu o tej rzadkiej księdze, *Liber Scalae Machometi**. Mówiła ona o podróży Mahometa przez królestwo cieni, aż do samego tronu Boga. Od dawna chciał poznać jej treść. I właśnie ma ją w ręku, lecz spisaną w nieznanym mu języku. Wyciągnął kodeks w stronę Saracena, wciąż jednak mocno go trzymając.

– Opowiesz mi, co tu napisano. Jeśli nie chcesz, by władze komuny skonfiskowały ci tę księgę i oddały na pożarcie płomieniom jako diabelski wytwór. – Młodzieniec pochylił głowę. – Ale jeszcze nie teraz. Wrócę, by dowiedzieć się tego, co chcę wiedzieć.

W pobliżu szpitala Santa Maria Nuova

– Och, Dante! Jak zwykle pędzisz, jakby ścigało cię stado furii!

Poeta znieruchomiał, rozpoznając ów nieszczęsny głos, który doń przemówił. Nowo przybyły zaparł się na grubych nogach po przeciwnej stronie ulicy i mrugał na niego z lisim błyskiem w swych sprytnych oczkach. Wtem uniósł dłoń na wysokość twarzy i jął wdzięcznie przebierać palcami, niczym zakochane dziewczę. Na okrągłej twarzy pojawił się ironiczny uśmieszek.

– Czy i mnie wolno będzie pozdrowić cię na twej drodze? Czy tylko Beatryczom i innym twym oblubienicom pozwalasz

---

* *Księga drabiny Mahometa* (łac.)

obdarzać się promiennym skinieniem? Może i ja, podobnie jak one, będę umiał sprawić, że zadrży powietrze... choć raczej przez mój brak taktu.

Poeta, zacisnąwszy pięści i poczerwieniawszy na twarzy, skierował się w jego stronę.

Tamten zasłonił się rękami z udawanym przestrachem.

– Na Boga, priorze, cóż za straszliwa mina! Ta sama, którą widziałem u ciebie na równinie Campaldino. To dlatego odnieśliśmy tam zwycięstwo: wśród Aretyńczyków nie było nikogo, kto wydawałby się równie groźny jak ty.

Dante właśnie pokonał dzielący ich dystans. Zlustrował tamtego wzrokiem od góry do dołu, przyglądając się krzykliwym szatom, które miał na sobie.

– Cecco, ty wciąż tutaj? – syknął. – Wiesz przecież, że we Florencji nie ma miejsca dla rozpustników i bywalców szulerni. Myślałem, że wyruszyłeś już do Rzymu. W Wiecznym Mieście łacniej znajdziesz przyzwolenie dla swych wybryków, a i klimat bardziej sprzyja zepsuciu.

Cecco Angiolieri poprawił troskliwie jaskrawofioletowe pończochy, podciągnął kaftan, by lepiej było widać jego portki, i rozsiadł się na kamieniu na skrzyżowaniu ulic.

– I pragnę ci przypomnieć, że florenckie prawo zabrania szat niestosownych bądź wyzywających. W coś ty się, u licha, wystroił? – skarcił go poeta.

Tamten jednak zdawał się nic sobie z tego nie robić. Zakreślił ręką krąg, wskazując przesuwających się obok przechodniów.

– Mój przyjacielu, to święta prawda, że w mieście Bonifacego więcej znajdziesz szynków niż kropielnic i więcej burdeli niźli konfesjonałów. Tam to prowadzi mnie ma gwiazda, bym pokajał się za swe czyny i zyskał odpust z okazji jubileuszu. Jednak postój w twoim mieście – bastionie cnoty, zaiste

– to obowiązek dla wszystkich, którzy kroczyć chcą drogą dobra i pokory. A co do mych portek – mówił dalej, wyciągając krępe nożyska i rzucając priorowi zadowolone spojrzenie – jeśli chcesz znać prawdę, rzec muszę, że nikt we Florencji na nie nie narzekał.

Dante wybuchnął śmiechem.

– Gdybyś zamiast szynków odwiedzał aule naszych uczonych i nasze świątynie, mniej byś się puszył i zachwycał sobą.

– Niestety, Dante, to ciężar okrutnej melancholii przygniata mnie i spycha z właściwej drogi. I nade wszystko ten uprzykrzony brak pieniędzy. Jeśli ten staruch, mój ojciec, nie zdecyduje się w końcu zemrzeć, zostawiając mi mą mizerną dolę, będę musiał chyba zacząć żebrać. Chyba że trafi się jakiś dobry interes. Zda się, że wam, cholernym Florentyńczykom, naprawdę nieźle się wiedzie. Może i dla mnie znajdzie się tu jakiś kawałek chleba. Jestem tu, by zaoferować swoje usługi.

– A komuż to, jeśli można wiedzieć?

– Och, zawsze znajdzie się ktoś, kto potrzebuje ciętego języka i szybkiej ręki. Ale ty raczej... – puszczając oko do Dantego, Cecco dźgnął go łokciem w żebra – powiedz mi, co teraz piszesz. Jaki dar gotuje światu książę poetów Toskanii? Coś do mnie dotarło, między Wyznawcami. Podróż do krainy umarłych.

– Umarłych oraz tych, co nie umrą nigdy.

– Nie inaczej... – mruknął kpiąco Cecco. Dante zaś na nowo pogrążył się w rozmyślaniach.

– Najwyraźniej chcecie w pysze prześcignąć Francuzów – powiedział Sieneńczyk, pokazując mury nowej katedry, które zaczynały wyrastać na tyłach kościoła Santa Reparata. – I oni wznoszą potężne katedry najeżone strzelistymi wieżami, ze sklepieniem sięgającym nieba. Jakby chcieli zbudować Bogu schody, po których może on łatwo zejść na ziemię, zamiast w pokorze przyzywać go między ludzi, jak w naszych kościołach.

Dante ocknął się na te ostatnie słowa.

– Wznieść się do Boga... Tak, w tym leży problem...

– Co chcesz przez to powiedzieć?

– Królestwo umarłych na trzy części podzielone, w mroku i światłości. W myśli nadałem już kształt pierwszym dwóm krainom, zasiedlonym przez potępionych i tych, którzy w ogniu obmywają się z grzechów. Ale ta trzecia...

– Raj? Jak go sobie wyobrażasz?

– To na razie zamknięta brama, Cecco. Królestwo Dobra wciąż nie przyoblekło się w mej głowie we właściwy kształt. Żadna forma, o której dotąd myślałem, nie oddaje należycie majestatu Boskiego tronu. Czasem staje mi przed oczami ulotny obraz świetlistego jeziora, w którego blasku grzeją się dusze sprawiedliwych...

– Banda durniów wokół ogniska, niczym poganiacze wielbłądów obozujący na pustyni. To ma być ten twój raj? Cała rekompensata za żółć i gnój, które musimy przełykać za życia? – Cecco wybuchnął szyderczym śmiechem. – Słowo daję, sens dla mnie ma wiara synów Mahometa, z ich rajem spływającym mlekiem i miodem, w którym jest pod dostatkiem wina i pięknych kobiet.

Dante spojrzał na niego z niesmakiem. Machnął ręką, potrząsając jednocześnie głową, jakby chciał czym prędzej zapomnieć o tej rozmowie.

W dalszym ciągu szli jednak razem, omijając tłum ludzi i zwierząt, który miejscami prawie na nich napierał. Cecco zdawał się nieobecny, jakby wrócił myślami do jakichś odległych spraw.

Dotarłszy do podnóża schodów, Dante zatrzymał się i ujął przyjaciela pod ramię.

– Cecco, przybyłem tu, by wypełnić pewną smutną powinność. Muszę obejrzeć zwłoki zamordowanego człowieka.
– Skierował się ku wejściu do szpitala, lecz po paru krokach
przystanął i obejrzał się na Cecca.

– Jeśli masz ochotę, wejdź ze mną do środka. Tym razem
twój cynizm i spryt mogą się na coś przydać.

Sieneńczyk podążył za nim bez słowa.

Zeszli do podziemia, gdzie układano ciała umarłych. Ledwie
dawało się tu oddychać. Powietrze wypełniał gryzący dym
oliwnych kaganków i wyziewy spod poplamionych przeście-
radeł okrywających zwłoki. Zasłoniwszy twarz woalem, Dante podszedł do ostatniej ławy, na której szpitalnicy złożyli
nagie członki ofiary. Jakaś miłosierna ręka zdjęła odzienie
i obmyła ciało. Głowę złączono z torsem i tylko pas poszar-
panej skóry biegnący przez szyję przypominał o okrucień-
stwie zbrodni.

Dante zbliżył się, by raz jeszcze przyjrzeć się tej twarzy.
Cecco, skrzywiony, wolał się trzymać z boku. Poeta w skupieniu oglądał zniekształcone rysy, na których czas mocno odcisnął swe piętno. I nos, który złamany najpewniej przed laty, pozostał krzywy.

Znów opanowało go to samo uczucie co w gospodzie. Widziałem już gdzieś tę twarz, myślał sobie, dotykając wychud-
łych policzków. Przezwyciężając wstręt, wziął w ręce głowę
trupa i zbliżył ją do swojej twarzy.

– Kim ty jesteś? – wyszeptał.

Miał wrażenie, że porusza się w kółko po cembrowinie
mrocznej studni. Wtem niespodziewanie, niczym pęcherz powietrza, który przeciska się na powierzchnię błotnistej kałuży,
w jego pamięci utorowało sobie drogę pewne nazwisko.

Poznał tego człowieka ponad dwadzieścia lat wcześniej, gdy chodził do szkoły franciszkanów przy Santa Croce.

Cecco, nic nie mówiąc, stał za jego plecami. Wyglądał, jakby zbierało mu się na mdłości.

– O co chodzi? – ośmielił się w końcu wyszeptać, widząc, że Dante nie może z siebie wydobyć słowa.

Miast odpowiedzieć, poeta wyciągnął rękę przed siebie, jakby chciał mu pokazać coś za murami lochu.

– Tam... wcześniej – powiedział. Poruszał palcami, jakby w powietrzu próbował odnaleźć słowa, które myśl jego zostawiała daleko w tyle. Po chwili zawróciły one ze ścieżki domniemań, którą przemierzały.

– Tam, w kościele. Relikwiarz z cudowną Dziewicą. Ten człowiek to Guido Bigarelli, rzeźbiarz umarłych.

Cecco obrzucił trupa niepewnym wzrokiem. Imię to najwidoczniej nic mu nie mówiło. Natomiast Dantego z każdą chwilą ogarniało coraz większe, pełne niepokoju zdziwienie. Bigarelli nie mógł tak po prostu powrócić do Florencji i dać się zabić, dokładnie w czasie gdy jedno z jego dzieł objawiło się tu w tak niesamowity sposób. Nie, to nie mógł być zwykły zbieg okoliczności.

Myśli poety krążyły przez chwilę daleko poza podziemiem. Kiedy się ocknął, Cecco nadal wpatrywał się w nieboszczyka z nieprzeniknionym wyrazem twarzy.

– Bigarelli... Bigarelli najwyraźniej na nich czekał – wykrzyknął niespodziewanie Dante, zwracając się do Sieneńczyka. – Na nich wszystkich.

Cecco na powrót pochylił się nad ciałem.

– Ale w jaki sposób zadano mu śmierć? Do tego trzeba było ogromnej siły.

Teraz, gdy ranę obmyto z krwi i ułożono głowę na swoim miejscu, ślad ciosu robił piorunujące wrażenie. Pośród

kawałków naderwanego ciała dostrzec można było biel krę-
gów szyi.

Poeta przesunął palcem po zmasakrowanym karku.

– Dziwne... – mruknął.

– Co takiego?

– Widać tu ślady dwóch głębokich ciosów. Ostrze wbiło się punktowo, przeszywając szyję na wylot. Potem zabójca
uderzył ponownie, nieco bardziej na prawo, tym razem roz-
rywając ciało i kości. Dwa razy, w ten sam sposób. Dwa ciosy, podobne, a jednocześnie tak różne, jakby... – Tu poeta powstrzymał się od własnych domysłów.

– Jakby zabójców było dwóch? – dopowiedział Cecco.

Dante przytaknął. Nagle przyszedł mu do głowy pewien
pomysł. Jeszcze raz obrzucił wzrokiem nagie ciało leżące przed
sobą, po czym oddalił się od trupa, zawzięcie czegoś szukając.

– Gdzie mogą być jego szaty?

Cecco również począł się rozglądać wokół siebie. Szaty
znalazły się w stojącym w kącie wiklinowym koszu, zwinięte
bezładnie, przesiąknięte krwią.

Dante rzucił się na nie i jął je dokładnie przeglądać.
Kiedy uważnie przesuwał tkaninę w palcach, w wewnętrznej kieszeni wyczuł coś miękkiego. Był to złożony zapisany
arkusz. Rozpoznał pośpiesznie naszkicowany piórem ośmiokąt. Przy każdym z jego wierzchołków widniał maleńki krzy-
żyk. Pod nim zaś kilka słów: „Templum lucis, haec arca the-
sauri Federici".

„Oto jest świątynia światła, skrzynia ze skarbem Fryderyka". A potem jeszcze krótkie zdanie po włosku: „Tu otwierają się bramy Królestwa Ciemności". Słowa podobne do
tych, które znał już z przechwyconej wiadomości. Umysł poety przeszył nagły błysk. Gorączkowo obracał w rękach szaty,
i one uszyte były na sposób wschodni. „Mieszkańcy Outreme-

ru" – tak zapisano w dzienniku pokładowym statku. Czy rzeczywiście miał przed sobą brakującego człowieka?

Dante obejrzał się na przyjaciela, który podszedł bliżej, by móc lepiej widzieć, co się dzieje. Jego twarz nie zdradzała żadnej emocji.

– Cecco, co cię sprowadza do Florencji? Mam na myśli... prawdziwy powód.

Przyjaciel spojrzał mu głęboko w oczy.

– Przybyłem, aby poznawać miłość – odrzekł w zwykłym dla siebie prześmiewczym tonie.

Dante wzruszył ramionami ze zniecierpliwieniem. Znał dobrze ową formułę, rozpoznawcze motto Wyznawców Miłości.

– Ale i garść florenów nie zaszkodzi! – zakończył Sieneńczyk.

Południe

Prior pożegnał przyjaciela. Nie był pewien, co powinien uczynić rozdarty między pragnieniem pogłębienia swego śledztwa, a poczuciem obowiązku, które nakazywało mu powrót do San Piero. Znad rozgrzanego letnim skwarem bruku wzbijały się, wirując, obłoki ciepłego pyłu. Poczuł w oczach gryzący kurz i odruchowo wyszedł na środek ulicy, by jak najszybciej znaleźć się w cieniu, który rozciągał się po przeciwnej stronie zaułka. Wtem jakiś krzyk za plecami kazał mu uskoczyć na bok. W ostatniej chwili, by nie zostać stratowanym przez rozpędzony wóz, który niespodziewanie pojawił się za nim, przylgnął do ściany, złorzecząc woźnicy, który nie przejąwszy się nim, nadal popędzał swe konie.

– Z drogi, głupcze! – ryknął tylko.

Poeta rzucił się naprzód, chcąc go dopędzić, lecz wóz podskoczył gwałtownie na jakimś kamieniu i niebezpiecznie się przechylił.

– Ostrożnie, *messere*! – krzyknął z naprzeciwka wysoki starzec ubrany na czarno.

Dante osłonił oczy przed jaskrawym światłem, by lepiej się przyjrzeć jego twarzy. Był to jeden z gości gospody, którego oberżysta przedstawił mu jako Marcella, medyka. W jednej chwili zapomniał o swoim gniewie.

– Dzięki wam za przestrogę – odpowiedział i ruszył w jego kierunku. Nie mógł się oprzeć wrażeniu, że ten człowiek na niego czekał.

– Zdaje mi się, że was znam – rzekł, podchodząc do niego i zginając się na powitanie w lekkim ukłonie.

– I ja was znam, *messer* Alighieri. Choć nie osobiście, to dzięki waszej sławie – odpowiedział starzec, również pochyliwszy głowę.

– Sława szybsza jest nieraz niźli ludzkie kroki. Co was przywiodło w to miejsce?

– Jeśli wiecie, kim jestem, znacie też profesję, którą się trudnię. Badam udręki naszego ciała i obroty gwiazd, które je sprowadzają bądź pomagają uleczyć. Zamierzałem odwiedzić szpital, by sprawdzić, czy nie mógłbym czegoś uczynić dla tego nieszczęśnika, mego towarzysza z gospody. Najwyraźniej jednak cała moja medyczna wiedza na niewiele by się w jego wypadku zdała – co najwyżej, by stwierdzić, że opuścił świat żywych.

– Nawet najznakomitszy lekarz nie potrafiłby mu pomóc. Zapewne rozstał się z życiem od razu. Znaliście go? To wasz przyjaciel?

Marcello milczał przez chwilę, jakby rozważał, co powiedzieć.

– Czyż w gruncie rzeczy wszyscy na tej ziemi się nie znamy? – spytał po zastanowieniu. – Czyż z racji swego człowieczeństwa nie należymy do jednej rodziny? Wydało mi się, że postępkiem szlachetnym będzie, jeśli dopomogę mu w jego pierwszych krokach w zaświatach.

– Ale wiedzieliście, kim był?

Starzec ociągał się z odpowiedzią, jakby nie potrafił ubrać swych myśli w słowa.

– Nie, nie wiedziałem. Znaliśmy się tylko przez ten krótki czas, kiedy pomieszkiwaliśmy w jednej gospodzie. Miałem natomiast wrażenie, że on zna mnie. Co więcej, że...

– Że co? – ponaglił go poeta.

– Że umyślnie zatrzymał się w tej gospodzie. Że tam na mnie czekał. Jakby wiedział, że przybędę – odrzekł cicho tamten.

– Mówcie jaśniej.

– Było coś w jego sposobie bycia... poufały ton, którym się do mnie zwracał od wieczora naszego przyjazdu. Wciąż zasypywał mnie pytaniami, jakby spodziewał się, że i ja pragnę się czegoś od niego dowiedzieć. To samo z Bernardem.

– To ten *literatus*?

– Wiedział wcześniej o jego studiach i spędzał z nim sporo czasu, który upływał im na rozmowach o przeszłości.

– O czym mówili?

– O jego pasji, życiu cesarza Fryderyka. Rozważali, czy kiedykolwiek był on we Florencji. A teraz to... ale chyba jest już za późno na cokolwiek.

– Śmierć człowieka zamyka jego rachunki ze sztuką medyczną. Lecz nie ze sprawiedliwością – odpowiedział Dante, wpatrując się w starca.

Tamten przytaknął.

– To prawda. Powiem więcej, sprawiedliwość jest po stokroć potężniejsza niż ma skromna dziedzina.

Dante tymczasem przysunął się w stronę medyka, tak że otarł się o jego prawe ramię. Pod szatą wyczuł opór napiętych muskułów, jakby to ciało należało do kogoś dużo młodszego.

Marcello instynktownie uskoczył na bok, jakby pragnął uniknąć dotyku poety.

– Wybaczcie, *messere* – wyjaśnił pospiesznie, widząc na twarzy priora zdziwienie. – To dawny nawyk, z czasów gdy kurowałem trędowatych w Outremerze.

– Wracacie teraz do gospody? – zapytał Dante.

– Tak... lecz wasze miasto zmieniło się bardzo od czasu, gdy widziałem je po raz ostatni, wiele lat temu – odrzekł starzec, spoglądając na wznoszące się wokół budowle. – Czy nie byłby to dla was duży kłopot, gdybyście mnie kawałek odprowadzili?

Dante bez słowa ujął go pod ramię i ruszył wolno w kierunku ruin starożytnych term rozciągających się wzdłuż ulicy prowadzącej do gospody.

Uszli w milczeniu jakieś sto kroków. Marcello rozglądał się dokoła, starając się zapewne dopasować swe wspomnienia do tego, co widział przed sobą. Potem niespodziewanie zatrzymał się przed marmurową kolumną wbudowaną w róg nowszej konstrukcji.

– Wiek, mając się ku końcowi, zdaje się przyspieszać – wyszeptał. – Jednak w tym niespokojnym biegu lata zaczęły pożerać się nawzajem, niczym młode lisy złapane w worku i oszalałe ze strachu.

Posuwali się powoli do przodu.

– Co sprawiło, że udajecie się do Rzymu? – chciał wiedzieć poeta.

Tamten przystanął i spojrzał na niego.

– Pod koniec życia nadchodzi czas, aby wyrównać rachunki z Bogiem i spłacić swe długi. Niewiele czasu mi zostało do *redde rationem**, kiedy to święty Piotr położy na wadze me „winien" i „ma". Pragnę przed tym dniem oczyścić mą duszę. Zmierzam do Rzymu, aby wypełnić stary ślub i aby błagać o wybaczenie grzechów, które popełniłem w ciągu mej długiej wędrówki w dolinie życia.

– Tak ogromnej wagi jest wasze brzemię?

– A który z ludzi nie niesie przez życie podobnego ciężaru, zwłaszcza jeśli doczekał późnego wieku? Długo żyć znaczy długo grzeszyć.

Popołudnie, przed Santa Croce

Jeśli to, czego dowiedział się w gospodzie, było prawdą, Bernardo niemal cały swój czas spędzał w bibliotece franciszkanów. Dante czekał przed bramą skryptorium, aż zakonnicy wyjdą stamtąd po pracy. W końcu na progu pojawiło się blade kościste oblicze.

Bernardo kroczył, niosąc z sobą plik pergaminu i kasetkę z przyborami do pisania. Wyglądał na zmęczonego i dręczonego boleścią. Posuwał się naprzód powoli, z wyraźnym trudem. Choć najwyraźniej nie zamierzał poddać się łatwo atakom upału. Co jakiś czas przystawał, opierając nogę na kamieniu, i wyciągał z torby jedną ze swych woskowanych tabliczek, na których notował coś metalowym rysikiem.

Dotarłszy do ulicznego kraniku, przyssał się chciwie do spiżowej rurki. Pił wielkimi haustami, jakby paliło go niedające się ugasić pragnienie. Dante podszedł do niego i przywi-

---

* Zdaj rachunek (łac.).

tał go dwornie. Bernardo odpowiedział na pozdrowienie, po czym otarł pot z czoła wierzchem rękawa.

– Od dawna chciałem zamienić z wami kilka słów, panie – zaczął rozmowę poeta.

– Wiem o waszym urzędzie, *messer* Durante. I znam wasz głos jako poety. Domyślam się, że chcecie dowiedzieć się wszystkiego, co ma związek z okrutną śmiercią tego dekoratora, Brunetta. Na niewiele zda się wam jednak moja pomoc. Poznałem tego człowieka dopiero w gospodzie i kilkakrotnie spotkałem go w czasie posiłków. Za sprawą mych studiów rzadko tam bywam. Przeważnie zamykam się w moim pokoju, by przelać na papier to, czego udało mi się dowiedzieć – dodał, wskazując na plik pergaminu.

Dante zaciekawiony zbliżył się do niego.

– Jakiejż to natury są wasze studia?

– Próbuję skończyć trzecią część pewnej księgi, *Res gestae Svevorum**. Opisuje one dzieje tych wielkich cesarzy. A przede wszystkim największego spośród nich Fryderyka. Historię jego życia i śmierci.

– I coś ciekawego znaleźliście tu, we Florencji? Miasto me nie gościło nigdy cesarza, jak mniemam.

– Nie gościło go nigdy za życia, gdyż zawsze było mu wrogie, mimo że mieszkało w jego murach tylu wiernych gibelinów. Ale również dlatego, że cesarz obawiał się, iż wypełni się proroctwo Szkota: Umrzesz *sub flore***. Jednak być może po jego śmierci dotarła tu jakaś jego cząstka.

– Po jego śmierci? Co chcecie przez to powiedzieć?

Dziejopis wzruszył ramionami i zacisnął usta, jakby się nagle przestraszył, że za dużo wyjawił.

---

* *Dzieje Swewów*.
** Aluzja do Florencji; dosł. „pod kwiatem" (przyp. red.).

– Znalazłem pewną wskazówkę w *Cronice*... Mainardina i to ona sprowadziła mnie tutaj.

– Mainardina da Imola? Wiernego cesarzowi biskupa, o którym chodzą słuchy, że swe ostatnie lata spędził, spisując żywot Fryderyka? Przecież jego dzieło zaginęło, o ile wiadomo. Albo nawet nigdy nie powstało!

Tamten przymknął powieki i rzucił poecie zagadkowe spojrzenie. Po czym rozejrzał się niespokojnie dokoła, jakby chciał się upewnić, że nikt ich nie podsłuchuje.

Poeta nieświadomie zrobił to samo, mimo iż nie zauważył wcześniej nikogo, kto zwracałby na nich choć odrobinę uwagi. Bernardo tymczasem ułamał z pobliskiego krzaka długą witkę, którą najwyraźniej zamierzał napisać coś w pyle pokrywającym ulicę.

– Jeśli zatem ono istnieje – spróbował ponaglić go poeta – i mieliście okazję je przeczytać, co tak ważnego w nim znaleźliście, że aż przybyliście tutaj? Jakaż to cząstka cesarza dotarła tu po jego śmierci?

Bernardo nie odpowiedział od razu, dobrze ważąc słowa.

– Mainardino pisze coś o skarbie cesarza. Tako rzecze mój mistrz: *Thesaurus Federici in Florentia ex oblivione resurgeat*, „skarbiec Fryderyka od zapomnienia ocalon będzie we Florencji".

– I to jego szukacie?

Bernardo zaprzeczył zdecydowanym ruchem głowy.

– Nie pragnę bogactwa. U schyłku życia złoto wydaje się najlichszą z materii. Chciałbym jednak w mym dziele wyjaśnić zagadki, których nie udało się rozwiązać nawet mojemu mistrzowi. Zamierzam porozmawiać z Arrigiem da Jesi. Słyszałem, że i on przebywa w waszym mieście.

– Z filozofem? Dlaczego?

– Jest o nim mowa na kartach kroniki. Arrigo był nowicjuszem w zakonie w czasach Eliasza z Cortony, franciszkani-

na, przyjaciela cesarza. Pisze się tam, że jest bardzo bogaty. Podobnie jak Eliasz. O nim się z kolei mówi, że jako alchemik posiadł sekret wytwarzania złota. Lub odnalazł cesarski skarb.
– Dziejopis zdawał się głośno myśleć. – Ale być może wszystko przepadło – powiedział zaraz, potrząsając ze smutkiem głową.
– Wszystko obróciło się w pył po śmierci Fryderyka.
– I dowód na to miałby się znajdować we Florencji? Razem ze skarbem?
– Mainardino był tego pewien. Ja usiłuję zweryfikować tę pewność. Nim śmierć mnie dopadnie i zapieczętuje me usta, jak usta mojego mistrza.
Dante chwycił mężczyznę za ramię.
– Myślicie, że znaleźliście się w niebezpieczeństwie? Powiedzcie, kto wam zagraża, a użyję całej mej władzy, by stać się dla was tarczą!
Tamten uśmiechnął się smętnie.
– Nawet całe legiony antycznego Rzymu nie zdołałyby mnie przed nim ochronić. Od miesięcy mój mocz czuć miodem, a wewnętrzny ogień trawi me trzewia. Proszę tylko Boga, by mi pozwolił dokończyć me dzieło – zakończył, pochylając się znów nad wodotryskiem.
Prior odczekał, aż przynajmniej na jakiś czas ugasi on dręczące go pragnienie.
Po chwili mężczyzna podniósł się i oblizał wargi, jakby nie chciał uronić ni jednej kropli. Wyglądał, jakby poczuł się lepiej.
– I ja powinienem był zawrzeć pakt w Jerozolimie – wyszeptał.
Dante rzucił mu pytające spojrzenie. Zobaczył, jak twarz Bernarda ożywia blady uśmiech.
– Mówi się, że w Jerozolimie w czasie swej krucjaty Fryderyk zawarł pakt z niewiernymi, a ci w zamian zdradzili mu

sekret panaceum, leku, który pomaga na wszystkie choroby i zatrzymuje śmierć za bramą królestwa cieni. Ta opowieść każe niektórym wierzyć, że Fryderyk nigdy nie umarł i czeka, by powrócić dokładnie pięćdziesiąt lat po swoim zniknięciu. Pomyślcie tylko, *messer* Alighieri: powrót Antychrysta w rok jubileuszu. Czyż w ten sposób nie zakpiłby sobie straszliwie z Bonifacego?

– Można by pomyśleć, że papież ogłosił ten swój *Centesimus* tylko po to, by nie kusić losu – mruknął Dante.

Bernardo pożegnał się niedługo później i oddalił się zmęczonym krokiem.

Przez chwilę poeta rozważał, czy nie powinien iść za nim, lecz ostatecznie postanowił powtórnie odwiedzić Alberta. Może odkrył coś nowego w sprawie mechanizmu. Poza tym *Miradż*, owa księga, nie przestawała doń powracać w myślach. Wykrzywione w straszliwym bólu twarze umarłych przeplatały się w jego głowie z niewyraźnym wciąż obrazem niebios z przyszłego dzieła. Jakby nieopisany kształt raju i mroczna postać zbrodni rozpływały się w tej samej ciemności.

Oderwał się od swych przemyśleń, kiedy dostrzegł masywną sylwetkę, która wyłoniła się z bocznej uliczki, a teraz pokonywała łuk wokół antycznego amfiteatru.

– Witajcie, *messer* Monerre! – wykrzyknął.

Tamten obrócił się gwałtownie i starał się dojrzeć w tłumie osobę, która wołała go po imieniu. Wyglądał na zaniepokojonego, lecz cała jego podejrzliwość ustąpiła natychmiast, gdy rozpoznał priora.

– Mam nadzieję, że zamienicie ze mną kilka słów podczas drogi. Nie macie nic przeciwko temu? – zapytał, dogoniwszy go, Dante.

– *Messer* Durante, znajomość z wami jest dla mnie prawdziwym zaszczytem. Choć domyślam się, z jakiej to przyczyny poświęcacie czas mej skromnej osobie. Może w innych okolicznościach rozmawialibyśmy o nauce, a nie gwałcie i śmierci. – Mężczyzna wypowiedział te słowa w bezbłędnej toskańszczyźnie, w której ledwie wyczuwało się francuski akcent.

– Słyszę, że świetnie znacie mą mowę. Lecz jaką to naukę macie na myśli? – odparł poeta.

Monerre uniósł palec ku niebu.

– Dziedzinę Uranii, którą zajmowałem się przez całe swe życie. Najpierw w Tuluzie, gdzie przyszedłem na świat, później w Langwedocji, a ostatnio w Wenecji. Tam miałem okazję studiować mapy niebios sporządzone przez starożytnych, a wśród nich przede wszystkim Ptolemeusza. Od czasu do czasu korygując pewne nieścisłości, które umknęły uwadze wielkich. I starałem się szerzyć tę wiedzę z mojej katedry, lecz bez powodzenia. Na co dowodem jest to, że imię me jest wam nieznane!

Na te słowa mężczyzna uśmiechnął się gorzko. Na ściągniętej grymasem twarzy jego blizna jeszcze bardziej rzucała się w oczy.

Astronom, pomyślał Dante zaskoczony tym zbiegiem okoliczności.

Musiał mieć naprawdę zdziwioną minę, gdyż tamten się uśmiechnął.

– Jeśli próbujecie odgadnąć, co robię w waszym mieście, to wiedzcie, że to tylko przystanek w mej ostatniej podróży.

– Dokąd zatem zmierzacie? – zapytał coraz bardziej zaciekawiony Dante. – I dlaczego podróż owa jest waszą ostatnią?

To słowo pobrzmiewało w jego uszach makabrycznym echem. Czyli on także, jak Bernardo, czuł zbliżający się koniec?

Monerre zatrzymał się przed ruinami rzymskiego portalu. W oddali majaczył róg więzienia Stinche, ponura masa ślepego muru. Dotknął ręką czoła, jakby chciał odpędzić niespodziewany ból.

– Celem mym jest Afryka i nieprzyjazne ziemie Maurów. Potem chcę zmierzać dalej na południe, do królestwa mandragory, i dalej jeszcze, aż za równik, by dotrzeć pod niezbadane południowe nieba, których nigdy jeszcze nie ujrzało chrześcijańskie oko. Krążą legendy o nieznanych gwiazdach i nowych konstelacjach, w których zapisano na nieboskłonie niesłychane losy. Ich brak w katalogu Hipparcha to jego wielki mankament, któremu, przynajmniej częściowo, mam nadzieję zaradzić.

Twarz astronoma rozjaśniła się, gdy o tym mówił, jakby w oczach jego duszy naprawdę rozbłysły owe nieznane światła. Pochłonięty swą wizją, zdawał się nie pamiętać, gdzie się znajduje. W roztargnieniu szeptał coś do siebie po francusku. Po chwili jednak znów przeszedł na toskański.

– Chodzą też słuchy o Boskim znaku, czterech gwiazdach, które układają się w idealny krzyż. Jakby potwierdzając, gdzie szukać trzeba prawdziwego Boga, lub wskazując ludzkości jej drogę. Wy jednak, jak mniemam, o innych sprawach chcielibyście rozmawiać.

Całe ożywienie na jego twarzy zgasło. Już chłodnym tonem wymówił ostatnie słowa.

– Mówiliście o ostatniej podróży – rzekł Dante w zamyśleniu. Florencja staje się obowiązkowym przystankiem na drodze ku śmierci, pomyślał z goryczą.

– Po wielekroć przemierzałem już ziemie niewiernych. Lecz rana, którą odniosłem podczas ostatniej podróży, uszkodziła mi wzrok w prawym oku. I za sprawą zagadkowej sympatycznej więzi łączącej bliźniacze organy przypadłość jednego stopniowo przenosi się na drugie. Już niedługo zapadnę się w ciemności i światło gwiazd będę mógł ujrzeć jedynie oczami pamięci. Dlatego muszę się śpieszyć.

Uszli w milczeniu spory kawałek. Poeta musiał się starać, by dotrzymać kroku swemu towarzyszowi, który mimo piekielnego upału szedł szybko, nie opadając przy tym z sił.

– Pędzicie niczym berberyjski wierzchowiec, *messere*. Czy to waszym podróżom zawdzięczacie ów chód? – wybuchnął, gdy po raz kolejny musiał biec, by utrzymać się u jego boku.

Tamten stanął i uśmiechnął się.

– Nie inaczej, priorze. Bywałem w miejscach, gdzie nawet godzina spóźnienia oznaczać może życie lub śmierć. Na pustyni, między jedną oazą a drugą. Albo na ziemiach nękanych przez pogan, w których zasiedlone przez naszych grody oddalone są od siebie dokładnie o dzień drogi i najdrobniejsza zwłoka może oznaczać noc na zewnątrz murów, poza jakimkolwiek schronieniem. W owych krainach istnieje zwyczaj, by we dwóch dosiadać jednego konia, by drugi mógł wypocząć i był gotów na resztę marszu.

– Każda kraina bywa nieprzyjazna na swój sposób – rzekł cicho Dante. – Przypomnijcie sobie, co się wydarzyło w gospodzie, mord na waszym towarzyszu.

Monerre przytaknął.

– Brunetto. Dekorator, prawda? W tym krótkim czasie, gdy dzieliliśmy wikt w gospodzie, widywałem go często pochylonego nad swymi rysunkami.

– Nie był dekoratorem. I nie tak brzmiało jego imię. Ofiara to Guido Bigarelli, największy z rzeźbiarzy naszych czasów.

Francuz przyjął to odkrycie beznamiętnie.

– Niczego nie podejrzewaliście? – chciał wiedzieć poeta.

– Nie. Lecz nie jest niczym niezwykłym, że podróżni skrywają swą tożsamość. Z rozmaitych przyczyn.

– Jakich to?

– By zwieść władze miasta, do którego przybywają, jeśli popierają przeciwne im stronnictwo. Lub bystre oko rabusiów, gdy wiozą z sobą coś cennego.

Dante w zamyśleniu przygryzł wargi. Bigarelli był nieprzejednanym gibelinem, przejazdem w mieście gwelfów. Oczywiście, to mogłoby tłumaczyć wszystko.

– I być może... być może o to chodziło w jego wypadku – podjął tamten.

Dante ocknął się.

– O co?

– Wieczorem, dzień przed jego śmiercią, wpadłem na niego, wchodząc po schodach do mego pokoju. Stał tam razem z tym opasłym kupcem, Rigiem di Cola. Głośno o czymś dyskutowali. Kiedy mnie ujrzeli, natychmiast zamilkli, ale udało mi się co nieco usłyszeć.

Dante przysunął się nieco bliżej.

– O czym rozmawiali? – zapytał z niepokojem.

– O złocie, *messer* Alighieri. O górze złota. Mówili, że by je zdobyć, trzeba zamknąć światło w kręgu.

– Co to znaczy? – chciał wiedzieć poeta, zdezorientowany.

Monerre wzruszył ramionami.

– Nie wiem. Ale dokładnie to usłyszałem. Ja jestem astronomem, wy myślicielem – odparł z nutką ironii w głosie.

Popołudnie i wieczór

Dante pożegnał Francuza z uczuciem niedosytu. Przypuszczenie, że bliski związek ze zbrodnią mają mężczyźni, którzy z różnych na pozór powodów stanęli w gospodzie Pod Aniołem, stawało się coraz bardziej uprawnione.

Domysł ten zrodził się w nim pod wpływem przeczucia, że jest coś – na razie niewytłumaczalnego – co ich łączy. Chociaż ich maniery, przyzwyczajenia, a nawet powierzchowność różniły się aż nie do pomyślenia. Wspólne im było jedynie to, że wszyscy byli cudzoziemcami i, przynajmniej oficjalnie, bawili we Florencji przejazdem.

Dante wyznawał pogląd, że postać zbrodni jest odbiciem umysłu winnego. Ofiara zawsze zdaje się przyzywać swojego kata, wybierając go sobie spośród ludzi najbardziej sobie podobnych. Gwałtownicy znajdują śmierć w akcie rozmyślnego bestialstwa, duchy skłonne do miłości gasną w pożądliwości i rozpuście. Kto zatem odszukał rzeźbiarza, by skrócić jego żywot?

Guido Bigarelli, rzeźbiarz umarłych, powrócił do miasta po latach pod fałszywym nazwiskiem jakby na spotkanie ze śmiercią. Przez całe życie poprzez swe dzieła czynił do niej umizgi. Zawarł z nią przymierze, przyzywał cicho, aby wniknęła w jego brązy, gładził jej szkielet pod zimną skórą swoich kochanek. I w końcu śmierć przybyła, aby zażądać swojej zapłaty. Przypomniał sobie o domyśle Komendanta, który z uwagi na jego pospolitość w pierwszym odruchu odrzucił ze wzgardą. Teraz jednak jego umysł gotów był się skłaniać ku tej możliwości. Czy to Bigarelli był czwartym człowiekiem ze statku? Czy to on dokonał tam masakry, by zstąpić do piekieł wraz z całym legionem?

Myślami wrócił do cudownej Dziewicy. Czy wyłącznie zasługą przypadku było pojawienie się w mieście jednego z dawnych jego dzieł, tak niesamowitego, jak niesamowity był przedmiot o ludzkiej postaci, który przechowywało? I czy w ogóle przypadki istnieją?

W pewnym miejscu ulica zwężała się za sprawą drewnianych bali zamocowanych przy ścianach wznoszonego tu właśnie pałacu. Kolejna manifestacja nowobogackiej próżności, pomyślał Dante. Przywarł do rusztowania, by przepuścić nadjeżdżający powóz. Wtem ktoś wepchnął się biegiem przed niego, zadając mu przy tym łokciem bolesny cios w twarz. Siła uderzenia na chwilę zupełnie go zamroczyła.

Podczas gdy próbował dojść do siebie, rozglądając się dokoła i usiłując zrozumieć, co się dzieje, wielki kamień z głuchym świstem uderzył w parawan z desek za jego plecami. A za nim następny, który drasnął go w ramię. Wiedziony instynktem, rzucił się jak najdalej od rusztowania, myśląc, że zaraz niechybnie się ono zawali.

Na placu przed nim rozgrywał się jakiś oszalały spektakl: poprzewracane kramy, kosze warzyw porzucone na ziemi pośród glinianych skorup i strug wina i oliwy, po których deptała horda szaleńców okładających się wzajem bezlitośnie, przewalający się wir splecionych w walce ciał. Na obrzeżach tłoczyli się przerażeni mężczyźni i kobiety, szukając rozpaczliwie jakiejś drogi ucieczki.

Kolejny kamień, wycelowany weń przez kogoś spośród walczących, lekko go drasnął. Za nim posypała się cała lawina pocisków. Uczestnicy bijatyki z przeciwnych stron placu jęli obrzucać się kamieniami, wywijając nad głowami procami sporządzonymi naprędce z pasów płótna znalezionego wśród przewróconych straganów. Najpierw, pomagając sobie podniesionymi z ziemi deskami i łopatami, próbowali rozebrać bruk. A gdy okazało się, że dzieło starożytnych kamieniarzy daje odpór wszelkim wysiłkom, rzucili się na resztki antycznej zabudowy Piazza del Campidoglio, odłupując palcami kawałki wypalanej cegły, wydzierając się przy tym i złorzecząc.

– Co się tutaj dzieje? – schroniwszy się za jakimś wozem, Dante wykrzyknął do staruszka, który przykucnął tuż obok z głową ukrytą w ramionach.

– To ludzie Cerchich i Donatich. Spotkali się przypadkiem na targu. Najpierw posypały się obelgi, a potem szybko przeszli do rękoczynów.

– Przeklęte łajdaki – wycedził przez zęby poeta. Odczekał, aż kolejna kanonada przetoczy się przez plac, po czym podniósł się zdecydowanym ruchem i ruszył w kierunku bijatyki, mając nadzieję, że jego insygnia priora są dobrze widoczne.

– Stójcie, nakazuję wam w imieniu prawa komuny! – wykrzyknął donośnym głosem. Pochwycił za ramię jednego z walczących, który wpadł mu pod nogi, i usunął go ze swej drogi solidnym kopniakiem w zadek.

Wtem poczuł, że czyjaś ręka łapie go za łokieć. Z dziką furią wyrwał się z uścisku i stanął przodem do napastnika.

Mężczyzna za nim, uśmiechając się, uniósł ręce w pojednawczym geście.

– Wybaczcie mi, *messer* Durante. Starałem się tylko wam pomóc – wykrzyknął i pochylił się, by podnieść czapkę Dantego, która potoczyła się obok na ziemię.

Poeta rozpoznał uśmiechnięte oblicze Arriga da Jesi. On też się uśmiechnął, próbując oczyścić szatę z pyłu i śmieci, które ją oblepiły.

– To wy wybaczcie moją porywczość. Lecz w tym kotłowisku szaleńców niełatwo rozpoznać rękę sprawiedliwego.

– Może niewielu sprawiedliwych da się znaleźć w tym mieście – mruknął Arrigo, przyglądając się bandom po przeciwnych stronach placu. – Zdaje się, że wszystko się wali, że szlachetny plan ojców założycieli miasta niszczą wewnętrzne niesnaski.

– Ów szlachetny plan – jeśli kiedykolwiek takowy istniał – jak proroctwa Sybilli zapisano na kartach tak nietrwałych, że byle podmuch wiatru wystarczył, by je całkiem rozproszyć – odrzekł Dante, kiwając głową.

Filozof również posmutniał.

– Co zatem sprowadziło wasze miasto do tak nieszczęsnej kondycji?

Dante ze złością wskazał mu grupę podżegaczy wciąż splecionych z zajadłej walce.

– Ta bezecna hołota niczym wezbrana rzeka wdarła się w nasze mury. Ściągnęła tu z całej Toskanii skuszona łatwym zarobkiem, który zapewniły jej zepsucie obyczajów, opieszałość rządzących, świętokupstwo duchownych, sprzedajność urzędników i ignorancja mędrców. Wypłynęła na nasze ulice prosto z kanałów, które były jej pierwszym schronieniem, i zawłaszczyła sobie miasto, które nasi ojcowie stawiali własną krwawicą. Dziś Florencja zdaje się oszalałą kobyłą.

Prior przerwał, w dalszym ciągu przyglądając się ze złością młodocianym hultajom. Teraz rozmasowywał sobie szczękę, wytarłszy wierzchem dłoni strużkę krwi sączącą się z rozciętej wargi.

Arrigo zdawał się mu przysłuchiwać z wielką uwagą.

– W innych miastach Italii wcale nie dzieje się lepiej. Jednak dobry władca mógłby przemówić im wszystkim do rozsądku, gdyby tylko wspomogli go mężowie dobrej woli. Tacy jak wy, *messer* Alighieri.

– Gdyby tylko tacy jak ja, o których raczyliście wspaniałomyślnie napomknąć, potrafili narzucić innym swoje zdanie! Gdyby tylko mieli tę siłę i wpływy, które dają tym łajdakom ich w niegodny sposób zarobione pieniądze!

– Może już wkrótce nastanie czas, gdy na niebie Italii ponownie królować będzie orzeł, a jego szpony na zawsze oślepią psy owej nocy, która nastała w jej krainach.

Dante uśmiechnął się blado, czubkiem języka zlizując krew z wargi. W czasie rozmowy nie przestawał śledzić przebiegu bitwy, która tymczasem przetoczyła się na przeciwległy róg placu, w jego boczne zaułki.

– Miasta są niczym wielkie zwierzęta, przypominając we wszystkim mniejsze zwierzęta, które je zamieszkują – rzekł z goryczą.

– I narażone są na te same zbrodnie. Można wbić w miasto nóż, tak jak wbija się go w człowieka – podjął myśl filozof.

Dante spojrzał na niego.

– To prawda. Los po raz kolejny zechciał, bym podążał ścieżką okrutnej zbrodni. Śmierć przeszła przez gospodę Pod Aniołem.

– Słyszałem. Ten biedak Brunetto...

– W rzeczywistości zwał się inaczej – rzucił Dante obojętnym tonem, zajęty wytrzepywaniem kurzu z rąbka swej szaty.

Arrigo nie zareagował. Zdawał się spokojnie oczekiwać dalszych słów poety.

– Zwał się Guido. Guido Bigarelli.

– Naprawdę? – Filozof nie tracił spokoju, jakby to imię nic mu nie mówiło. Bądź jakby wiedział, kim w rzeczywistości był zmarły. – I jesteście już na dobrej drodze, by odnaleźć winnego? – zapytał, sadowiąc się w cieniu niewysokiego murku.

Dante wzruszył ramionami, dołączając do niego.

– Mam strzępki intrygi, które nic mi nie mówią. Nie znam dokładnego motywu zbrodni, nie wiem, w jaki sposób do niej doszło i po co. Mam tylko przeczucie, że została uknuta w pobliżu ofiary, może przez kogoś jej znanego, na pewno przez kogoś z jej otoczenia. Towarzysze podróży zmarłego: to do nich prowadzi mnie mój instynkt oraz rozum, który się za nim kryje.

– Przesłuchajcie ich zatem z całą przenikliwością waszego umysłu.

– A gdzie mnie to zaprowadzi? W ten sposób otrzymam jedynie zlepek prawdy i kłamstwa, w którym świadectwo prawych podszyte zostanie zmyśleniem winnego. Nie posiadłem daru przenikania umysłów.

– Wyglądacie, jakbyście stracili nadzieję, priorze.

– Nie – odparł poeta. – Nie potrzebuję ich słów. Światem rządzi logika, ta zaś w prostej linii wynika z potrzeby. Muszę się dowiedzieć, jaka potrzeba zrodziła te zbrodnie. Z niej wywiodę logikę, a na końcu słowa.

– Co zatem was powstrzymuje?

– Coś w tym wszystkim mi nie pasuje. Zabójstw dokonano z naglącego, aktualnego powodu. Jednak ich rzeczywisty motyw tkwi w jakiejś odległej przeszłości. I to nie daje mi spokoju: że ten sam skutek wynika z dwóch przyczyn. Arystoteles takiej możliwości nie dopuszcza.

Arrigo z uśmiechem pokiwał głową.

– Podziwiam waszą ufność w myśl Filozofa. Co jednak sądzicie o młodszych mistrzach z Paryża? O Baconie, dajmy na to? Czyż nie głosi on, że to porządek natury określa zasady rozumowania? A sama natura nie jestże królestwem zmian, stawania się, sprzeczności? Ale, ale. Powiedzieliście: „zbrodnie". Zatem Guido Bigarelli nie przekroczył bramy Hadesu w pojedynkę?

– Nie. Kilka mil na zachód od miasta dokonano prawdziwej masakry, prawdopodobnie po to by zatuszować pojedyncze morderstwo. Zabójca wypełnił trupami cały okręt.

Arrigo otworzył już usta, aby zadać kolejne pytanie, lecz najwyraźniej się rozmyślił i zacisnął wargi.

– Co to jest Królestwo Światła? – zagadnął go nagle poeta.

Tamten odwrócił się do niego z wyrazem zdziwienia na twarzy.

– Miejsce triumfu ducha, jak sądzę. Albo metafora użyta na określenie tego, co wy nazywacie rajem.

– My?

– Mam na myśli was, teologów, którzy staracie się wyznaczyć jego kształt, istotę, granice. Albo i was, poetów, którzy usiłujecie ubrać go w słowa. Dlaczego mnie o to pytacie?

– Zdaje się, że wielu go usilnie szuka. A jeśli chodzi o jakieś realne miejsce? Lub przedmiot o niezwykłych właściwościach? Ty sukinsynu!

Filozof podskoczył na to niespodziewane przekleństwo, również zaskoczony ciepławym, złocistym strumieniem płynącym z nieba wraz z fałszywymi tonami ulicznej przyśpiewki. Nad nimi, na resztkach belkowania starożytnego muru stał z opuszczonymi portkami jeden ze sługusów Donatich i oddawał mocz na przeciwników, wzbiwszy w powietrze imponującą fontannę uryny.

Dante uskoczył w bok, głośno złorzecząc i nie zważając na grad śmigających wciąż obok kamieni.

Rzucił się na czworaki i jął gorączkowo szukać czegoś na ziemi. Po chwili podniósł się, ściskając w garści kawałek cegły. Na moment zastygł w bezruchu, dokładnie wymierzył cios, a następnie wycelował w mężczyznę, który nie przerywał swej czynności, wciąż podśpiewując.

Arrigo zobaczył, jak składa się do rzutu skupiony, jakby siłą umysłu chciał go poprowadzić do celu. On również przekrzywił głowę, śledząc lot pocisku i towarzyszące mu dźwięki, od głuchego świstu do krzyku mężczyzny, który oberwał w czoło.

– Na Boga, priorze! – wykrzyknął zdumiony. – Rzut godny Biblii! Wy, Florentyńczycy, miast lilii powinniście bić na waszych monetach Dawida. Lub przynajmniej wystawić mu pomnik, by strzegł waszych bram!

Trafiony upadł u podnóża muru. Jego twarz, zalana krwią broczącą obficie z rany nad brwią, stała się niemożliwa do rozpoznania. Wycie z bólu zagłuszyło na moment zgiełk walki.

Arrigo nadal obserwował poetę z mieszanym wyrazem podziwu i zakłopotania na twarzy. Po chwili się uśmiechnął.

– Na szczęście, między nami różnice zdań przebiegają na płaszczyźnie ducha. Chodźcie stąd, priorze. Niech podobni sobie przestają we własnej kompanii. Oddajcie mi jeszcze trochę swego czasu. Potowarzyszcie mi w drodze do pokojów gościnnych Santa Maria Novella, gdzie się zatrzymałem.

Dante rzucił na plac ostatnie pełne złości spojrzenie. Jego zmarszczone gniewnie czoło zaczęło się powoli wygładzać.

– Ależ oczywiście. Może i lepiej, by owo stado psów powygryzało się nawzajem, jeśli takie ich upodobanie. Chodźmy – rzekł na to i wyrwał energicznie do przodu.

– Miejcie szacunek dla moich lat. Nie potrafię dotrzymać kroku impetowi waszej młodości – powiedział Arrigo, który starając się go dopędzić, powłóczył nogą z odcieniem bólu na twarzy.

– Młody, ja? W maju ujrzałem swą trzydziestą piątą wiosnę. Na łuku życia minąłem zenit. I bynajmniej nie ku lepszemu zmierzają me kroki – odpowiedział, zaczekawszy na towarzysza.

– O ileż bardziej ja posunąłem się w latach. Ale nie moje sny, jak zapewne i wasze... Kto ma serce tak szlachetne, by jeszcze karmić się snami.

– Sny przemawiają do nas w nocy swym tajemniczym językiem. Lecz również za dnia świat wokół mnie rozmywa się w gęstwinie symboli. Czuję się, jakbym się zgubił w lesie, ciemnym niczym mroki śmierci.

– Zdajecie się stać na progu piekieł, mój przyjacielu – powiedział cicho Arrigo.

– I to właśnie ku piekłom, ku królestwu wieczności podąża ma myśl i mój stan ducha.

– Po co myśli zwracać ku Hadesowi? Gdzie się podziały wasze miłosne rymy? Namiętności naszych czasów? Pasja życia? To wszystko zbyt mało dla waszej pieśni? – zdziwił się Arrigo.

Dante nie odpowiedział. Filozof pchnął go łagodnie, wskazując na drogę przed nimi. Zaraz za miejscem, w którym wciąż trwała bijatyka, życie biegło swym zwykłym torem, jakby obok siebie istniały dwa różne miasta, nie zwracając na siebie wzajemnie uwagi.

– Tam gdzie pieniądz, tam szaleństwo – dodał Arrigo, rozglądając się dokoła. W powietrzu unosiła się gęsta chmura kurzu, którą wzbiły przejeżdżające wozy, wśród pokrzykiwania woźniców i końskich odchodów. – Z zazdrością mówi się o tym w całej Toskanii. Największy kościół chrześcijańskiego świata. Arcydzieło, które nieśmiertelnym uczyni imię Arnolfa di Cambio. W miejscu będącym triumfem życia, wy zwracacie się ku śmierci? Nie słuchacie mnie? – dodał, po czym silniej potrząsnął jego ramieniem.

Dopiero wówczas poeta się ocknął.

– Wybaczcie mi, mistrzu. Słyszałem wasze słowa, umysł jednakoż wyprzedził ciało, które nie potrafiło udzielić wam odpowiedzi. Miłość wciąż we mnie przebywa i dyktuje swe pieśni, lecz odkąd staram się ku pożytkowi miasta stać u jego sterów, raczej dwa inne bóstwa zajmują mój czas za dnia i nachodzą w nocy.

– Jakie to bóstwa? – spytał Arrigo.

– Dobro i Zło. Tajemnice ich natury: dlaczego dzielą między siebie serce człowieka i w jaki sposób zwalczają siebie nawzajem. Dlaczego królestwo jasności nie tylko nie triumfuje w tej potyczce, lecz tak często ustępuje wężowym zakusom.

– Bądźcie ostrożni, mój przyjacielu – przerwał mu Arrigo. Jego oczy wypełniły się niespodziewaną powagą. – Przez takie sądy na Północy zapłonął już niejeden stos. Cała Prowansja, aż po Tuluzę, do dziś nie zaleczyła ran po krucjacie przeciwko katarom.

Dante wybuchnął śmiechem.

– Nie, mistrzu, nie lękajcie się. Nie zostałem manichejczykiem. Bóg jest jeden. A światło jego łaski opromienia wszystkie zakątki wszechświata. Jeśli jednak w krystalicznej przezroczystości niebiańskich przestworzy rozchodzi się ono w niezmienionej postaci, dotarłszy do świata podksiężycowego, łamie się i rozpryskuje niczym fala uderzająca o skalisty brzeg. A na muliste dno naszej duszy nie dociera wcale. To właśnie jest piekło i to, co pragnę opisać. Dlatego pieśń mą chcę poświęcić wędrówce między zmarłych. Po wyprawach Ulissesa i Eneasza będzie to podróż, która dopełni doświadczenie ludzkości.

Arrigo ujął go pod ramię. Miał chyba ochotę coś powiedzieć. Lecz potrząsnął tylko głową i oddalił się bez słowa, sunąc przed siebie niepewnym krokiem.

4

Dante zauważył na dziedzińcu jakieś poruszenie. W rogu stał osiodłany jeszcze koń, pokryty pianą, uderzając kopytem o bruk. Jakiś człowiek w pełnym rynsztunku z ożywieniem rozmawiał o czymś z Komendantem. Cisnący się wokół nich inni żołnierze przysłuchiwali się z przejęciem.

Poeta podszedł do nich zaciekawiony.

– Co się stało? – zapytał, kątem oka obserwując kuriera, który ponownie dosiadł konia, spiął go ostrogami i galopem przejechał przez bramę krużganka.

– Dotarła nas wieść o pożarze przy trakcie do Pizy. Coś spłonęło ze szczętem na ziemiach Cavalcantich.

– Coś? Co to znaczy?

– Moi ludzie nie potrafili powiedzieć. Chyba szopa z sianem. W każdym razie coś wielkiego. Na popiół.

Gospoda, w której dokonano morderstwa, także należała do Cavalcantich, przypomniał sobie prior. Może był to zwykły zbieg okoliczności. Poczuł jednak niepokój. Ów pożar zdawał się powiązany z innymi nieszczęściami. Jak ślad wymazanego rysunku, który nagle odkrywa się na papierze.

– Jak daleko znajduje się pogorzelisko?

– Kilka mil stąd, zaraz za nowym pierścieniem murów.

Dante nie odzywał się przez chwilę, przygryzając wargę.

– Każcie swym ludziom osiodłać dla nas dwa konie. Natychmiast. Chcę to zobaczyć.

– Lecz skoro ogień został ugaszony, nikomu już nie zagraża... – próbował oponować tamten.

– To nie pożary mnie niepokoją – odrzekł sucho Dante.

Zanim przygotowano wierzchowce, upłynęła prawie godzina. Nim Dante i Komendant w eskorcie sześciu zbrojnych wyruszyli w kierunku wschodu, minęło już południe.

Za łąkami Santa Maria Novella rysowała się czerwonawa ceglana masa nowego pierścienia umocnień, który miał chronić niezliczone konstrukcje wyrosłe za linią starych murów. Gotowe już odcinki urywały się w kilku miejscach bez zrozumiałej zasady, jakby ich budowę zlecono jakiemuś kapryśnemu olbrzymowi. Wyglądało na to, że architekci postanowili pójść w zawody ze starożytnymi Rzymianami i usłać okolicę nowymi ruinami.

Za przyszłą bramą, z której wzniesiono dotąd niewiele poza cokołem, ciągnął się krótki odcinek ubitej ziemi skręcający na północ i przechodzący w wiejską drogę. Biegła ona pośród wąwozów i zarośli, wspinając się niekiedy na zbocza niewysokich pagórków. Za dębowym zagajnikiem, w głębi niewielkiej doliny, ich oczom ukazał się w końcu cel: duża okrągła plama wypalonej roślinności, z której wyrastały kawałki zwęglonych pali i belek. Budowla spłonęła aż do fundamentów.

Cokolwiek to było, prezentowało się okazale. W powietrzu wciąż unosił się swąd spalenizny, który gęstniał za każdym razem, gdy podmuch ciepłego wiatru na powrót wzniecał wątłe spirale dymu. Nieco dalej, w miejscu nietkniętym ogniem, widać było wielkie sterty obrobionych desek.

W pobliżu pogorzeliska Dante zeskoczył z konia i podszedł do zniszczonej pożarem konstrukcji. W ślad za nim, z ciężkim westchnieniem, opuścił się na ziemię Komendant, a po nim pozostali żołnierze.

– Udało się wam dowiedzieć, kto zbudował to... coś? – zapytał prior.

– Nie, jeszcze nie. To ziemie Cavalcantich, jak wam mówiłem, od dawna leżące odłogiem. W okolicy znajduje się tylko folwark, jakieś dwie mile stąd. To jego ekonom powiadomił o pożarze żołnierzy trzymających straż przy najbliższej bramie.

– I nic więcej nie widział? Kto tutaj pracował?

Komendant wzruszył ramionami.

– To prości ludzie, bez żadnej ogłady. Prawdziwe zwierzęta, z trudem przychodzi im się wysłowić. Nie to co my, miastowi. Ekonom wydusił z siebie jedynie, że pracowały tu diabły, wznosząc pierścień szatana. Pewnego razu zakradł się tu na przeszpiegi, ale coś go wystraszyło i trzymał się odtąd z daleka, aż do nocy, kiedy wybuchł pożar.

Dante nie wiedział, co ma o tym sądzić. Pierścień szatana... Na nowo jął się przyglądać gąszczowi zwęglonych belek wokół siebie. Piekielny las wypalony Boskim gniewem.

– Rozdzielcie się – krzyknął do ludzi Komendanta oczekujących w szyku na rozkazy. – I przeszukajcie teren.

– A czego mamy szukać? – zapytał jeden z nich.

– Nie wiem. Wszystkiego. Wszystkiego, co podejrzane.

Mężczyźni rozeszli się po pogorzelisku, uważając, by nie nadepnąć na żarzące się jeszcze gdzieniegdzie kawałki drewna. Niełatwo było odgadnąć w pierwszej chwili, w jakim celu wzniesiono spaloną budowlę. Po kikutach wciąż tkwiących w podłożu belek można się było domyślać, że chodziło o rodzaj hali lub wielkiej stodoły. Albo stajnie, ale doprawdy niezwykłego kształtu. I czy drewno, które uszło płomieniom, miało być przechowywane wewnątrz budowli? Czy może służyć miało do dalszych prac przy nieukończonej jeszcze konstrukcji?

Dante szedł powoli w stronę środka planowanej budowli. Po paru krokach zauważył, że sczerniałe belki przestały nagle wyrastać z ziemi i wewnątrz konstrukcji otwiera się rozległa pusta przestrzeń.

Naprawdę przypominała ona pierścień. Pierścień szatana. Ze złością oddalił od siebie ten irracjonalny wymysł. Tu należało działać, kierując się rozumem i wiedzą.

– Czy macie ze sobą liny? – zapytał Komendanta.

– Każdy z moich ludzi ma jedną, długą na kilka łokci, w sakwie przytroczonej do siodła.

– Spróbujmy przyjrzeć się dokładniej, jaki kształt ma to coś – wymruczał Dante. – Kształt zazwyczaj jest dziełem przypadku, chociaż niekiedy ukazuje istotę rzeczy – dodał prawie niedosłyszalnym szeptem.

Komendant wysłuchał ostatnich słów z zakłopotaniem i już chciał coś dodać, gdy prior niespodziewanie zawrócił i szybkim krokiem skierował się na zewnątrz.

Spostrzegł, że wśród szczątków budowli wyróżniają się punkty, gdzie nadpalone belki są liczniejsze i grubsze, jakby tworzyły coś w rodzaju przypór lub części konstrukcji o specjalnej funkcji.

– Na obwodzie pogorzeliska odnajdźcie podobne miejsca i niech każdy z was zatrzyma się przy jednym z nich. Połączcie wasze liny i dajcie mi do ręki ich początek. A potem rozciągnijcie je między sobą.

Strażnicy poczęli krążyć wśród zwęglonych kikutów, rozciągając powiązane ze sobą sznury. Zatrzymywali się jeden po drugim, unosząc w górę liny, by były lepiej widoczne.

Oczom poety ukazał się foremny ośmiokąt.

Dante wciąż próbował się domyślić, co może oznaczać to, co właśnie zobaczył. Z kilku stron docierały doń głosy przekrzykujących się strażników, którzy tkwiąc przy rogach budowli, wymieniali się obserwacjami. Ogarniało go coraz większe zdumienie. Wtem usłyszał, jak jeden z żołnierzy przyzywa go do siebie donośnym głosem.

– Tutaj, priorze! Chyba coś znalazłem!

Ruszył w stronę żołnierza, który go wołał. Mężczyzna nerwowo przeszukiwał zgliszcza, nie przestając przy tym krzyczeć.

Tam naprawdę coś było. Najpierw myślał, że chodzi o wypalony krzak. Pięć gałązek wyciągających się do nieba. Zwęglona ludzka ręka.

Ciało nieboszczyka leżało na wznak, podobne do bryły węgla. Straszliwy żar wymiótł z niego wszystkie płyny, zmieniając je w kruchą mumię. Nie uszkodził jednak ogólnych zarysów sylwetki. Zapewne odzienie trupa, ubranego, jak się zdawało, w skórzany kaftan, stopiwszy się ze skórą, zachowało jej kształt. Płomienie oszczędziły też głowę, wciąż owiniętą zwęglonym strzępem tkaniny.

Dante przyjrzał się uważnie owej twarzy, która wyglądała teraz jakby odlana z czarnego szkła. Rigo di Cola, jeden z dwóch kupców, którzy zatrzymali się w gospodzie Pod Aniołem.

W końcu diabeł rzeczywiście objawił się w swym kręgu, pomyślał. Podobna konkluzja musiała przemknąć przez głowy pozostałych ludzi Komendanta, którzy zbliżyli się zaalarmowani krzykiem. Widział, jak niejeden z nich żegna się znakiem krzyża, i to zapewne nie przez wzgląd na nieboszczyka, lecz dla siebie wzywając ochrony przed złem.

Przy zwłokach leżały kawałki szkła pokryte ciemnym nalotem. Dante zebrał opuszkami palców odrobinę owej substancji.

– Oliwa do lamp – rzekł do Komendanta, który podszedł do niego.

– Jasne jak słońce – wykrzyknął mężczyzna, zbliżywszy do nosa szklany odłamek. – Nasz przyjaciel podpalił oliwę, by wzniecić pożar. Ale się przeliczył. Coś poszło nie tak i sam padł ofiarą swojego występku. Przedziwne są Boskie wyroki. Stwórca nie rychliwy, ale sprawiedliwy.

Poeta ponownie pochylił się nad ciałem, wpatrując się z uwagą w ostre rysy twarzy, w których przetrwał przerażający grymas zaskoczenia, w ciemność oczodołów pustych po wypłynięciu gałek ocznych. Następnie obrócił je na brzuch i kontynuował swe oględziny.

– Z pewnością było tak, jak wam rzekłem, priorze – zawołał dowódca straży donośnym głosem, tak by jego ludzie dobrze to słyszeli.

Dante pokazał mu coś na plecach Riga, na wysokości serca. Dwa równoległe głębokie cięcia w zwęglonym kaftanie. Wyciągnął sztylet z wewnętrznej kieszeni szaty i ostrożnie wsunął ostrze w jedną z ran. Stal zagłębiła się w nią, nie napotykając oporu przerwanej w tym miejscu tkaniny.

Bez słowa powtórzył ten eksperyment z drugą raną. Jego wynik był taki sam. Po czym spojrzał na Komendanta z poczuciem wyższości.

– I nie mogąc wytrzymać płomieni i wyrzutów sumienia z powodu swej zbrodni, sam zadał sobie dwa ciosy w plecy?

Mężczyzna zamilkł.

– A poza tym – ciągnął bezlitośnie Dante – czy nie spostrzegliście czegoś jeszcze?

Wyciągnął rękę w stronę trupa, wskazując na coś w pobliżu ciała. Pozostałości wielkich pergaminowych arkuszy spalonych ze szczętem. To, co na nich zapisano, przepadło bezpowrotnie.

– Inne pisma? – próbował zgadywać widocznie zniechęcony Komendant. – Jakaś księga?

Prior pokręcił głową.

– Są za duże. I nie widać żadnych śladów oprawy – powiedział, podniósłszy jeden z nich. Przyjrzał się brzegom, które rozsypywały mu się w palcach. – Raczej jakieś rysunki – zakończył. Pomyślał o wielkiej pustej sakwie w pokoju Bigarellego pachnącej inkaustem.

– Czwarta osoba? Morderca pozostałych? Lecz kto w takim razie zabił jego? – wybąkał nagle zbity z tropu Komendant. Zdawał się czekać, aż Dante wyjaśni za chwilę tę zapętloną zagadkę. Jednak poeta tylko rozmyślał w skupieniu, ściskając palcami podbródek.

Jego oczy nerwowo przemierzały najbliższą przestrzeń, krążąc od zwęglonych arkuszy do trupa. Musiał tu istnieć jakiś racjonalny związek. Czuł, że jest niedaleki odkrycia prawdy, choć ona wciąż wymykała mu się z rąk.

Słońce chyliło się ku zachodowi. Nie było sensu dłużej się w tym miejscu zatrzymywać. Upewniwszy się, że kieszenie zmarłego są puste, wydał rozkaz, by pogrzebano ciało w cieniu sosny, poza miejscem pożaru.

Nikt nad nieszczęsnym truchłem nie zmówił nawet pacierza.

Byli w połowie powrotnej drogi, kiedy Dantego dobiegł głośny tętent koni w galopie. Nakazał swoim się zatrzymać, nim zza kępy zarośli wyłoniła się gromadka jeźdźców ubranych jak na polowanie, uzbrojonych w łuki i kołczany.

Nowo przybyli na ich widok też ściągnęli cugle i zatrzymali konie w odległości kilku kroków. Poeta pewien był, że wcześniej nie widział na oczy żadnego z nich, z wyjątkiem najmłodszego jeźdźca, który zdawał się przewodzić grupie.

– Dobry wieczór, *messer* Alighieri! – wykrzyknął Franceschino Colonna, z ostentacją zrywając z głowy czapkę. – I wy pokłońcie się priorowi Florencji! – zwrócił się do swoich towarzyszy. Trzej mężczyźni pochylili lekko głowy na znak pozdrowienia, bąkając coś pod nosem.

– Co was sprowadza w te strony, *messer* Colonna? Sądziłem, że jesteście już daleko, w drodze do Rzymu.

– Moje miasto trwa niewzruszenie na swych siedmiu wzgórzach od dwudziestu wieków i stać tam będzie jeszcze przez kilka ładnych stuleci. Nie ma pośpiechu, aby się tam udawać, zwłaszcza że i wasze lasy obfitują w zwierzynę – oznajmił młodzieniec, po czym wyciągnął z torby przy siodle zakrwawione zajęcze zwłoki.

– Skromna to raczej zdobycz jak na czterech dorodnych mężów – zauważył prior, wskazując na kompanów Franceschina, którzy trzymali się nieco z boku. – To wasi przyjaciele?

– Wesoła kompania napotkana w podróży. Kolejni pielgrzymujący na jubileusz. Poznałem ich po drodze z Bolonii. Przed dalszą wyprawą zabawiamy się od czasu do czasu konną przejażdżką.

– Wiecie, gdzie teraz jesteście?

– Gdzieś na północ od nowych murów, jak mniemam. Krążyliśmy po okolicy, nie przywiązując wagi do drogi. Zapuściliśmy się może na czyjś teren?

Dante zaprzeczył ruchem głowy.

– Zatem życzymy wam dobrej drogi, *messer* Alighieri. Do zobaczenia, kiedy Bóg zechce – powiedział młodzieniec, ściągając cugle i kłując swego wierzchowca ostrogami.

Dante obserwował kawalkadę, dopóki nie zniknęła mu z oczu, oddalając się w stronę pogorzeliska.

– Do zobaczenia, kiedy zechce Florencja – mruknął.

Instynkt podpowiadał mu, że kierują się dokładnie na miejsce, gdzie Rigo di Cola rozstał się z życiem. Często słyszał, jak mawiano, że morderca powraca na miejsce swej zbrodni za sprawą owej tajemnej siły przyciągania między sumieniem a popełnioną winą. Zawsze jednak uważał, że to bzdura.

W każdym razie owi ludzie nie znaleźli się tu przypadkiem. Zdążył się przyjrzeć zdobyczy, którą pokazał mu Franceschino. Sierść zwierzęcia pokryta była zaschniętą krwią, jakby było ono martwe od wielu godzin. Jakiekolwiek były ich zamiary, ci mężczyźni nie wybrali się na łowy.

Komendant skierował swego konia ku Dantemu.

– Wiecie, priorze? Przyszło mi coś do głowy. Myślałem o konstrukcji, która poszła z dymem, i o przygotowanych stertach drewna. Żeby coś takiego powstało, trzeba było umysłu i ręki znakomitego cieśli. Ciekawe, co robił tam ten kupiec.

– Może to w gruncie rzeczy nie był kupiec. No i ktoś mógł mu pomagać. Choć pewien jestem, że tylko w momencie śmierci.

– Czy myśleliście o owym Fabiu dal Pozzo, który zatrzymał się w gospodzie Pod Aniołem? – spytał poetę, który przytaknął. Jemu również przyszedł na myśl kompan nieboszczyka. – To cudzoziemiec. Nie jest jednym z naszych. I być może już zabił kogoś ze swojego otoczenia.

Dantego przeszył dreszcz na myśl o tym, jak wymierza się sprawiedliwość w jego mieście.

– Może warto usłyszeć, co ma do powiedzenia. Chcę go przesłuchać, jak wrócimy do pałacu. Pilnujcie, żeby nie uciekł.

Powalony zmęczeniem, musiał się zdrzemnąć. Gdy podniósł się z łoża, jego myśli krążyły bezładnie, wciąż wypełnione przez senne obrazy. Na oścież otworzył drzwi celi i wyszedł na krużganek, oddychając pełną piersią. W popołudniowym powietrzu wyczuwało się już zapowiedź wilgotnego chłodu nocy, lecz przynosiło to niewielką ulgę w lejącym się z nieba żarze. Codzienny gwar dochodzący z ulicy biegnącej wzdłuż murów klasztoru nieprzyjemnie dudnił mu w uszach, podwajany echem rozbrzmiewającym w ścianach dziedzińca.

Zauważył, że zebrani przy otwartej bramie strażnicy przypatrują się czemuś na zewnątrz. Próbując ogarnąć myśli, zszedł na dół. Przez otwór bramy widać było maszerujący tłum kobiet i mężczyzn. Szli od strony Oltrarno, przez Ponte Vecchio, zmierzając na północ miasta.

– Gdzie oni idą? – spytał jednego z żołnierzy.

Choć dobrze znał odpowiedź.

– Do Santa Maddalena, priorze. Rozniosła się wieść, że dziś znowu mają pokazać Dziewicę.

Okaleczone ciało Bigarellego nie przestawało go prześladować. Wraz z jego dziełem, wspaniałym i przerażającym zarazem – jeśli prawdą było to, co mu o nim opowiadano. I jeszcze woskowe oblicze Dziewicy i to zagadkowe złudzenie życia. Rozum kazał mu szukać winnego wśród gości gospody, z dala od podejrzanego królestwa cieni, które objawiło swe istnienie w opactwie. Jednak intuicja podpowiadała mu, że tamtejszy cud był jednym z ogniw w łańcuchu śmierci.

– Powiedzcie pozostałym priorom, że na zebraniu muszą sobie poradzić beze mnie. Dzieje się coś, co wymaga mej obecności gdzie indziej – zakomunikował krótko strażom.

Gdy dotarł do kościoła, jego wnętrze pękało w szwach. Tak jak poprzednio, jął torować sobie drogę w tłumie, rozpychając się łokciami, aby zająć sprawdzone miejsce za filarem. Kasetka z dziełem Bigarellego stała już przed ołtarzem. Ktoś uprzednio rozchylił jej drzwiczki, wystawiając relikwiarz na widok wiernych. Mnich i cudowna relikwia jeszcze się jednak nie pojawili.

Dante wykorzystał oczekiwanie, by uważnie przyjrzeć się otaczającej go ciżbie. Od ostatniego razu sporo się zmieniło: wieść o cudzie rozniosła się po mieście lotem błyskawicy, docierając do najodleglejszych jego zakątków. Teraz wśród pospolitych gąb biedoty i jej zgrzebnych ubiorów w nawie roiło się od kolorów wytwornych szat szlachty i członków bogatych cechów.

Chromi i chorzy siłą wywalczyli sobie miejsce pod ołtarzem. Tu i ówdzie można było dostrzec ciemną szatę jakiegoś notariusza, a w rogu niepokojące śnieżnobiałe habity dwóch dominikanów.

Na ich widok poeta instynktownie schował się głębiej za filar. Jeśli pofatygowała się tu także inkwizycja, znaczyło to, że sława cudu wykroczyła daleko poza mury niewielkiego klasztoru.

Nagle w drzwiach w głębi prezbiterium ukazał się mnich Brandano. Kroczył powoli i dostojnie w towarzystwie dwóch ludzi, którzy mieli mu pomagać z relikwiarzem. Cały rytuał się powtórzył, choć tym razem napięcie wśród publiczności było tak olbrzymie, tak gorączkowe, że niemal można je było pochwycić w palce. Z oczekiwaniem tych, co cud widzieli już wcześniej, łączyła się chorobliwa ciekawość tych, którzy o nim tylko słyszeli, oraz nadzieja na uzdrowienie tych wszystkich, co uwierzyli, że to naprawdę sam Bóg zechciał zstąpić do ziemskiego piekła.

Mężczyźni otworzyli relikwiarz i oczom zebranych ponownie ukazał się dziewiczy tors i oślepiająca biel woskowej skóry. Po chwili, jakby w odpowiedzi na gest mnicha, powieki Dziewicy z wolna się uniosły, odkrywając białka oraz świetlisty lazur jej tęczówek. Dante z uznaniem obserwował pracę mechanizmu, ukrytego zapewne w czaszce, zdolnego naśladować ludzki ruch z taką wiernością i wdziękiem. Jeśli w istocie to ów Al-Dżazari zbudował to dziwo, słusznie cieszył się tak wielką sławą. Można też było zrozumieć pychę, która doprowadziła go do bluźnierstwa i śmierci.

Z lękiem znów dostrzegł w wyglądzie posągu rzecz niezwykłą. Zaiste niesamowitą. Słodki łuk piersi wznosił się i opadał, jakby jakiś ukryty miech napierał na niewidzialne żebra. Dziewica naprawdę zdawała się gorączkowo oddychać, jakby cudownym sposobem udzieliło się jej napięcie oczekiwania oraz niepokój obecnych.

– Od wielu już lat na Palestynie, świętej ziemi, ciąży stopa niewiernych – zaczęła swą przemowę. – Czyż naprawdę głusi jesteście na płacz owych ludów, które, jak ja, ponoszą karę za bycie wiernym jedynemu prawdziwemu Bogu?

Jęła niespodziewanie krążyć wzrokiem po zebranych. Na koniec wskazała ręką mnicha stojącego obok w milczeniu.

– I czyż głusi jesteście na wezwanie samego Boga, który przez usta świętych mężów, takich jak nasz przewodnik, błaga was o wyzwolenie krainy, w której się narodził i został zgładzony?

Mnich pochylił głowę na znak przyzwolenia.

– Powierzcie tej sprawie swe serca, swe miecze, swe bogactwa! Bieżcie pod Chrystusowe sztandary! Nim będzie za późno, nim dusze wasze opadną na dno piekieł, skazane za grzech zaniedbania – wykrzyknęła jeszcze relikwia głosem, który teraz łamał się niczym z obawy przed wypełnieniem złowieszczego proroctwa.

Dante ledwie się powstrzymał, by nie paść na kolana. Zdało mu się, że w półprzezroczystej konsystencji wosku zaszła jakaś zmiana. Jakby trud spowodowany krzykiem sprawił, że na policzkach mówiącej rzeźby pojawił się żywy rumieniec. I jak u żywych istot, jej pierś jęła szybciej pulsować w przyśpieszonym z wysiłku oddechu.

Wtedy dziewczyna otworzyła usta. Dante ujrzał, jak jej tors pęcznieje we wdechu. Czysty wysoki głos ponownie rozległ się w kościele. Śpiewała. Harmonijne dźwięki łacińskiego psalmu wibrowały w powietrzu.

Dante nie wiedział, co o tym sądzić. Najwyraźniej był w błędzie, domyślając się początkowo w relikwii arcydzieła mechaniki. Nawet geniusz Al-Dżazariego nie byłby w stanie odtworzyć tego wrażenia autentycznego życia, które wprost biło od dziewczyny.

Na powrót przyjrzał się niewielkiemu blatowi, na którym spoczywało popiersie, i podtrzymującej go pośrodku nodze. Nawet bardzo wątła osoba nie dałaby rady się za nią ukryć. Gołym okiem było też widać, że skrzynia mieszcząca relikwię jest pusta. Bezwiednie rozdziawił usta ze zdziwienia, jak ostatni niepiśmienny parobek. Zatem naprawdę tu i teraz dzieje się cud, Bóg zechciał zesłać zagubionej ludzkości znak swojej potęgi. Czuł, że jego serce zalewa niespodziewane ciepło. Tłum wokół niego runął na kolana, a i on sam poczuł, że uginają się pod nim nogi.

Głos Dziewicy stał się naraz słodki i melodyjny. Uniosła głowę ku górze, jakby szukała natchnienia między belkami dachu albo nie chciała rozpraszać ducha widokiem rozentuzjazmowanego tłumu.

– Już niebawem nadejdzie sygnał, by zaciągać się pod sztandary Dziewicy! – wykrzyknął Brandano. – Przygotujcie wasze serca na długą podróż w pogańskie kraje. Nie traćcie jednak wiary, Bóg jest z nami! Po drodze, w Rzymie, na naszego wodza zstąpi papieskie błogosławieństwo, jak Duch Święty zstąpił na apostołów u progu ich misji. Zawierz tej Dziewicy, o ludu Florencji, umiłowane dziecię zwycięskiego Kościoła!

Dziewczyna obok niego zdawała się potwierdzać te słowa nieznacznym ruchem głowy. Jej oczy nie przestawały omiatać natchnionego tłumu lodowatym spojrzeniem. Zdawało się jednak, że ból powodowany niepospolitą raną przybrał na sile. Powoli jej rysy począł spowijać jakiś cień, pokrywając ją siatką nieuchwytnych zmarszczek. Błogi spokój na jej twarzy ustępował przepełnionemu lękiem grymasowi, jak gdyby powrót do spazmów życia po pobycie pośród aniołów napełniał ją nieskończonym cierpieniem.

Mnich również musiał spostrzec owe oznaki ludzkiego znużenia. Zbliżył się do niej i serdecznym gestem dotknął nagiego ramienia, jakby pragnął uśmierzyć jej zmęczenie. Relikwia najwyraźniej potraktowała dotknięcie jego ręki jako konkretny znak. Natychmiast pogrążyła się w milczeniu, opuściła powieki i skrzyżowała powoli ręce na piersi, jakby na czas czekającego ją snu chciała ochronić jej delikatną skórę.

Dantemu zdawało się, że nim zamknęła oczy, przeszyła je jakaś błyskawica. Błysk odrazy. Nie zastanawiał się jednak nad tym, gdyż całkowicie pochłonął go widok tego, co działo się wokół. Przesłanie i napomnienia Dziewicy poruszyły najwyraźniej otaczającą go ciżbę, która zapałała nagłym pragnieniem odwetu. Mężczyźni i niewiasty podnieceni perspektywą ratunku dla własnych dusz i Grobu Świętego szamotali się bezładnie. Zewsząd dochodziły głośne nawoływania do czynu, przysięgi, zachęty do drogi.

Tymczasem poeta wciąż usilnie zastanawiał się nad racjonalnym wyjaśnieniem tego, co zobaczył. Ale żadnego nie znajdował. Jawiły mu się jedynie cienie domysłów, których myśl chwytała się na próżno. Dręczyło go pytanie, dlaczego Dziewicę pokazywano we wnętrzu drewnianej kasetki, a nie w pełnym świetle na ołtarzu. Czy jedynym powodem była zwykła chęć ochrony relikwii i przydania jej dostojności przez kosztowną oprawę?

Skrzynia z pewnością nie pomieściłaby już niczego więcej. Może powinien się poddać i ukorzyć swój rozum przed prawdą uporczywie podsuwaną mu przez zmysły: możliwe jest, by niewiasta mogła żyć bez połowy potrzebnych wnętrzności, jeśli Bóg tak postanowił. Lecz im usilniej starał się siebie do tego przekonać, tym natrętniej nachodziło go podejrzenie, że kasetka nie służyła jedynie ozdobie, ale temu, by cud można było oglądać tylko z jednej strony.

Próbował przecisnąć się w stronę relikwiarza, aby przekonać się, czy jest to przypuszczenie słuszne. Szybko jednak zrezygnował, gdy za kolejnym bocznym filarem dostrzegł dwóch mężów w dominikańskich habitach, którzy ze swej dyskretnej kryjówki śledzili bieg widowiska. Jego uwagę zwrócił zwłaszcza jeden z nich. Żywy szkielet, usta niczym nacięcie brzytwą: Noffo Dei, główny inkwizytor Florencji, cień papieskiego namiestnika w mieście kardynała d'Acquasparty.

W przelocie usłyszał krótki śmiech i urywki rozmowy dwóch ludzi przed sobą, którzy – przynajmniej jeśli sądzić po odzieniu – wyglądali na zamożnych kupców. Zdawało mu się, iż jeden z nich wycedził przez zęby słowo „Tuluza". Dante wytężył słuch, lecz zdołał zrozumieć tylko kilka kolejnych wyrazów. Reszta rozmyła się we wzburzonym gwarze. Ktoś widział Brandana w Tuluzie?

Rozejrzał się w poszukiwaniu znajomych twarzy. Poraził go widok Arriga. Stał w pobliżu ołtarza ze zwykłą nieufną miną, jakby dotarł w to miejsce tylko po to, by się wszystkiemu dokładniej przyjrzeć. Tymczasem Brandano, miast zniknąć w niewielkich drzwiach jak poprzednio, stanął w pobliżu ambony, by pobłogosławić podekscytowany tłum. W trakcie tej czynności przesuwał się powoli w kierunku miejsca, w którym stał Arrigo, i kiedy tam dotarł – poeta był niemal pewien – kreśląc w powietrzu znaki krzyża, zamienił z filozofem kilka słów.

Parę słów rzuconych w przelocie. Ukradkiem. W pośpiechu, który bywa diabelskim doradcą.

Dantego kusiło, by podejść bliżej. Lecz tamci dwaj jakby zapomnieli o swoim istnieniu. Jął zmierzać w kierunku wyjścia.

W drzwiach podszedł do niego jeden z ludzi Komendanta.

– Priorze, człowiek, którego chcieliście, jest w Stinche.

Dante wzdrygnął się. Co ci idioci znowu narobili? Wydał rozkaz, żeby go odnaleziono, by mógł go przesłuchać, a nie żeby go od razu ciągnąć w tę piekielną otchłań. Trzasnął drzwiami i rzucił się w dół po schodach, zostawiając w tyle zdumionego strażnika.

Dotarł do niskiej wąskiej bramy więzienia, przeprutej w jednolitej masie muru opodal San Simone. W jego górnej części z niewielkich otworów strzelniczych niczym dekoracje w dzień święta Calendimaggio zwieszały się kawałki sznura: skazańcy mieli nadzieję, że jakaś litościwa dusza przywiąże do nich kawałek chleba. O tej porze na dziedzińcu grupa więźniów szorowała świeżo wyprawione skóry, czerpiąc wodę z murowanego koryta. Cuchnąca ciecz rozlewała się po ziemi na wszystkie strony.

– Przywieziono tu dziś pewnego człowieka. Fabia dal Pozzo, kupca. Gdzie on jest? – spytał z niepokojem Dante, nie rozpoznawszy go wśród skazańców. – Jestem priorem komuny.

Na twarzy strażnika pojawił się porozumiewawczy uśmieszek.

– Wasz znajomy jest na dole, spętany sznurem. Nasi się już nim zajęli.

– Prowadźcie mnie tam, natychmiast! – zarządził poeta, dławiąc się z wściekłości. Ktoś zapłaci za tę hańbę, której czuł się niezamierzonym sprawcą.

Mężczyzna zbity z tropu jego niespodziewaną reakcją powiódł go ku drewnianym schodom prowadzącym na wilgotny korytarz. Odrobina światła wpadała tu jedynie z kilku wąskich otworów w murze w swej górnej części otaczającym dziedziniec. W dusznym powietrzu, gęstym od fetoru ekskrementów, nie sposób było oddychać. Opanowawszy mdłości, Dante przeszedł przez lochy, w których trzymano najgroźniejszych przestępców, kierując się ku znajdującej się za nimi przestronnej celi. Tutaj za przewodnika służył mu powtarzający się, rozdzierający krzyk.

W celi ujrzał półnagiego Fabia dal Pozzo, który zataczał się, zwijając się z bólu. Ręce krępowała mu na plecach gruba lina przechodząca przez obręcz zamocowaną w suficie. Jej koniec znajdował się w dłoni jednego z dwóch oprawców, który właśnie kolejny raz brutalnie za nią pociągnął. Z piersi więźnia wydarł się ponownie przeraźliwy wrzask. Tej scenie z wyraźnym upodobaniem przyglądał się Komendant, który stał z założonymi rękami oparty o filar.

Aby nieco ulżyć sobie w bólu, więzień pochylił się do samej ziemi. Nieszczęśnik niemal dotykał czołem posadzki. Dante podbiegł do niego i z całej siły uczepił się sznura, nie chcąc dopuścić, by kat okaleczył go zupełnie.

Czując w pobliżu czyjąś obecność, mężczyzna obrócił ku niemu opuchniętą twarz.

– Starczy... już dość... wszystko powiem... – wydusił z siebie ostatkiem sił.

Prior dal znak, by poluzować linę. Fabio z załzawionymi oczami osunął się na kolana. W spazmach bólu przygryzł wargi do krwi.

Dante nachylił się nad jego uchem.

– Co wiecie o waszym koledze kupcu Rigu di Cola i o tym, czym się zajmował? – spytał szeptem, by inni go nie słyszeli.

Tamten zadrżał na te słowa, a na jego udręczonej twarzy zagościł strach.

– Nic... przysięgam wam... Ledwie go znam... – wybełkotał.

W Dantem zaświtała na moment pokusa, aby na powrót poddać go torturom. Lecz było w tym człowieku coś, co podpowiadało mu, że mówi prawdę.

– A o budowli na ziemiach Cavalcantich? To wasze dzieło, prawda? – zaryzykował.

Skurcz, który przeszył ciało mężczyzny, dowiódł w jego mniemaniu, że owo pierwsze przeczucie było słuszne.

– Nie... wielki krąg... to oni o tym mówili... – odrzekł pospiesznie biedak. Wydawał się ucieszony tym, że w końcu może coś wyjawić. – To oni – powtórzył.

– Po co ta konstrukcja... dlaczego w tym miejscu? W jakim celu?

Więzień dostał ataku drgawek, których nie umiał powstrzymać.

– Nie wiem... Słyszałem, jak o tym mówili, on i mistrz. Rigo miał mu pomóc w pracy nad budowlą. Kręgiem, jak nazywali to między sobą. Był już bardzo stary i nie mógł się wspinać na rusztowania czy posługiwać pionem. Potem on został zamordowany. Ja nie wiedziałem, co robić. Spytajcie Riga, on wie wszystko. Ktoś miał mnie odnaleźć. A teraz... to...

– Rigo nie żyje. Został zamordowany, tak jak stary architekt.

Twarz Fabia skurczyła się ze strachu.

– Ale ja... ja nic nie wiem! Zatrudniono mnie w Wenecji i polecono udać się do Florencji, i stanąć w gospodzie Pod

Aniołem. Tutaj ktoś miał skorzystać z moich usług. Cały czas podróżowałem pod eskortą.

Dante spojrzał na niego z zainteresowaniem.

– Ktoś was eskortował? Kto?

– Do granicy na Piawie słoweńscy najemnicy Serenissimy. Po dotarciu do Padwy miałem dołączyć do karawany kupców kierującej się do Florencji. Tak poznałem Riga di Cola. Lecz oni nie byli kupcami, w mig to pojąłem.

– Pewni jesteście?

– Jak własnej śmierci. Choć starali się udawać członków cechu, bardziej przypominali rycerzy. I jeszcze ich ładunek... Bele wełny, na pierwszy rzut oka, ale pod spodem...

– Co tam widzieliście?

– Gdy przekraczaliśmy bród na Reno, pod Bolonią, jeden z mułów się znarowił i przewrócił, gubiąc ładunek. To nie była sama wełna, ale też stalowe klingi i ostrza.

– I gdzie się podziali owi fałszywi kupcy?

– Nie mam pojęcia. Rozdzieliliśmy się pod murami Florencji. Jedynie Rigo wjechał ze mną do miasta. Podług instrukcji miałem zatrzymać się w gospodzie Pod Aniołem, a potem odszukać pewnego mnicha... Brandana. I mu pomóc.

– Pomóc mu? W czym? – wykrzyknął Dante głosem zmienionym ze zdziwienia.

– Nie wiem. Miałem się dowiedzieć po przyjeździe – wybełkotał tamten, tłumiąc jęk. – Miałem oddać się na usługi...

– Mieliście się oddać na usługi? – zadał kolejne pytanie prior, po czym zamyślił się na chwilę. – Jesteście może biegli w sztuce mechaniki? Czy to wy przygotowaliście ów fortel z Dziewicą?

Fabio wyglądał na zdziwionego.

– Nie... dlaczego? Moja wiedza dotyczy dziedziny zgoła odmiennej. Jestem uczonym, podobnie jak wy – dodał pełnym szacunku tonem. – Matematykiem. Moją specjalnością jest rachunek ułamkowy oparty na studiach wielkiego Fibonacciego.

– Leonarda Fibonacciego, który zdradził cesarzowi Fryderykowi sekret indyjskiego systemu liczenia?

– Tego samego. – Tu Fabio przerwał. W jego głosie wyczuwało się obawę, że nikt mu nie wierzy. Poruszał głową jak oszalałe zwierzę, szukając czegoś, czym mógłby zadowolić swego śledczego.

– Tylko jeden raz pozwolił sobie na poufałość. Powiedział mi, że nasz krąg skrywać będzie skarb.

Dante oderwał wzrok od więźnia, popadłszy z zadumę. Może, jeśli w istocie skarb ukryto we Florencji, należało wykonać jakieś skomplikowane obliczenia, by go odnaleźć? Zmierzył matematyka groźnym spojrzeniem.

– Tak, właśnie tak powiedział! – powtórzył Fabio, który nabrał pewności, widząc jego ciekawość. – Skarb. W rydwanie, co okrył się puchem Bożego Sokoła.

– Puchem Bożego Sokoła? – Dante oszołomiony szczypał górną wargę. W tym czasie jego rozmówca usiłował podnieść głowę, by z jego miny wyczytać zapowiedź tego, co go czeka.

Po chwili poeta się ocknął.

– Co jeszcze wiecie? Mówcie wszystko!

– Nic więcej, panie, przysięgam! Ja... ja tylko ukradłem...

– Co takiego?

– Z pokoju Brunetta... Gdy zobaczyłem, że go zabito, nie umiałem oprzeć się pokusie... Miał wspaniałe przyrządy, kompas i pion ze szczerego złota... starej roboty...

– A jego zapiski, plany budowli, co z nimi?

– Nie wiem... Kiedy tam wszedłem, w jego sypialni panował straszny nieporządek... I ten przerażający widok... Ale nic tam nie było poza jego przyrządami, przysięgam!

Dante był skłonny mu wierzyć. Mordercy nie obchodziły cenne przedmioty, zabrał tylko zapiski. Lecz być może owe zapiski miały o wiele większą wartość. Skarb w rydwanie, co okrył się puchem.

– Rozwiążcie tego człowieka – rozkazał.

Komendant wysłuchał polecenia wyraźnie zbity z tropu. Dał znak skinieniem głowy, aby wykonano rozkazy priora. Podczas gdy oprawcy wyswobadzali nieszczęśnika z więzów, podszedł do Dantego.

– Przecież ten hultaj jest winny, przyznał się do kradzieży. I jeszcze... i jeszcze wie coś o skarbie... – wysyczał z błyskiem chciwości w oczach. – Może lepiej byłoby go jeszcze trochę przytrzymać, aby się całkiem wygadał...

Dante spiorunował go wzrokiem, wściekły, że dowódca straży zdołał aż tyle usłyszeć. Miał całkowitą pewność, że błądzi on w zupełnych ciemnościach, nawet bardziej nieprzeniknionych niż te, w których szamotał się on sam. Ale na pewno im mniej ten gbur będzie wiedział o całej sprawie, tym lepiej.

Uwolniony z więzów Fabio dal Pozzo runął na ziemię. Na widok tej sceny duszę poety zalało obrzydzenie i smutek. Do tak oto nikczemnej praktyki sprowadza się wymierzanie sprawiedliwości, która pozostawać powinna najzacniejszym z dążeń każdej ludzkiej społeczności i pierwszą troską sprawujących rządy. Jaką wartość ma zeznanie wydarte rozpalonym żelazem, poza jawnym dowodem niezdolności śledczych do dotarcia do prawdy dzięki umiejętności rozumowania i odczytywania dowodów? Doprowadzenie żywej istoty, winnej czy niewinnej, do podobnego stanu jest jedynie świadectwem klęski jej oprawców.

– Zwróćcie temu człowiekowi wolność – rozkazał poeta. – A wy wracajcie do gospody i pod żadnym pozorem nie ruszajcie się stamtąd. Cenne przyrządy, które skradliście, podarujecie budowniczym katedry i dopiero na mój rozkaz opuścicie ziemie komuny. Najpierw jednak chcę dowiedzieć się od was jeszcze jednego – dodał, podnosząc z ziemi człowieka, który rzucił mu się do stóp, próbując je ucałować. Chwiejąc się, Fabio stanął w końcu na nogi. Dante wyjął z torby złożony arkusz papieru i kawałeczek węgla. Rozłożył arkusz na ławie i wręczył mu do ręki węgiel. – Skupcie się, jeśli jesteście w stanie posługiwać się prawą ręką. Chcę, abyście odtworzyli plan tego, co wznosili razem Rigo i Brunetto.

Matematyk wbił w papier opuchnięte oczy. Z widocznym wysiłkiem wyobraził sobie ów kształt, po czym drżącą ręką jął kreślić linie, które stopniowo układały się w żądaną formę.

Oczom Dantego ukazał się zagadkowy ośmiokątny pierścień, z wieńcem mniejszych ośmiokątów przy wierzchołkach.

Zmierzch

Dante ponownie wyznaczył kompasem kierunek i wykreślił dziewiąty okrąg.

– A oto *primum mobile*. Które wprawia w ruch maszynerię niebios – wymruczał pod nosem. – Jak sądzi również Grek. A dalej...

Podniósł rysunek do oczu. Budowa nieba, zachwycający schemat Ptolemeusza, widniała na nim w całej swej geometrycznej doskonałości.

– A dalej... – powtórzył, przygryzając dolną wargę. Poczuł, że jego myśli plączą się, jakby naraz opadły nań trudy całego dnia. Naprężył mięśnie szyi i mocno przetarł oczy, próbując przezwyciężyć senność.

Łoskot otwierających się drzwi wyrwał go z zamyślenia. Dowódca straży zbliżył się ostrożnie, zerkając na biurko.

– Kazaliście mnie wezwać? Kreślicie jakieś zaklęcia? – zawołał, wskazując na zbiegające się koncentrycznie kręgi na rysunku poety.

– Ekwansy, Komendancie, ekwansy. *Punctum aequans*, orbitalny punkt położony poza środkiem głównego koła... – odrzekł prior z niesmakiem. – Ale chyba mechanika ciał niebieskich nieszczególnie was interesuje. Potrzebuję eskorty.

– Gdzie chcecie się udać? – Komendant się ociągał. – Jest już późno, zapada noc – dodał, spoglądając na granatowe niebo, na którym jaśniała Wenus.

Poeta zmroził go spojrzeniem. Ukrył głowę w ramionach, jakby próbował ją schronić w pancerzu.

– Muszę to wiedzieć, by przedsięwziąć akcję.

– Dzisiejszej nocy musimy się dostać do kościoła – odparł sucho Dante.

– Do kościoła? – wykrzyknął ze strachem mężczyzna. – Nie mam takiej władzy, by wkroczyć z grupą zbrojnych do świętego miejsca. Wy zresztą też nie. Co wam chodzi po głowie?

Dante powstrzymał się od ciętej riposty. W gruncie rzeczy obiekcje Komendanta nie były pozbawione podstaw. Wtargnięcie na poświęconą ziemię mogło wywołać nieprzewidziane skutki. I nie był to najlepszy moment, by dawać tym klechom kolejny powód do zatargu z komuną.

– Macie zapewne rację. Przemyślę to – powiedział.

Lepiej działać w pojedynkę, przynajmniej na razie, zwłaszcza iż, jak dane mu się było przekonać, inkwizycja już się całą sprawą interesuje. Jej pewnie chodziło o religijne tło niepokojących zdarzeń. Jego zaś najbardziej ciekawiło, dlaczego ostatnie dzieło zamordowanego objawiło się właśnie w tej chwili, by stać się otoczką cudu. I co łączyło te dwa fakty.

Bo jakiś związek musiał być, to jasne: wszystko, co wyszło spod ręki Boga, splecione jest w logicznym porządku.

Włożył do torby świecę i krzesiwo. Wyszedłszy z celi, zahaczył o klasztorne stajnie, szukając pewnego przedmiotu, który mógł mu się przydać w czasie wycieczki.

Grzebał wśród narzędzi, aż znalazł zakrzywiony metalowy pręt używany przez kowali do podważania zużytych końskich podków. I ruszył w dalszą drogę.

Kiedy dotarł do opactwa, było już dobrze po wieczornych dzwonach. Panowały głębokie ciemności, a nocna wilgoć otuliła miasto swym lepkim welonem. W tej części dzielnicy, z dala od głównych ulic, nie paliły się żadne światła. Jasna poświata księżyca w pełni wystarczała jednak, by nie zgubić drogi.

Budynek opactwa wychodził na wąską uliczkę. Po jej przeciwnej stronie ciągnął się jednolity mur otaczający warzywnik. Od tyłu nad klasztorem ciążyła ciemna bryła siedziby Cavalcantich. W żadnym z nielicznych okien nie płonęło światło, jakby po śmierci głowy rodziny i wygnaniu Guida porzucono ją na dobre.

Dante podszedł do bramy i pchnął drzwi, chcąc wybadać ich solidność. Masywne skrzydło z dębowego drewna nie ustąpiło ani na jotę. Spróbował ponownie, tym razem napierając całym swym ciężarem. Drzwi ledwo drgnęły. Od wewnątrz musiały być zamknięte metalową sztabą.

Zganił się za swą niecierpliwość. Powinien był przewidzieć, że dostępu do cudu bronić będzie coś więcej niż zwykły rygielek. Zewnętrzny mur fasady wydawał się całkowicie gładki. Aż do umieszczonych wysoko okien nie było widać najmniejszego występu. Wspięcie się po nim do rozety nad portalem było nie do wykonania. Trzeba było chyba fortelu godnego wielkiego Ulissessa, aby się dostać do środka. Lecz choć przebiegał w myślach wszystkie znane sobie księgi, nie znajdował w nich żadnej podpowiedzi.

Koń z drewna, oto czego potrzebował, albo ścieżka, którą można zajść od tyłu obronę, jak ta, która zgubiła Leonidasa pod Termopilami lub oddała Syrakuzy we władanie Rzymian. Na pewno istniało gdzieś inne wejście używane niegdyś przez mnichów.

Obszedł fasadę i zagłębił się w ciasny zaułek po prawej stronie, sąsiadujący z murem budowli. Tu, w połowie ściany, oczom jego ukazały się niewielkie drzwi ujęte w proste obramowanie z szarego granitu. Prawdopodobnie było to pierwotne wejście do świątyni, zanim w późniejszym czasie umiłowanie zbytku doprowadziło do rozbudowy fasady.

To zamknięcie też wyglądało solidnie, jednak drewno okazało się w dużo gorszym stanie. Dante wetknął czubek pręta między skrzydła i podważył je z całej siły. Usłyszał, jak zasuwa pęka z głuchym trzaskiem. Drzwi ustąpiły.

Nawa wydawała się pusta. W księżycowym świetle sączącym się z okien rzędy filarów rzucały las cieni. Stąpając cicho, podążył w stronę apsydy, gdzie na tle kamiennych ścian majaczyła skrzynia z relikwiarzem.

Zdjął przykrywającą ją haftowaną tkaninę. Pod spodem natrafił na żelazny łańcuch. Już szykował się, by go sforsować, gdy nagle się zawahał. Nieprawdopodobny spektakl, którego był świadkiem, na powrót stanął mu przed oczami. Poczuł, że ma stanąć oko w oko z tym, co Boskie, i to bez przydającej odwagi obecności tłumu. A na dodatek w podstępny sposób.

Nie wolno się jednak teraz zatrzymać. Zbyt wiele mógł się dowiedzieć.

Usiłował rozerwać ogniwa łańcucha, które stawiały jego wysiłkom nadspodziewany opór. Znaczyło to, że skrzynia nie jest zwykłym schowkiem i że prawdopodobnie ma wzmocnione ściany. W końcu jedno z ogniw pękło z głuchym trzaskiem. Prior błyskawicznie odwinął łańcuch, po czym zdusiwszy w sobie ostatnie wątpliwości, zdecydowanym ruchem otworzył drzwiczki.

Wewnątrz skrzyni nie znalazł niczego poza niewielkim stolikiem na jednej nodze przykrytym kawałkiem płótna. Ogarnęło go poczucie zawodu i ulgi zarazem. Relikwia rzeczywiście musiała być bardzo cenna, skoro nie zostawiono jej bez opieki nawet w zabezpieczonej łańcuchem okutej skrzyni.

Wyciągnął rękę i uniósł tkaninę. Pod nią znajdował się okrągły otwór, przez który widać było ściany skrzyni. Na nowo zaświtało mu w głowie podejrzenie, które tak naprawdę nie opuściło go nigdy. Rzecz jasna, na pierwszy rzut oka owa dziura w blacie mogła stanowić wyjaśnienie cudu: reszta ciała mieszczącego się w otworze ukryta była pod nim. Lecz jak to się działo, że nie było jej widać?

Wypuścił z ręki tkaninę i ujrzał, jak znika niby w jakiejś niewidzialnej paszczy.

Przecież musiała tu być, tuż przed nim, chociaż za sprawą sekretnej magii nie było jej widać. A może to tylko własne oczy mnie zwodzą, pomyślał. Naraz ogarnął go przesądny lęk. Czyż kraina złudzenia nie jest królestwem szatańskich mocy? Lucyfer pozbawiony prawdy niebiańskiego światła schronił się w podziemnym świecie majaków i wizji. Sięgnął ręką pod blat, napotykając niewidzialną przeszkodę. Ktoś się tam schował, pomyślał ze zgrozą, cofając dłoń.

Uskoczył do tyłu z obawy, że ów tajemniczy stwór zechce go zaatakować.

Nagle wydało mu się, że oto na jego oczach powtarza się mit Narcyza. Jego własna twarz pojawiła się przed nim, wynurzając się z pustki niczym zjawa.

Dotknął palcami chłodnej powierzchni. Lustro. I po przeciwnej stronie drugie lustro. Razem tworzyły kąt prosty, którego krawędź ukryto za nogą stolika.

Po chwili zastanowienia uśmiechnął się do siebie. To proste. Jak wszystkie wielkie oszustwa. Ustawione w ten sposób zwierciadła tworzyły osłoniętą przed spojrzeniami widzów niszę, w której mieściło się ciało kobiety. Zewnętrzne boki luster przekazywały zebranym nie widok wnętrza skrzyni, jak się mogło zdawać, lecz jej identycznych bocznych ścianek.

Dlatego Dziewicę wystawiano na widok wiernych we wnętrzu skrzyni. Nie po to by chronić cenną relikwię, jak kazał się domyślać rytuał, lecz aby boczne krawędzie blatu pozostały niewidoczne, co nie pozwalało domyślić się podstępu.

Uśmiech przerodził się w atak niepohamowanego śmiechu. Gdy udało mu się w końcu opanować, z oczu ciekły mu łzy. W myśli ujrzał szlachetne oblicze Arriga: i on, jak ostatni wsiowy prostaczek, został wyprowadzony w pole przez tego sępa Brandana.

Wtem zdało mu się, że usłyszał jakiś hałas. Spojrzał w stronę drzwi zakrystii, które naraz stanęły otworem. Cień, który wszedł przez nie do środka, sunął cicho przez kościół.

Nowo przybyły najwyraźniej go nie zauważył. Dante skulił się za skrzynią. Tamten zdecydowanym krokiem szedł wprost na niego. Przez drzwi sączyło się słabe światło. Może jest z nim ktoś jeszcze, pomyślał poeta ze strachem.

Postanowił wykorzystać swą przewagę i uderzyć z zaskoczenia. Z całej siły ściskając w garści pręt, którym posłużył się do wyważenia drzwi, wyskoczył ze swej kryjówki, zastępując drogę tajemniczej postaci.

– Stój i ani kroku dalej albo rozłupię ci głowę jak orzeszek!

Nieznajomy podskoczył z głośnym jękiem. Chwycił spoczywający na plecach kaptur i jedną ręką naciągnął go sobie na głowę, gdy tymczasem drugą starał się zasłonić twarz. Dante rzucił się na niego i ją odsłonił. W mroku bielało przez moment oblicze mnicha Brandana. Bo natychmiast, na jego oczach, zaczęło ono przybierać najrozmaitsze formy.

Dante, oszołomiony, spostrzegł, że wraz z kapturem zerwał dostojne wysokie czoło mnicha, sztuczną skórę z kawałka malowanego pergaminu. Na oczy Brandana opadła naraz uwolniona burza prostych włosów, nieujarzmionych jak u jakiegoś parobka.

On sam wydawał się oszołomiony. Na jego twarzy zaczął się odgrywać niesamowity spektakl. O czymś takim poeta czytał dotąd jedynie w *Metamorfozach* Owidiusza. Jedna po drugiej pojawiały się kolejne maski, jakby we wnętrzu mnicha toczyła się walka demonów i różne stworzenia próbowały zawładnąć jego duszą. Zaskoczony wędrowiec, pobożny stary eremita, wyniosły opat, głupkowaty dworzanin, gburowaty wojak, majętny kupiec przesunęli się po kolei przed oczami Dantego. Poeta miał wrażenie, że Brandano niespodziewanie odarty z dostojeństwa, które przed wszystkimi roztaczał, szuka gorączkowo nowej tożsamości, najodpowiedniejszej do sytuacji.

Tymczasem jął się wycofywać ku drzwiom zakrystii. Dante skoczył w bok, odcinając mu drogę ucieczki. Z gestem zawodu mnich rozejrzał się dokoła, szukając innego sposobu ujścia poecie. Cofnął się jeszcze o parę kroków, aż niemal oparł się o ołtarz. Znienacka zrzucił na ziemię jeden z wysokich lichtarzy z kutego żelaza, licząc, że uderzy on w Dantego. Poecie jednak udało się uniknąć ciosu. Sam też starał się zaatakować mnicha i wbić mu pręt w nogę. Kątem oka śledził przez cały czas wejście, obawiając się, że ujrzy w nich zaraz innych napastników. Zdawało mu się, że w półmroku dostrzega jakiś cień, który wychylił się, by mu się przyjrzeć. Natychmiast rzucił się w tamtą stronę. Brandano w tym czasie dał susa do tyłu.

W czworoboku drzwi ukazała się kobieca postać opromieniona księżycowym światłem. Dante wyraźnie dostrzegł jej włosy opadające na ramiona, długie i proste, białe niczym lodowa czapa na szczycie góry.

Tymczasem Brandano, miast zbiec przez zakrystię, popędził w kierunku ołtarza. Tędy nie ucieknie, pomyślał prior, ruszając w tamtą stronę. Nie zamierzał pozwolić, by wymknął się bocznym wejściem.

Mnich jednak gdzieś się schował. Dante pomyślał, że pewnie przykucnął pod ołtarzem, lecz kiedy i on dotarł w pobliże kamiennej mensy, ze zdumieniem odkrył, że Brandano zniknął. W ciszy rozległo się echo pośpiesznych kroków. Nie umiał jednak rozstrzygnąć, gdzie jest źródło dźwięków.

Dante, zbity z tropu, rozejrzał się dokoła za jakimś wytłumaczeniem. Pewien był, że mnich nie mógł się ulotnić jedynym widocznym wyjściem, przez drzwi z boku ołtarza. W głębi apsydy wznosiło się wąskie rusztowanie, które sięgało niemal do okien w górnej części ściany. Dwa z nich przeszklono kolorowym witrażem, trzecie natomiast wciąż było puste. Ten oszust musiał się wdrapać na górę, próbując ucieczki przez dach.

Na to niespodziewane posunięcie Dante zareagował z chwilowym opóźnieniem. Rzucił się pędem w stronę rusztowania. Brandanowi łatwiej będzie zbiec po dachach niż po ulicach Florencji, gdzie łatwo może zauważyć go jakiś patrol.

Rusztowanie zbudowane z bali powiązanych konopnym sznurem zachwiało się gwałtownie pod ciężarem ciemnej sylwetki, która szybko pięła się po nim w górę od strony apsydy. Dante podbiegł od strony przeciwnej, by przeciąć jej drogę i sam jął się z wysiłkiem wdrapywać po balach. W górze, bliżej stropu, każdy hałas niósł się zwielokrotnionym echem. Czuł się, jakby otaczało go kilka poruszających się ciał, chociaż żadnego z nich nie mógł zobaczyć.

Wytężał wzrok, wypatrując w ciemnościach swego przeciwnika. Wtem rusztowanie zachwiało się ponownie, grożąc zawaleniem. Dante, przeklinając niedbalstwo tych, co je zbudowali, z całych sił chwycił się konopnej liny. Po czym ostatnim wysiłkiem wgramolił się na sam szczyt. Rzucił się biegiem po deskach, by pochwycić Brandana, zanim na zawsze poszybuje on w ciemność. Nie widział go, lecz wiedział, że musi być gdzieś w pobliżu. Wbrew temu, co mogło się wydawać z dołu, okna były dość oddalone od krańców rusztowania. Mnich musiałby wykonać jakiś nadludzki skok, by dotrzeć do najbliższego otworu.

Dantemu wydało się, że widzi rozmyty cień. Zatrzymał się, opierając o czubek jednego z bali. Poczuł nagle, jak dopada go straszliwe zmęczenie. Do tej pory nerwowe napięcie go przed nim chroniło. Teraz jednak czuł, jak jego oddech rwie się z wyczerpania, a nogi same się pod nim uginają. Bale wciąż się chwiały. Zacisnął powieki, zmuszony do tego nagłym zawrotem głowy. Przed oczami wybuchła mu fantasmagoria iskier. Poczuł, że jest zgubiony: jeśli nie zleci zaraz w dół, niechybnie dosięgnie go ostrze Brandana.

Stopniowo jego oddech zaczął się wyrównywać. Czuł, jak wracają mu siły. Mnich musiał zaczaić się przy końcu zbitej z desek platformy, gotów rzucić się na niego, jeśli tylko się odkryje. Tak, z pewnością tak właśnie było. Chciał, żeby się odsłonił, ufając w swą większą zwinność. Dopiero teraz prior przypomniał sobie, że w ferworze pościgu zostawił na dole stalowy pręt. Z trudem wydobył sztylet z sekretnej kieszeni szaty. Jął nim wymachiwać przed sobą niczym jeden z rekrutów pierwszego dnia na Polu Marsowym.

– Rzuć miecz albo jesteś zgubiony! – zawołał.

Tamten nawet się nie poruszył. Naraz poeta usłyszał głos.

– Błagam was, *messere*, oszczędźcie tego człowieka.

Dante zadrżał. Za jego plecami, jakby dochodząc z oddali, rozległ się melodyjny głos, który już wcześniej słyszał. Głos Dziewicy Antiochejskiej. Obrócił się gwałtownie. Serce z emocji podskoczyło mu do gardła. Wokół nie ujrzał nikogo, kto by go błagał.

Dygocząc ze złości, zdał sobie sprawę, że dał się podejść, że mnich brzuchomówca wyprowadził go w pole. Tuż przed nim przebiegł jakiś cień, a silny cios w czaszkę powalił go na ziemię. Jego głową wstrząsnęła błyskawica, jakby został rażony gromem. Nowy zawrót głowy nie pozwolił mu się podnieść.

Leżał chwilę z zamkniętymi oczami, by odzyskać kontrolę nad swoim ciałem. Gdy je otworzył, mnicha już nie było.

Resztkami sił podniósł się zatem na nogi, rozglądając się wokół z wściekłością. Lecz jego przeciwnik, jak za sprawą magicznego zaklęcia, rozpłynął się w powietrzu. Musiał zbiec przez okno. Ale jak tego dokonał? Otwór w ścianie skrzył się księżycową poświatą w odległości kilku łokci. To niemożliwe, aby człowiek był w stanie wykonać taki skok. Znów pomyślał, że Brandano jest demonem, który może przybierać dowolną postać.

A jeśli to wszystko złudzenie? Co tak naprawdę zobaczył? Ani przez moment nie był pewien, że to cień mnicha widzi na rusztowaniu. Rzucił się w górę, prowadzony przez echo i niejasne odgłosy oraz – przede wszystkim – przez własny rozum, który w owym cieniu podpowiedział mu kształt człowieka. Może Brandano wcale się nie wspiął na rusztowanie, może zwiódł go jakimś swoim sekretnym fortelem jak owa ohydna maskarada z Dziewicą?

Ostrożnie jął opuszczać się w dół. Znalazłszy się na ziemi, pośpieszył do zakrystii, ale tu również nie było nikogo. W rogu pomieszczenia wzdłuż ściany biegły kamienne schody, prowadzące zapewne do cel dawnego klasztoru. Wbiegł szybko po stopniach na górę, skąd zdawało się dochodzić jakieś światło. Piętro wyżej musiała się palić świeca albo pochodnia.

Przemierzył korytarz, zaglądając na moment do każdej z pustych cel. Po czym, ściskając wciąż w ręku sztylet, zaryzykował wejście do ostatniej z nich.

Ta cela nie była pusta. W głębi, oparta o ścianę, stała kobieta, na którą natknął się w kościele. Wpatrywała się weń nieruchomo z błyskiem przerażenia w oczach, wyginając palce. Oddychała z trudem, jakby brakowało jej powietrza.

Dante przystanął w progu, on też dyszał z wysiłku po stoczonej walce. Opuścił swój oręż onieśmielony widokiem stworzenia, które miał przed sobą. Dziewczyna była jego wzrostu. W twarzy niezwykłej bladości lśniła para błękitnych oczu.

Miał przed sobą tę samą twarz, która powleczona połyskliwym makijażem udającym wosk, ukazywała się w kościele. Podniósł rękę i dotknął jej policzka. Nie miała na sobie żadnej maski.

Szczupłe ciało aż po pas osłaniała kaskada śnieżnobiałych włosów, co na pierwszy rzut oka kazało się domyślać starczego wieku. Było to jednak kolejne złudzenie. Włosy lśniły i falowały, śnieżna struga godna młodzieńczego anioła. Poeta wyczuł w owej urodzie coś nienaturalnego, co wnikało w głąb duszy i krępowało ją więzami łagodnej trucizny. Czuł to samo zakłopotanie, które zalęgło się w jego głowie, gdy po raz pierwszy ujrzał fałszywy cud.

Kobieta stała bez ruchu. Tylko w jej wytrzeszczonych oczach można było wyczytać strach. Na przemian zamykała i otwierała usta, jakby miała zaraz coś powiedzieć.

Dante rozglądał się dokoła. Teraz, gdy miał w rękach główną aktorkę całej tej farsy, na usta cisnęły mu się tysiące pytań. Lecz aby ją przesłuchać, potrzebował więcej czasu i bardziej sprzyjającego lokum. Rozejrzał się w pobliżu za czymś, czym można by ją związać, by nie rozpłynęła się nagle w powietrzu, jak mnich. Lecz kobieta najwyraźniej nie zamierzała uciekać.

– Skąd pochodzisz? – zapytał, oddychając głęboko, by ukryć zadyszkę.

Potrząsnęła głową.

– Jak się zwiesz? – Kobieta ponownie poruszyła głową, tym razem pokazując ręką gardło.

– Nie chcesz mi powiedzieć? Lepiej powinnaś!

Otworzyła usta, lecz nie wydobył się z nich żaden zrozumiały dźwięk. Tylko głuchy jęk, kiedy znów potrząsnęła głową. Niespodziewanie ujęła nadgarstek poety i jęła wystukiwać palcami we wnętrzu jego dłoni jakiś tajemniczy rytm.

Po chwili oszołomienia Dante chyba zaczynał rozumieć. Wiedział, że istnieje sposób, co pozbawionym głosu pozwala się porozumiewać za pomocą znaków. Kod wymyślony przez Cyganów, którzy często udzielali tym nieszczęśnikom schronienia między sobą, by ich później zmuszać do zbierania jałmużny.

– Jesteś... jesteś niemową? – wyszeptał onieśmielony. – Zatem jakim cudem...

Przecież wcześniej, w trakcie widowiska dla wiernych, słyszał jej zadziwiający śpiew. Chyba że i on był częścią podstępu. Jak błaganie, które zdawało się rozlegać na rusztowaniu. Brzuchomówca... Oto rozwiązanie zagadki.

Delikatnie wydobył rękę z jej uścisku. Do głowy przyszedł mu pewien pomysł.

– Zakryj twarz i chodź ze mną – rozkazał.

Skierował się do drzwi. Po chwili wahania kobieta podążyła za nim. Z jej twarzy zniknął początkowy wyraz lęku. Teraz malowało się na niej poczucie zguby, jakby była zwierzęciem, które wpadło we wnyki. Drżącymi dłońmi owinęła twarz welonem spływającym jej z ramion i niespodziewanie wyciągnęła do niego rękę, czekając, by ją poprowadził.

Dante ostrożnie wychylił się na ulicę, aby się upewnić, że nie ma w pobliżu nikogo, kto mógłby ich rozpoznać. Miasto pogrążone było w zupełnych ciemnościach. Tylko księżyc, stojący wysoko na niebie, rozsiewał blade światło, które wszak wystarczyło, by poprowadzić ich kroki w dusznym, wilgotnym oparze unoszącym się znad Arno.

Miejsce, do którego zmierzali, leżało w oddali. Drogą wśród łąk przy Santa Maria Novella trzeba było wyjść poza mury. O tej porze wszystkie bramy były zamknięte, lecz strażnicy nie powinni czynić zbytnich trudności, zwłaszcza przyjaźnie usposobieni garścią monet.

Dante przyjrzał się kobiecie, by ocenić jej siły. Była szczupła, lecz solidnej budowy i bez większego trudu zniosłaby długą przechadzkę. W chwilę później przypomniał sobie jednak o wozie, którego czasem używał Komendant, stojącym w stajniach San Piero.

Dał znak, żeby szła za nim, i ruszył w stronę siedziby priorów. Odbił w prawo, w boczną uliczkę biegnącą wzdłuż rzeki. Przed nimi w oddali zaczęły majaczyć pochodnie na Ponte Vecchio. Zdawało mu się, że na rozstaju dostrzegł jakieś sylwetki przemykające cichaczem w pośpiechu przy ścianie stojącego naprzeciw pałacu. Nawet nie pomyślał, by zaprzątać sobie nimi uwagę. Był wyczerpany, jego szaty nasiąkły niezdrowym potem. Pokonawszy ostatni odcinek drogi, dotarli do bramy San Piero.

Przed klasztorem drzemało dwóch strażników opartych o kolumny portalu. Na dźwięk kroków przebudzili się i zaniepokojeni, rzucili się do przodu, prężąc w ich stronę swe lance.

– Jestem priorem Florencji – rzekł sucho Dante, stanąwszy w świetle pochodni, którą jeden z nich ściskał w garści. – Z drogi!

Mężczyźni rozstąpili się po chwili wahania. Poeta uchwycił złośliwe spojrzenie, którym obrzucili idącą za nim niewiastę. Nie wyglądali jednak na zbytnio zaskoczonych, co dowodziło, że nocne wizyty kobiet w Pałacu Signorii stały się przyjętym zwyczajem.

Przeszli przez dziedziniec, skręcając ku bramom stajni. Jeśli dobrze pamiętał, tuż za nimi stał dwukołowy powóz, a niewiele dalej koń. Przyprowadził zwierzę, które prawie bez oporu dało się wprząc w hołoble.

Wyruszyli w dalszą drogę, po raz kolejny napotykając zdumione, ironiczne spojrzenia strażników. Kobieta siedziała nieruchomo na koźle u jego boku. Nowe ukłucie bólu przeszyło mu czaszkę. Stary wróg rozbudził się pod wpływem strachu i trudów nocnej wycieczki, wbijając w nią swe szpony. W jednej chwili owładnęło Dantem całe zmęczenie z powodu walki i późniejszych zdarzeń. Skierował konia ku murom, mając nadzieję, że uda im się przebyć drogę bez niepotrzebnych kłopotów.

Po niedługim czasie zatrzymał powóz u wrót Raju, królestwa *monny* Lagii. Stara rzymska willa, wzniesiona jako podmiejska rezydencja, została niemal całkiem wchłonięta przez nową zabudowę. Już wkrótce otoczyć ją miała czerwonawa masa trzeciego pierścienia murów, wyrastająca w gorączkowym tempie.

Gdy jednak przekroczyli łuk bramy, zastali zwykłą w tym miejscu ciszę przerywaną jedynie przez śmiechy dochodzące z sypialń na pierwszym piętrze. Upewniwszy się, że absolutnie nikt nie będzie w stanie rozpoznać jego ukrytej za welonem towarzyszki, Dante wszedł na dziedziniec, podążając w stronę *impluvium* zamienionego w poidło dla koni klientów. Starożytna mozaika posadzki, przedstawiająca statek otoczony przez delfiny, rozsypywała się powoli pod kopytami zwierząt w swojej żegludze bez końca. Obecnie już tylko gdzieniegdzie wśród wyrw i placków gołej ziemi widniał ślad antycznego wzoru.

Doszli już prawie do schodów pod przeciwnej stronie wejścia, gdy w jego uszach zadzwonił głos pełen kpiny.

– Och, priorze! Teraz to wy sprowadzacie mi dziewczęta, miast tutaj szukać ich ramion? Nie wystarcza już wam wasza malutka Pietra?

Dante obrócił się nagle, czerwony na twarzy. Spod kolumnady wyszła kobieta o bezwstydnym spojrzeniu spowita w jaskrawą szatę.

– Jestem tu z innych powodów, Lagio. Jeśli dobrze pamiętam, wśród twoich dziewcząt jest jedna niemowa, która zna mowę znaków. Również tę panią dotknęła podobna przypadłość – ciągnął, zaznaczywszy milczącą obecność kobiety w welonie. – Potrzebuję kogoś, kto pomoże mi się z nią rozmówić. I chciałbym, by odbyło się to w całkowitej dyskrecji przez wzgląd na jej szlachetne urodzenie.

– Dlaczego jednak przyprowadziliście ją do mnie ukrytą w welonie, jak trędowatą? – spytała podejrzliwie Lagia, odsuwając się krok do tyłu.

– Nie jest chora. Zrób to, o co cię proszę. Prędko.

Kobieta odczekała chwilę.

– Pietra! – krzyknęła w końcu w stronę pokoi dziewcząt. – W końcu jesteście dobrym klientem – dodała, uśmiechając się półgębkiem.

Na balkonie ukazała się twarz dziewczyny. Rozpoznawszy ją, Dante się skrzywił.

– Znajdź niemowę i sprowadź ją do mego pokoju – poleciła jej Lagia. Dziewczyna skinęła posłusznie głową i na powrót zniknęła.

– Chodźcie za mną, wy i... dama – zwróciła się teraz do Dantego, rzucając mu złośliwe spojrzenie. – Często zjawiacie się tu nocą, priorze. Wasza żona Gemma niewiele wie chyba o rozkoszach alkowy, choć wydaje na świat wasze dzieci. To jednak pewne, że w moim Raju łoża stokroć są słodsze niż w domach Florencji, tak mówią wszyscy.

– Zamilcz, kobieto! – wysyczał poeta, pociemniawszy na twarzy.

Tamta zaniosła się śmiechem, klepiąc się po udach.

– Zda się, że swoje miłosne rymy składaliście, śniąc o tuzinach ślicznotek, a o niej – ni słowa – ciągnęła bezczelnie. Przytknęła mu palec do piersi. – Tacy jak wy lepiej by uczynili, nigdy się nie żeniąc, jeśli nie pragną trzymać na uwięzi swojego sokoła – dodała, pośpiesznie się wycofując na widok złowrogiej miny priora, który począł stąpać w jej stronę.

Wtem zza zasłony wychynęła Pietra, która weszła do środka, prowadząc z sobą dziewczę o wystraszonych oczach, blade tak, jak gdyby nigdy nie opuszczało murów burdelu. Przechodząc obok Dantego, starało się nie patrzeć w jego stronę. Zmierzało prosto do Lagii.

– Oto Martina, niemowa.

Właścicielka lupanaru wyczekująco uniosła brodę w kierunku priora.

– Poproś ją, by zapytała tę niewiastę, kim jest i po co przybyła do Florencji – rozpoczął Dante.

Kobieta powtórzyła pytanie bladej dziewczynie, patrząc na nią i wyraźnie recytując słowa. Ta najwidoczniej potrafiła czytać z ruchu warg, gdyż skinęła posłusznie głową. Następnie ujęła dłoń kobiety w welonie i rozchyliwszy ją, opuszkami palców jęła wybijać tajemniczy rytm.

Dante przyglądał się im, porażony tą sceną. Myśl jego miotała się w gąszczu analogii. Odczuwał coraz większe zmieszanie, jakby podglądał sekret kobiecości, który powoli się przed nim odkrywał w czasie tej dziwnej rozmowy. Coś podobnego musiał czuć Parys, pomyślał, kiedy kazano mu rozstrzygnąć spór między boginiami. W jego konkursie nagrodą był klucz do zagadki.

Pietra również zdawała się skupiona na tym widoku. Kątem oka poeta zauważył jednak, że jej wzrok, na pozór utkwiony nieruchomo przed sobą, błądzi po pokoju, często zatrzymując się na nim.

Teraz palce kobiety w welonie rozpoczęły swój niezrozumiały taniec. Na koniec młoda prostytutka zwróciła się do Pietry, wydając z siebie kilka zduszonych dźwięków.

– Co powiedziała? – wykrzyknął niecierpliwie Dante.

Pietra przybrała pogardliwą minę.

– Wasza przyjaciółka, priorze, to żadne Bóg wie co. Siostrzenica jakiegoś mnicha, jeśli dobrze zrozumiałam. Ma na imię Amara. Pochodzi z Francji, z Tuluzy.

– Twoja koleżanka spytała ją, po co przybyli do miasta?

Pietra zawahała się.

– Martina nie jest pewna, czy to dobrze pojęła. Zdaje się jej, że powiedziała... „by spełnić marzenie cesarza". Więcej, „ostatnie marzenie".

Lagia wtrąciła się zaniepokojona.

– Cesarza? Co wspólnego ma z tym cesarz? Kogo wyście sprowadzili pod mój dach?

Prior nie zwracał na nią uwagi. Utkwił wzrok w próżni, pochłonięty tym, co właśnie usłyszał.

– Spytajcie ją o zwierciadła – rzekł po chwili, zwracając się do Pietry.

Dziewczyna, powściągając zdumienie, przełożyła pytanie na ów prymitywny język, a blada dziewczyna niezwłocznie przekazała je niemowie. Dante znów śledził ów przedziwny teatr dłoni.

– Mówi, że po drodze, w Wenecji, ktoś nauczył ich magii – zrelacjonowała z wahaniem Pietra, wysłuchawszy zagadkowych pomruków przyjaciółki. Miała jednak niepewną minę.

Stojąca obok niego Lagia zdawała się coraz bardziej niespokojna.

– Jakiej znów magii? – wykrzyknęła, żegnając się gorączkowo.

Dante uciszył ją władczym gestem. Martina wybełkotała coś jeszcze.

– Co powiedziała? – ponaglił ją poeta.

– Nic – odrzekła dziewczyna. Przymknęła powieki, udając, że jest zmęczona. Lecz przez wąziuteńkie szparki jej zielone oczy śledziły go nieprzerwanie. – Nic więcej. Dziwna jest jej mowa, nie wszystko da się zrozumieć – ucięła krótko.

Dante wzruszył ramionami. Po krótkim zastanowieniu złapał niemowę za rękę i skierował się do drzwi. Za plecami słyszał szept pozostałych kobiet, który ucichł w oddali, kiedy znaleźli się znów na dziedzińcu.

Kobieta wyglądała na wyczerpaną. Próbowała wspiąć się na wóz, chwyciwszy się jego krawędzi, ale zachwiała się i upadła. Dante złapał ją od tyłu, pomagając jej się podnieść, po czym podsadził ją na kozioł. Przez chwilę dotykał ustami cudownej miękkości jej pleców. Łagodny zapach wypełnił mu nozdrza. Poczuł, jak wstrząsa nim dreszcz.

Już na wozie Amara opadła na niskie oparcie kozła. Welon zsunął się jej z twarzy, ukazując alabastrowe lico, które w księżycowym świetle wydawało się jeszcze bielsze. Wygięte w łuk ciało rysowało się pod cienką tkaniną sukni w nadspodziewanie pełnych kształtach. Dante w zachwyceniu oglądał krągłość jej bioder, długie nogi, przymknięte usta, w których kąciku lśniła kropelka wilgoci.

Cofnął gwałtownie rękę, która naraz sama wyciągnęła się w jej kierunku. Czyliż starczy widok pięknego ciała, by wniwecz obrócić harmonię rozumu? I czy zaiste tak wielka jest moc Erosa, że sama zapowiedź rozkoszy wystarczy, by zapanować nad każdą jego myślą?

Zawstydzony, chciał już popędzić konia, gdy obok wozu usłyszał szelest pośpiesznych kroków. Pietra biegła ku nim bez słowa, rozglądając się przy tym dokoła, jakby obawiała się, że ktoś ją zobaczy.

Z całej siły ściągnął lejce, aby powstrzymać zwierzę, które zaczęło wyrywać się do przodu.

Dziewczyna tymczasem chwyciła bok wozu, jakby nie chciała mu pozwolić odjechać, i przyglądała się ukrytej za welonem niemowie. Po chwili, kolejny raz obejrzawszy się za siebie, zwróciła się do poety:

– Uważaj na tę kobietę – wyszeptała, wyciągając się w stronę jego ucha.

Dante poczuł przenikliwą woń jej oddechu. Wydało mu się, że był w tym ostrzeżeniu jakiś ślad uczucia, jakby na jeden krótki moment cały chłód dziewczyny się rozproszył.

– Pietra... – zaczął. Ona jednak przerwała mu oschłym gestem i zaczęła uciekać. Jej głos na powrót stał się ostry jak brzytwa.

– Bądź ostrożny – powtórzyła. – To nie to, co się wydaje.

– O czym ty mówisz?

Prostytutka obrzuciła nieprzyjaznym spojrzeniem niemowę, która nadal leżała bez ruchu z głową na oparciu. Potem niespodziewanie zaniosła się piskliwym śmiechem, podszytym dobrze znanym poecie ordynarnym sarkazmem.

– Sam to odkryjesz, och, odkryjesz na pewno! – zawołała i na powrót zniknęła w bramie lupanaru, jakby pożałowała, że do niego wyszła.

Dante nie wiedział, co powinien zrobić. Obok jego towarzyszka powoli wracała do siebie, od czasu do czasu rzucając mu smutne spojrzenie zza welonu, którym na powrót owinęła głowę.

Nie mógł znów zawieźć jej do San Piero. Chciał już zawracać do lupanaru i prosić monnę Lagię, aby ukryła ją na jakiś czas u siebie. To by jednak znaczyło, że wieść o jej istnieniu w mgnieniu oka roznesie się po całym mieście. On natomiast chciał wpierw zrozumieć, co kryje się za tą całą maskaradą i w jaki sposób łączy się ona z ciągiem zagadkowych śmierci.

Chyba najlepszym wyjściem był powrót do opactwa. Kobieta wróci do znanej sobie kryjówki, a jemu łatwiej będzie dopaść mnicha, skoro tylko pojawi się tam żywy.

Dostali się do wnętrza kościoła przez drzwi, które Dante wyważył za pierwszym razem. Trzymał kobietę za rękę. W jego dłoni jej palce powoli nabrały ciepła. Odpowiadały teraz na jego uścisk już nie z przestrachem zakładniczki, lecz niemal z miłosnym oddaniem kochanki.

Wiódł ją wzdłuż rzędu filarów nawy w stronę drzwi za ołtarzem. Po kilku krokach zatrzymał się jednak, każąc jej skryć się za kolumną i sam przyczajając się w ciemności. Tuż przed nimi w nawie poruszał się jakiś człowiek, rozglądając się, jakby czegoś szukał. Sądząc, że może to być Brandano, Dante namacał palcami sztylet. Cień tymczasem sunął w ich stronę.

Napiąwszy muskuły, prior szykował się już do ataku, kiedy w ostatniej chwili promień księżyca oświetlił pokraczną figurę nieznajomego.

– Cecco! – wykrzyknął Dante, poznając Sieneńczyka. – Co ty tutaj robisz?

Tamten, wzdrygnąwszy się, zatrzymał się w pół kroku. Szybko jednak odzyskał panowanie nad sobą, starając się pokryć zmieszanie błazeńskim uśmieszkiem. Podniósł głowę i w demonstracyjny sposób rozejrzał się dokoła.

– Mówi się, że w tym miejscu dzieją się cuda. Chciałem się o tym przekonać na własne oczy. Ech, prawdziwi z was, Florentyńczyków, szczęściarze. Sam Bóg zstępuje, by osobiście zapisać się w kartach waszej historii. Pewien jestem, że gdyby pewnego dnia z nieba zamiast deszczu polała się gnojówka, tutaj woniałaby ona fiołkami.

Oczy poety nabiegły krwią. Schwycił tamtego za poły kaftana i potrząsnął nim z całej siły.

– Cecco, zjawiłeś się tu, by razem z tym łajdakiem Brandanem zadrwić sobie z mojego miasta? Zawsze niesie cię tam, gdzie się święci jakieś oszustwo!

Cecco ujął łagodnie jego palce i z gracją wyswobodził się z uścisku.

– Przysięgam ci, że jestem tu po to, by pooddychać powietrzem, w którym wydarzył się cud, i przygotować mą duszę na święte ablucje w Rzymie, gdzie wkrótce się udam.

– Co tutaj robisz? – powtórzył poeta, dygocząc na całym ciele.

W masce wesołości na twarzy Cecca pojawiały się kolejne rysy. Błądził wzrokiem między Dantem a kobietą, jakby nie wiedział, na kogo na ma patrzeć.

– Nic... Chciałem... – wybąkał zmieszany. Opuścił oczy.
Po chwili podniósł je na niemowę. – Tak więc wszystko od-
gadłeś – powiedział cicho. Odrzucił do tyłu głowę i spojrzał na
priora z wyzywającą miną. Na chwilę zapadło lodowate milczenie. – Ale co z tego? – na nowo podjął Cecco. – Nie mam
ochoty płaszczyć się przed pospólstwem tego okrytego niesła-
wą miasta, by móc potem zasiąść na jakimś mizernym stol-
cu i bronić interesów kliki kupców i rzezimieszków! Poza tym
skończyły mi się pieniądze, a w Sienie memu stronnictwu za-
grozili wrogowie. Niełatwo jest zwyciężać, jeśli na tarczy wypi-
saną ma się Panią Biedę. A czy ja, do licha, nadaję się na jednego z durniów, którzy podskakują sobie radośnie, wychwa-
lając tego idiotę z Asyżu? – zakończył z nutką swojej zwykłej
wesołości.
– Cecco, dzisiejszą noc spędzisz w lochu w Stinche.
Sieneńczyk zbladł. Lecz już po chwili odzyskał właściwy
sobie rezon.
– Daj spokój, Dante, zrobiłbyś to staremu towarzyszowi
broni? Zapomniałeś już, jak na równinie Campaldino osłania-
łem cię własną piersią?
– Na równinie Campaldino widziałem twoje plecy ucie-
kające na samym czele.
– A zatem trzymałeś się blisko mnie!
Dante zniecierpliwiony opuścił głowę.
– Kto oprócz ciebie jest w to zamieszany?
– Wielu jest w Italii takich, co od dawna sposobią się, aby
policzyć się z klechami – uśmiechnął się tamten. – Tym bardziej że można dzięki temu zarobić. Przystań do nas, mój przyjacielu. Wiem, że i twoje finanse nie są w kwitnącej kondycji.
Na naiwności tych wieśniaków da się zbić rozsądną sumkę.
Zapadła chwila milczenia. Cecco skorzystał z niej, by wy-
mierzyć poecie kuksańca.

– Pieprzyć tych Florentyńczyków! Co ciebie łączy z tymi miernotami, które cię otaczają, poza tym, że między nimi przyszedłeś na świat? Zresztą czy nie przydałoby ci się parę florenów? Słyszałem, że twoje nazwisko tak samo często pojawia się w rejestrach lichwiarzy jak w poetyckich księgach.

Twarz priora przybierała coraz ciemniejszą barwę. Stojąca obok niego Dziewica Antiochejska uniosła swój welon. Jej niesamowite rysy na powrót dotknęły w nim najczulszych strun. Przez chwilę miał wrażenie, że zaraz coś powie i że jej kalectwo to kolejny podstęp. Oddychał głęboko.

– Ależ tak, pieprzyć ich. Chcę jednak znać całą prawdę, bez żadnych niedomówień. Kto zaplanował to oszustwo? Kim są ci, do których mam przystać?

Tamten wykonał w powietrzu nieokreślony gest.

– Wyznawcy szykują coś wielkiego, coś, co zmieni oblicze dziejów.

– Kim jest Brandano? Gdzie on się podział? To on wymyślił cały ten podstęp, nieprawdaż?

– On jest tylko kuglarzem, jednym z tych łachmytów, co czarują prostaków w dni targu. Niezły jest jednak w tym fachu, nie sądzisz? No i pasują do niego te kościelne łaszki. Myślałem, że go tu znajdę.

– Kto dał Brandanowi zwierciadła użyte w fortelu? I kto wszystkim kieruje, tu, we Florencji?

Cecco potrząsnął głową. Wyglądał, jakby mówił prawdę.

– Nie znam go. O przedsięwzięciu dowiedziałem się w Tuluzie, gdy postanowiłem na jakiś czas zmienić klimat.

– W Tuluzie? – wyszeptał w zamyśleniu Dante. – A co ma z tym wspólnego Florencja?

Cecco wybuchnął śmiechem.

– Może pragną oddać hołd twemu wspaniałemu miastu! Albo, co bardziej prawdopodobne, doszli do wniosku, że więcej tu księży, pieniędzy i głupców niż gdziekolwiek indziej. Rzecz jasna, wolałbym naciągać mych Sieneńczyków, lecz zdaje się, że wszystko ma się wydarzyć *sub flore*...

Poeta poderwał się. Co ma do rzeczy stare proroctwo o śmierci Fryderyka Drugiego?

– Skąd macie relikwiarz, którego używacie? – chciał jeszcze wiedzieć.

– Dał go nam osobiście Bigarelli.

Dante pokiwał głową. Zatem potwierdzało się to, czego się od samego początku domyślał. Istniał związek między rzeźbiarzem a fałszywą krucjatą. I między krucjatą a morderstwem.

Dante rozejrzał się wokół siebie.

– Relikwiarz. Gdzie go ukrywacie?

Cecco wahał się przez chwilę, po czym ruszył w głąb kościoła. Zatrzymał się w rogu, w pobliżu miejsca, gdzie u stóp rusztowania doszło do potyczki priora z mnichem. Pochylił się nad posadzką i przy krawędzi płyty, która zdawała się czyimś kamieniem nagrobnym, wprawił w ruch ukryty mechanizm. Dał się słyszeć szczęk. Następnie Cecco z widocznym wysiłkiem odsunął płytę. Za nią ukazał się początek schodów prowadzących do lochu.

– To stara krypta. To tutaj...

Przerwał. Po chwili, przezwyciężywszy ostatnie wątpliwości, pierwszy zszedł na dół. Za nim podążył poeta i niema dziewczyna, która pobiegła za nimi, jakby bała się zostać sama w kościele.

Pod posadzką rozpościerał się rozległy podziemny korytarz. Na jego dnie, wyłożonym starożytną marmurową kostką, spotkać można było gdzieniegdzie rozrzucone płyty nagrobne i kilka rzymskich sarkofagów ustawionych wzdłuż ścian. Zapewne tutaj chowano niegdyś zmarłych mnichów.

Teraz aż nazbyt rzucały się w oczy ślady mijającego czasu i zaniedbania.

– Oto cały sekret magii – wyszeptał Cecco, pokazując przedmiot owinięty sztuką ciężkiej szkarłatnej tkaniny.

Dante podszedł i odsłonił go zdecydowanym ruchem. Straszliwe, a zarazem zachwycające oblicze rozbłysło w świetle oliwnej lampki. Oczy ze szlachetnej emalii zdawały się w niego wpatrywać i lśnić własnym światłem, jakby miały za chwilę ożyć. Odwrócił się, by przyjrzeć się kobiecie. W obu twarzach było zaiste pewne podobieństwo, to samo ulotne wrażenie, jakby między brązem i skórą istniał sekretny związek.

Ostrożnie otworzył zamek na piersi i rozchylił drzwiczki relikwiarza. W środku znajdował się jakiś napis, niewidoczny z zewnątrz. Bigarelli wyżłobił dłutem dwa słowa: *Sacellum Federici.*

Grób Fryderyka. Jego urna. Dante na powrót przybliżył kaganek do oblicza z brązu i przyjrzał mu się z uwagą. Miękkie rysy i długie włosy kazały mu się w rzeźbie domyślać kobiety. Lecz równie dobrze mógł to być utrwalony w brązie wizerunek cesarza, mający się stać jego żałobną skrzynią, na kształt tych, w których, jak mówiono, wyprawiali swych władców w zaświaty starożytni Egipcjanie. Może relikwiarz miał chronić ciało Staufa w jego podróży ku wieczności?

A jeśli to była prawda, co łączyło śmierć cesarza z wypadkami, które pół wieku później krwią splamiły ulice Florencji?

Dante ponownie rozejrzał się po owej jaskini skarbów. Obok jednego z sarkofagów w posadzce otwierała się szczelina prowadząca do kolejnej, leżącej pod nią podziemnej komory. Pochylił się i opuścił lampę nieco w dół otworu. Pod kryptą przebiegał szeroki korytarz o ścianach z cegły zmierzający prawdopodobnie w kierunku Arno. Na dnie pełno było wody.

– To starożytny rzymski kanał. Prowadzi do dawnej studni na forum. Właśnie tędy przemyka się Brandano, gdy nie chce, by go widziano – wyjaśnił Cecco.

Dante pokiwał głową. Brandano był rzeczywiście królem ucieczek. Nie tylko przez dach, ale jak widać, również pod ziemią.

– Teraz, mój przyjacielu, znasz całą prawdę. Przystań do nas – wyszeptał mu do ucha Sieneńczyk przymilnym tonem.

– Nie mogę wam na to pozwolić. Nie po to zawierzono przyszłość Florencji mojemu ramieniu... i mej cnocie – odrzekł poeta, potrząsając głową.

Cecco rozłożył ręce w geście błazeńskiej desperacji. Dziewczyna tymczasem stanęła przy nim.

– Nie gub nas. Nie gub jej. Czyż nie jest zbyt piękna, by skończyć w łapach strażników?

Dante zakrył oczy. Chciał odmówić po raz kolejny. Naraz przyszedł mu do głowy pewien pomysł.

– Jakie było ostatnie marzenie cesarza? Co budowano na ziemiach Cavalcantich? Co miało dotrzeć z Outremeru na statku, który zatonął?

– Nie wiem. Coś tam słyszałem między Wyznawcami Miłości. Chyba jego ukryty skarb. Bezpieczny tam niczym w wyściełanej puchem kołysce.

Dante wybałuszył oczy. W rydwanie, co okrył się puchem Bożego Sokoła: Fabio dal Pozzo użył podobnych słów. Złapał przyjaciela za ramiona i potrząsnął nim z całej siły.

– Co to znaczy: w rydwanie, co okrył się puchem Bożego Sokoła?

Cecco zbladł.

– Nie mam pojęcia, o czym mówisz! – wybełkotał. – To takie powiedzenie, wśród Wyznawców...

Zdawał się mówić szczerze, pomyślał zbity z tropu Dante. Choć fałszywa krucjata z pewnością miała jakiś związek z innymi zagadkami i okrutną śmiercią załogi statku. Kto wie, może jeśli niezwłocznie ogłosi światu to, co udało mu się odkryć, przerwie się delikatna nić łącząca wszystkie wypadki, a on sam nigdy nie dowie się całej prawdy.

– Na razie ty i ta niewiasta ukryjcie się w opactwie – rzekł w końcu prior. – Ja będę milczał. Na razie.

5

Poranek 10 sierpnia

Dante wyszedł na ulicę o świcie, po krótkiej nocy, którą wypełniły mu pełne udręki wizje. Twarze umarłych zlewały się z twarzami żywych w makabrycznej komedii. Kpiąca mina Cecca pojawiała się w niej złączona z przerażającą raną Bigarellego, a statek śmierci, który ponownie wypłynął na pełne morze, żeglował na zachód ze swym trupim ładunkiem.

On sam pruł w onym śnie przez morskie głębiny, których słony smak czuł wciąż na wargach. Dziewica, uwięziona w swoim mieniącym się klejnotami relikwiarzu, długo płynęła za nim, usiłując mu coś powiedzieć. Na koniec jej delikatne rysy zmieniły się w straszliwą paszczę jakiegoś potwora, jakby jej blade ciało, niczym prawdziwy wosk, stopiło się w promieniach słońca.

Obudził się nagle, z czołem ściśniętym obręczą bólu. Oto powracał jego odwieczny wróg, zatapiając pazury w jego czaszce. Tym razem postanowił nie dręczyć go zanadto. Poprzestał na lekkich ukłuciach, jak gdyby chciał mu tylko przypomnieć o swej obecności.

Zatem do Florencji miał dotrzeć skarb. Szybko obliczył coś w myśli. Ów rachunek na niewiele jednak mu się przydał. Nie wiedząc, jak miała wyglądać gotowa budowla, trudno było wyobrazić sobie, ile czasu mogło zająć jej ukończenie. „Skarb", cokolwiek to było, prawdopodobnie wciąż znajdował się w drodze albo docierał już do Florencji. Mimo wszystko nie mógł znajdować się w przeznaczonym dlań relikwiarzu. Musiano go ukryć gdzie indziej.

W rydwanie, co okrył się puchem.

Jakaś alegoria, czy może należało pojmować to dosłownie?

To właśnie mogło być rozwiązanie zagadki. Składy wełny mieściły się wszystkie wokół łąk przy Santa Maria Novella, w innej części miasta.

Liczył, że chłodne powietrze poranka przyniesie mu ulgę. Lecz słońce paliło nieubłaganie niczym kula żywego ognia. Po kilku zaledwie krokach oblały go niezdrowe poty, podobne do płynów wyzwalanych w ciele w paroksyzmach gorączki. Znowu dopadło go straszliwe pragnienie, takie jak to, które dręczyło go tej nocy.

Nieco dalej powinna znajdować się fontanna, przypomniał sobie. Idąc w tamtą stronę, dostrzegł człowieka, który z bocznej uliczki skierował się wprost na niego. Dante rozpaczliwie próbował jeszcze zawrócić, lecz było już za późno.

Tamten dojrzał go i przyśpieszył kroku, aby przeciąć mu drogę.

– Witajcie, *messer* Alighieri. Od dawna się nie widzieliśmy. Oczekiwałem waszej wizyty, lecz to zapewne wasze obowiązki dotąd was przed nią powstrzymywały – dodał z ironią.

– Zajdę do was we właściwym czasie, nie obawiajcie się – odrzekł Dante, pociemniawszy na twarzy.

– Ten czas przybliża się wielkimi krokami, pamiętacie? Niedługo idy sierpniowe – uciął chłodno mężczyzna. Z jego dziobatej twarzy zniknął wszelki ślad uprzejmości.

– Domenico, wiecie dobrze, że gwarancją waszej pożyczki jest słowo mego brata Francesca i ziemie naszej rodziny – odpowiedział poeta zniecierpliwiony. Czyżby wydarzyło się coś, co umniejszyło go w oczach tego łajdaka?

Domenico tymczasem przysunął się do niego i przytknął mu rękę do piersi. Miał najwyraźniej ochotę zabębnić na niej palcami, lecz ostatecznie się powstrzymał.

– Razem to będzie tysiąc i osiemdziesiąt florenów. Złotych.

Dante zadrżał. Aż tak bardzo urosły jego długi? Znał dobrze ową sumę, po tysiąckroć powtarzaną jak hańbiący wyrok na wszystkich pismach, które musiał podpisać. Teraz jednak skrzekliwy głos lichwiarza zdawał się przyoblekać tę górę złota w realny kształt, który ciążył mu niczym potężny głaz. Miał wrażenie, że świat wokoło chwieje się w posadach i zaraz on sam oraz cała Florencja rozsypią się w ruinę.

Znów przyszedł mu na myśl Cecco i jego oferta, którą wyniośle odrzucił. Starał się nie słuchać tego typa spod ciemnej gwiazdy, który nadal bajdurzył o groźbach i spłatach. Chciał o tym zapomnieć, lecz propozycja Cecca drążyła jego myśli niczym mętna struga.

W gruncie rzeczy dlaczego nie miałby przystąpić do fałszywych krzyżowców? Komu zaszkodzi poza bandą nowobogackich kupców i różnej maści bałwanów oraz toczonym zepsuciem, kupczącym świętościami Kościołem? Czyż nie był to prosty sposób na wydostanie się z pułapki, w której się nieszczęśliwym zbiegiem okoliczności znalazł?

– Ależ tak – postanowił. – Pieprzyć przeklętych Florentyńczyków.

Dotarł do celu, przezwyciężywszy pragnienie palące jego wnętrzności. Całą okolicę zajmowały magazyny, lecz w pobliżu nie było widać nikogo, kto trudniłby się załadunkiem lub rozładunkiem towarów. Dzwon wybił niedawno godzinę dziewiątą i wszyscy tragarze poszli się posilić. Dante skierował się do składu wełny. Przed wejściem powitał go stróż usadowiony na beczce z dzbanem wina między nogami.

– Czy oddano wam w depozyt ładunek wełnianego puchu?

Mężczyzna zmierzył go wzrokiem od góry do dołu.

– A kto pyta?

– Władze Florencji.

– W imię Najświętszej Trójcy i świętego Jana – odrzekł tamten, próbując powstrzymać ziewnięcie.

Poeta przysunął się bliżej. Stróż musiał wyczytać groźbę w jego spojrzeniu, gdyż wstał i pospiesznie cofnął się o kilka kroków.

– Wstęp do składu mają wyłącznie członkowie cechu. A zawartość przechowanych ładunków jest poufna, obowiązuje tajemnica handlowa – dodał natychmiast, rozglądając się niespokojnie dokoła. Nie było jednak nikogo, kto mógłby przyjść mu z pomocą.

Prior podszedł jeszcze bliżej.

– Chyba tak... zdaje mi się... kilka dni temu... – wybąkał stróż, zmieszany, odsuwając się jeszcze o krok.

– Pokażcie mi, gdzie to jest.

Tamten najwidoczniej postanowił dać za wygraną.

– Ale później będę musiał o tym donieść starszemu cechu – jęknął płaczliwie, wchodząc do znajdującej się zaraz za wejściem komórki. Sprawdził coś w wyświechtanym kajecie, a następnie przeciął dziedziniec, kierując się ku drzwiom w przeciwległym boku kolumnady. Dante ruszył za nim.

Magazyn wypełniony był towarami aż po sam szczyt wysokich regałów zbitych z surowych dębowych desek, którymi szczelnie pozastawiano całe wnętrze. Podążając za swym przewodnikiem, Dante zagłębił się w ten labirynt, który gęstniał coraz bardziej, w miarę jak zapuszczali się w głąb budynku. Więzienie Minotaura zapewne nie różniło się wiele od owej dusznej czeluści, pomyślał w pewnym momencie, ocierając pot z czoła. W końcu mężczyzna wskazał mu stos worków z szarego płótna, ciasno przewiązanych konopnym sznurkiem.

– Zostawcie mnie samego – polecił mu Dante. – Zmuszony jestem przeprowadzić inspekcję. Do miasta wwieziono prawdopodobnie kawałki papieru z Cremony, gdzie wybuchła zaraza.

Stróż uskoczył gwałtownie do tyłu, przeżegnawszy się wpierw znakiem krzyża, po czym popędził z powrotem do wyjścia, znikając mu z oczu bez słowa.

Upewniwszy się, że nikt go nie podgląda, Dante zagłębił palce w puszystą masę i jął obmacywać worki. W trzecim z kolei natrafił na coś twardego.

Kilkoma sprawnymi ruchami rozsupłał sznury. Zawartość worka otulona była miękkimi kłębami wełnianego puchu, dokładnie tak, jak mówili Cecco i Fabio dal Pozzo. Począł wydobywać „skarb" z ukrycia. Jego oczom ukazała się zwarta ciężka bryła szeroka na dwie stopy i wysoka na pięć, o grubości rozpiętej dłoni, owinięta sztuką filcu. Wyglądało na to, że ktoś ukrył tu kamienną płytę.

Posługując się sztyletem, podważył ostrożnie brzeg filcowej osłony. Promienie słońca, padające ukośnie z dziedzińca, rozbłysły na odsłoniętej powierzchni oślepiającym snopem srebrzystego światła.

Lustro. W ładunku ukryte było lustro. Niespotykanej wielkości. Dante nigdy w życiu nie widział zwierciadła podobnych rozmiarów nawet w pałacach najbogatszych florenckich kupców czy we Francji, w czasie swego pobytu w Paryżu.

W parę minut przeszukał nerwowo cały ładunek, nie zapominając o żadnym worku. Było tam jeszcze siedem identycznych tafli, z których każda otulona była grubą warstwą filcu i ukryta w surowym wełnianym puchu. To był ów skarb, na który wszyscy czekali? Oczywiście lustra musiały być warte majątek, on jednak czuł, że ich rzeczywista wartość niewiele miała wspólnego z ceną.

Róg jednego z luster musiał odprysnąć podczas transportu. Dante podniósł go ostrożnie i schował do torby.

Na powrót zawiązał worki, skrzętnie zacierając ślady swych poszukiwań. Po czym wyszedł na zewnątrz i oschłym tonem przyzwał do siebie stróża.

Ów na pewno przyglądał się temu, co Dante tu robił, i zaraz, jak tylko poeta opuści skład, z ciekawości pobiegnie, by zajrzeć do środka. Teraz podszedł do niego bez przekonania. Gapił się na worki z puchem.

Dante zwrócił się do niego z przejęciem.

– W jednym z leżących z brzegu worków – rzekł, pokazując worek, w którym natknął się na pierwszą taflę – znalazłem podejrzane skrawki. Zaraza – dodał, udając, że wzdryga się ze strachu. – Trzeba je jak najszybciej spalić poza murami miasta. Ja osobiście przyślę kogoś, kto się tym zajmie. W żadnym razie niczego nie dotykajcie, nikogo tu nie wpuszczajcie i nikomu nie zdradzajcie, co wiecie, by w mieście nie siać paniki. A teraz, dla swojego dobra, oddalcie się stąd.

Miał absolutną pewność, że ten osioł natychmiast pogna, żeby podzielić się wieścią ze swymi znajomkami. Lecz lęk przed chorobą przynajmniej na kilka godzin powstrzyma go od przeszukania ładunku. Po tym, jak zbladł, można było przypuszczać, że uwierzył w całą historię. Na razie lustra były bezpieczne.

Prior po raz ostatni przyjrzał się z uwagą tej części składu, aby miejsce, w którym ukryto ładunek, dobrze utrwaliło mu się w pamięci. Następnie udał się do wyjścia i przeszedł obok strażnika, który wlepił w niego wystraszone oczy.

– W całym ładunku jest z pewnością więcej podobnego papieru. Nie da się stwierdzić, czy na pewno pochodzi on z Cremony, ale dla bezpieczeństwa trzymajcie się od niego z daleka. Wrócę tu niebawem z głównym medykiem ze szpitala Santa Maria. A wy strzeżcie, żeby nikt się tam nie zbliżał. Z zarazą nie ma żartów.

Mężczyzna przytaknął energicznie, drżąc przy tym na całym ciele.

– A teraz powiedzcie mi, kto powierzył wam ów ładunek wełny – nakazał poeta władczym tonem.

Tamten pochylił się pośpiesznie nad kajetem z czołem zlanym perlistym potem.

– Jest... pewien Fabio dal Pozzo, kupiec. Towar pochodzi z Wenecji.

Dante uśmiechnął się pod nosem.

W laboratorium mistrza Arnolfa praca wrzała już w najlepsze. Tak naprawdę nigdy jej tu na dobre nie przerywano, co wiązało się z koniecznością nieustannego podsycania ognia.

Warsztat znajdował się w nisko sklepionym podziemiu wypełnionym suchym ciepłem dobywającym się pieców ustawionych w rogu. Kilku czeladników, stojących wzdłuż masywnej ławy, wylewało właśnie na gładką płytę z wypalanej gliny zawartość tygla zdjętego chwilę wcześniej z ognia za pomocą długich szczypiec.

Rozżarzona szklana masa rozlała się po jej powierzchni, wyrzucając w powietrze mikroskopijne grudki gorącego tworzywa. Nie bacząc na temperaturę tafli, mistrz wyrównał jej brzegi wielkimi nożycami z brązu, pomagając sobie łopatką wykonaną z tego samego stopu. W kilku zdecydowanych ruchach nadał szkłu kształt prostokąta, długiego może na stopę.

– Oto kolejna szyba, która trafi do okien któregoś z naszych bogaczy, *messer* Alighieri. W dzisiejszych czasach już żaden zamożny Florentyńczyk nie chce na dawną modłę zasłaniać ich tkaniną. Dla nas, szklarzy, to złoty interes.

Dante przyglądał się hartowanej tafli.

– To największa szyba, jaką jesteście w stanie wytworzyć?

– Potrafimy wykonać i taką, której krótszy bok mierzyłby nawet stopę, ale to niepraktyczne. Szyba takowa byłaby zbyt krucha i niedoskonała. Lepiej łączyć ołowianym drutem kawałki tej wielkości. Da się nimi przeszklić okna biegnące nawet przez całą ścianę kościoła, jak to jest w zwyczaju na ziemiach Francji.

– Jak mniemam, w waszej pracowni powstają też lustra – ciągnął prior.

– Lustra są moją chlubą, prawdziwą dumą mego warsztatu. Słyną w całej Toskanii. Zobaczcie.

Arnolfo podszedł do ławy, na której jego pomocnik mocował w spiżową oprawę kryształową taflę o szerokości rozwartej dłoni. Wyrwał ją chłopcu z ręki i z zadowoloną miną uniósł przed twarzą poety.

Dante w milczeniu podziwiał swoje odbicie. Wydawało się, że powierzchnię lustra powleka zasłona wody, która czyniła obraz jeszcze bardziej ulotnym. Zupełnie jak zwierciadło Narcyza, w którym młodzieniec nie rozpoznał siebie. Głębia odbicia przytłumiona była ciemną barwą ołowiu, mimo iż ostre światło padało wprost na jego twarz. Uśmiechnął się uprzejmie z wyrazem uznania.

– Macie lustra większe niż to? – spytał następnie.

– Większe niż to? Na co jest wam ono potrzebne?

– Na nic. Ciekaw tylko jestem, jaką miarę osiągnąć może zwierciadło.

– Niewiele większą od tego, które właśnie widzieliście – odrzekł Arnolfo. Wyglądał na urażonego, jakby uznał, że uwagi Dantego umniejszają jego biegłość w sztuce. – Jeśli zwiększymy wielkość tafli, należy też zwiększyć jej grubość – tłumaczył cierpliwie, jakby zwracał się do mało pojętnego czeladnika. – W przeciwnym razie w czasie hartowania szkło pęka. Lecz zwiększając grubość, nie da się zachować idealnej przezroczystości tworzywa. Poza tym trudno byłoby uzyskać idealnie gładką taflę dużych rozmiarów, tak by pokryta od tyłu ołowiem, nie zniekształcała odbicia.

Dante pokiwał ze zrozumieniem głową. Mistrz tymczasem oddał lustro swemu pomocnikowi.

– Zatem nie da się odlać tafli, o jaką pytałem? A gdybym wam powiedział, że widziałem lustro wysokie na pięć stóp, które odbija obraz bez najmniejszych przekłamań?

– Powiedziałbym, że coś się wam przyśniło. Albo że odnaleźliście skarb mistrza Tinki.

– A jednak widziałem takowe.

Arnolfo potrząsnął głową, prawie z gniewem.

– To, co mówicie, jest niemożliwe. Coś musiało się wam przywidzieć. To jest niemożliwe – powtórzył. Wobec nieugiętej postawy priora stracił jednak nieco na pewności. – Przekonani jesteście... Oddałbym wszystko, co posiadam, by móc je zobaczyć.

Poeta nie odpowiedział. Przyglądał się staremu mistrzowi.

– Nie żądam od was tak wiele, chcę tylko waszego słowa. Przyrzeknijcie, że nikomu nie zdradzicie tego, co zaraz wam pokażę.

Arnolfem owładnęło narastające podniecenie. Wyglądał teraz jak jakiś mistyk natchniony swą wizją. Padł przed poetą na kolana.

– Niech świadkami mi będą Maria Dziewica i wszyscy święci. Z mych ust nie wyjdzie ni jedno słowo.

Dante wyciągnął z torby róg lustrzanej tafli znalezionej w składzie i podał go szklarzowi. Ten przesunął palcami po szklanej krawędzi, by ocenić jej grubość.

– I mówicie, że to fragment tafli wysokiej na pięć stóp – mruknął z niedowierzaniem. Następnie przystawił doń język, jakby chciał poczuć jej smak. – Srebro... – powiedział prawie szeptem. – Dziwne.

– Co jest dziwne?

– Spodziewałem się raczej jakiejś używanej przez współczesnych substancji zawierającej ołów. A tymczasem to zwykłe srebro. Jeśli jest prawdą to, co mówicie, lustro zawdzięcza swą doskonałość jedynie zdumiewającej gładkości i przejrzystości szklanej masy.

– Kto mógł coś podobnego wykonać? – spytał prior.

Arnolfo wzruszył ramionami, nadal wpatrując się w próbkę. Pogładził się po szczeciniastej brodzie.

– Nie jest to dzieło naszych warsztatów. Być może pochodzi z Grecji. Albo wytopił je na północy Italii, może w Rawennie, jakiś przybysz z odległych stron. Słyszałem, że w dalekiej Persji wynaleziono szkło tak przejrzyste, że całkowicie niewidoczne. Albo w Wenecji, jeśli prawdziwe są opowieści...

– Kim jest ów Tinca, o którym wspomnieliście?

Arnolfo utkwił wzrok przed siebie.

– Być może kimś, kto nigdy nie istniał. A może najznakomitszym szklarzem wszech czasów, nie wiadomo. Członkowie naszego cechu powtarzają sobie jego dzieje, zapewne tylko legendy.

– Jakie legendy?

– O jego warsztacie w Canal. To tam się osiedlił, przybywszy z jakiejś szatańskiej krainy, i począł wytapiać ze szkła niesamowite rzeczy. Idealnie gładkie tafle zadziwiającej wielkości, dłuższe niż dwie stopy, jakich nikomu przed nim nie udało się wytworzyć. Mistrz Tinca, osobisty szklarz cesarza.

Dante w jednej chwili przerwał kontemplację własnej dłoni, której się tymczasem oddawał, i schwycił go za rękę.

– Jakiego cesarza? – zapytał.

Arnolfo wydawał się zrazu niepewny, lecz nagle wyprężył się w ramionach.

– Ostatniego, największego z wszystkich. Fryderyka. – Wymówił to imię dobitnie, niemal jakby chciał Dantego sprowokować. Może we Florencji w istocie roiło się od przyczajonych gibelinów, jak sugerował Cecco.

– Co zatem ów mistrz Tinca wykonał dla cesarza?

– Legenda głosi, że pewnej nocy przybyło do jego pracowni dwóch posłańców cesarza. Było to w czasach soboru lyońskiego, kiedy Fryderyk toczył ostatnią batalię z... – Mężczyzna zdawał się szukać właściwych słów.

– Przeciwnikami z Kurii? Papieżem? – próbował podpowiadać Dante.

– Tak, chyba papieżem. Lub kimś silniejszym od niego – wyszeptał tajemniczo Arnolfo.

– Kim byli ci posłańcy? I dlaczego przybyli w nocy?

– Tinca pracował nocami i ukrywał się za dnia. Cierpiał na rzadką chorobę oczu. Nie wytrzymywał światła słonecznego. Miał wzrok tak wrażliwy, iż potrafił wychwycić każdą najdrobniejszą niedoskonałość szkła. Żyjąc w ciągłych ciemnościach, dbał, by ogień w piecu nigdy nie wygasł. Odkrył, że jakość wytapianego szkła zależy od jego stałej mocy. I kiedy ci dwaj posłańcy...

Tu Arnolfo przerwał po raz kolejny, jakby nie był pewien, czy dobrze pamięta. Lub ile powinien wyjawić.

– Mówi się, że byli to dwaj ważni dostojnicy cesarskiego dworu. Lub że jednym z nich był nawet sam cesarz. Może i on chciał poznać sekret mistrza...

– Jaki sekret? – wykrzyknął z przejęciem Dante.

– Chodzą głosy, że Tinca przed swoim zniknięciem odkrył, jak można zatrzymać światło we wnętrzu zwierciadła.

– Co takiego?

– Sposób, w jaki można zatrzymać w zwierciadle ostatni odbity w nim obraz. Mówi się, że dzięki swym alchemicznym eksperymentom odkrył substancję, która reaguje pod wpływem promieni światła w zależności od jego źródła. Wybraną rzecz należało ustawić przed takim lustrem na kilka godzin w pełnym świetle, a jej wizerunek powoli utrwalał się w szklanej tafli.

– Gdyby to była prawda, zadałoby to cios śmiertelny sztuce malarskiej – zauważył Dante. Ciekawe, co by na to powiedział jego przyjaciel Giotto. Czy to właśnie mógł być ów tak gorąco pożądany skarb? Czy mógł on skłonić kogoś do zabójstwa? Przecież sam Tinca również zniknął.

– Arnolfo, przysięgliście dochować tajemnicy.

Szklarz raz jeszcze przesunął dłonią po pokrytym kruszcem odłamku tak, jakby dotykał marzenia. Po chwili skinął głową.

– Dałem wam słowo. Uszanuję waszą wolę. Pewnie to, co mi pokazaliście, zbyt cenne jest dla takiego prostego rzemieślnika jak ja. Mogłoby zrodzić we mnie pokusę zmierzenia się z jego twórcą. A chęć mierzenia się z ręką Boga bywa niebezpieczna.

Wielka sala na parterze była niemal zupełnie pusta. W środku przy długim stole zasiadał samotnie Marcello. Dante bez słowa zbliżył się do niego i zajrzał mu przez ramię. Ów jadł właśnie jabłko, lecz w dziwny sposób. Lewą ręką przytrzymywał owoc na stole, a prawą odkrawał z niego nożem niewielkie kawałki, które wkładał sobie do ust. Zauważywszy obecność Dantego, podniósł nań wzrok, nie przestając przeżuwać.

– Co was przywiodło do tej gospody, *messer* Marcello? – spytał poeta.

– Każdy ludzki krok zapisany jest w księdze czasu. Droga, po której wy tutaj przyszliście, podobnie jak i ta, którą ja przebyłem, są w niej nakreślone z jednaką precyzją. Żaden z nas nie mógł postąpić inaczej, ni wy, ni ja.

– Nie odpowiedzieliście jednak na moje pytanie: co was tutaj przywiodło?

Marcello potrząsnął głową, jakby chciał oddalić od siebie jakieś wspomnienie. Lub sen.

– Ach tak, naturalnie. Ślub. Wypełnienie przyrzeczenia, które złożyłem przed laty. Spłata starego długu. Lecz także nieuniknione przeznaczenie. Było mi pisane, że będę tu teraz.

– Czy ścieżka, którą Guido Bigarelli podążył na spotkanie ze śmiercią, to też wyłącznie kaprys przeznaczenia?

Tamten przez pewien czas nie odpowiadał. Całkowicie zajęło go smakowanie ostatniej cząstki jabłka, którą przeżuwał z zamkniętymi oczami, jakby odkrył w niej jakąś tajemniczą esencję.

– Również to jabłko rozwinęło się z kwiatu w owoc, by się tu znaleźć – podjął po chwili. – W umyśle Boga świat jest zamkniętą całością. Tylko ułomność naszych zmysłów sprawia, że przewracamy karty tej księgi jedna po drugiej, nie domyślając się, że są one nierozerwalnie spięte w jeden wolumin.

– To pewne, że umysł Boga przenika cały bieg dziejów i że w swej przezorności nadał on machinie wszechświata odwieczną powtarzalność jej obrotów. Lecz również on w swojej mądrości obdarzył świat podksiężycowy nieskończoną różnorodnością stawania się, abyśmy byli wolni w naszym działaniu i wzrastaniu. Wolni w poszukiwaniu dobra. I nieświadomi rzeczy przyszłych, by z tej niewiedzy brały się nasze świadome uczynki.

– Naprawdę w to wierzycie?

– To pewne, że Adam by nie zgrzeszył, gdyby znał wcześniej konsekwencje swojego upadku. Lecz wówczas tyle najszlachetniejszych umysłów nie trudziłoby się, próbując odkupić tę winę i ucząc ludzkość dróg cnoty. To by ją pozbawiło najcenniejszego przymiotu: niezaspokojonego dążenia do prawdy. Jedynego, co ją ratuje w srogich oczach Stwórcy.

Starzec zaniósł się gorzkim śmiechem.

– Powinniście być ostrożniejsi, *messer* Alighieri, wygłaszając podobne sądy. Nie sądzę, by na ziemiach inkwizycji wasze umiłowanie prawdy było dobrze widziane.

– Florencja nie jest ziemią inkwizycji, lecz wolną komuną. Dziś. I żywię nadzieję, że jeszcze przez wiele lat, w każdym razie, dopóki nie opuszczą mnie siły.

– Niezwykłą ufność pokładacie w sobie samym, jakbyście naprawdę potrafili przeniknąć wzrokiem mur czasu i zobaczyć za nim, co was czeka.

– Nie posiadłem daru jasnowidzenia. Przyszłość, którą głoszę, to córa wiedzy i szlachetnych chęci.

Stary medyk przyglądał się Dantemu z wyraźnym poruszeniem. Jego oczy zaślśniły ojcowskim uczuciem.

– Widywałem już umysły podobne do waszego... w czasach mej młodości. Bogate we wszelkie przymioty, jakich człowiek może pragnąć dla siebie. Nieugięte i śmiałe w swej pewności, że los da się giąć wedle upodobania. A jednak skazane na to, by stać się źródłem bólu i zagłady...

– O kim mówicie?

– Och, to było tak dawno. Cała otchłań czasu. W dalekich krajach.

– Długo mieszkaliście na Wschodzie?

Marcello utkwił wzrok przed sobą, gdzieś za plecami poety. Jego twarz rozjaśniła się, jakby na te słowa zapłonął w nim słoneczny żar owych odległych ziem. Kilkakrotnie pokiwał głową.

– I czego się nauczyliście, hen, w zamorskich krainach? – przynaglił go poeta. – Jakich to kuracji i magicznych zaklęć? Jakie tajemnice natury posiedliście? Dlaczego tam właśnie powstają najsroższe zarazy, a zarazem najskuteczniejsze lekarstwa? I czy naprawdę, jak mówią, znają tam sposoby na wydłużenie życia poza granicę siedemdziesięciu lat, ustanowioną przez Boga w Piśmie?

– Ależ tak. Ja sam przed laty, w mieście Sydonie, poznałem męża, który utrzymywał, że zasiadał przy jednym stole z Karolem Wielkim. Oraz innego, co na Golgocie oglądał ostatnie kroki Chrystusa.

– Być nie może!

– A jednak, widziałem na własne oczy. Czyliż nie krążą może wieści, że również ostatni cesarz, Fryderyk, nie umarł, ale przemierza nadal ziemie Germanii, zbierając oddziały przed swą ostatnią wyprawą?

– Jego także widzieliście? – wykrzyknął poeta z niedowierzaniem. – Kiedy?

– Wiele lat temu – odparł medyk. – W czasie jego krucjaty. Gdy cesarz wszystkich wyprowadził w pole – dodał po chwili, zamyślony.

– Kogo wyprowadził w pole?

– Pogan. Biskupów ze swojej świty. Pewną alegorią. Fryderyk nadjechał do miasta od strony Bramy Damasceńskiej, kamiennym traktem, który prowadzi z Jerycha do miasta stu wież. Złote dachy Jerozolimy błyszczały w słońcu wśród okrzyków wiwatującego tłumu, który wyległ na mury. Ciemiężeni chrześcijanie, bezczelni poganie, zawzięci żydzi zdjęci jednaką ciekawością, złączeni jednakim przejęciem na widok owego dziwu, który sunął wprost na nich. Cesarz jechał, stojąc na swym wozie triumfalnym zaprzężonym w cztery woły przybrane w laurowe wieńce. Wraz z nim na czterech krańcach wozu stali spętani jeńcy: Maur, Tatarzyn, biały i czwarty, przebrany za trytona. Fryderyk w prawej ręce ściskał swój złoty puchar, lewą trzymał za uzdę centaura dosiadanego przez męża w masce o dwóch twarzach, który podążał za wozem, stukając kopytami po kamiennym bruku.

– Centaura? – mruknął Dante.

Nie zważając na niego, Marcello opowiadał dalej.

– Przed wozem kroczyło siedem dziewcząt z wielkimi płonącymi pochodniami, a za nimi siedmiu starców w wieńcach na głowach, odzianych na sposób grecki. Dalej kolejnych siedmiu mężów w długich szatach haftowanych w symbole ciał niebieskich i dwóch rycerzy w pełnym rynsztunku bojowym. Pierwszy z nich dzierżył w dłoni wypolerowany miecz, w którym odbijało się słoneczne światło, drugi zwój sznura zasupłanego ciasno na tysiąc węzłów. Pochód zamykało pięć kobiet, z twarzami zasłoniętymi welonem, niosących zgaszone kaganki. Lubieżne niczym nierządnice, otaczały trzech mężczyzn, z których każdy niósł księgę.

Marcello potarł ręką czoło, jakby chciał wymazać z pamięci ów widok. Jego oblicze przybrało naraz srogi wygląd.

– Zrozumieliście sens tej bezecnej maskarady?

– Oczywiście.

– Jeśli tak jest w istocie, zaiste, wielkie są wasz intelekt i wasza wiedza.

– Dziewczęta niosące zapalone pochodnie to siedem sztuk wyzwolonych, a siedmiu kroczących za nimi starców to siedmiu mędrców starożytnego wieku, o których pisali Grecy. Siedmiu mężów w szatach zdobionych gwiazdami to siedem ciał niebieskich, które obiegają Ziemię, ów wspaniały pojazd wiozący Fryderyka. Czterech jeńców w okowach to trzy lądy wypiętrzone ponad dziedzinę wód, poddane cesarskiej władzy, i tryton, ocean. Centaur – pół człowiek, pół zwierzę – jest symbolem mądrości, połączenia natury i intelektu. Dwóch rycerzy oznacza władzę, która pozwala ująć w karby prawa bądź oswobodzić siłą. I w końcu pięć panien głupich ze zgaszonymi lampami to odrzucenie wiary wraz z trzema mężami niosącymi księgi. To ostatnia alegoria, najbardziej ze wszystkich przerażająca.

Marcello przytaknął z powagą.

– A domyślacie się, kogo przedstawiają oni, jawna kpina z trzech biblijnych mędrców?

– Tak mi się wydaje. To trzej prorocy księgi: Mojżesz, Chrystus i Mahomet.

– Otoczeni przez nierządnice! Trzej wielcy szalbierze zdaniem jego heretyckiej filozofii. Fryderyk wjechał do Jerozolimy, w perfidny sposób urągając narodom, które ją zamieszkują – powiedział cicho Marcello. – Lecz nie wspomnieliście o mężu o dwóch twarzach. Czyżby wasz intelekt z nim sobie nie poradził?

– Nie wiem, zapewne... – zaczął Dante. Naraz przerwał, opętany wspomnieniem zagadkowego galionu statku śmierci. – Wy umielibyście wyjaśnić, jaki był jego ukryty sens?

– Nie wszystko, co zalęgło się w głowie cesarza, da się wyjaśnić.

Dante zrozumiał, że nie powinien liczyć na więcej. Kolejne pytania nic by nie dały.

To nie do alegorii sprzed półwiecza, lecz do sekretów dni bieżących powinien znaleźć klucz, jeśli pragnie przeniknąć zagadkę śmierci. A myśli Marcella zdawały się karmić wciąż przeszłością. Jeśli w istocie niósł w sobie bagaż kilku stuleci, przez końcówkę życia posuwał się obrócony wstecz, zatracony w nostalgii.

Dante zdążył ujść kilka kroków od gospody, kiedy natknął się na młodego Colonnę, który tam powracał.

Student zawahał się na moment, jakby chciał wybadać, czy da się uniknąć spotkania. Po czym, przybrawszy zuchwałą minę, skierował się w jego stronę.

– Co was sprowadza do gospody Pod Aniołem, priorze? Kto miał zostać zamordowany, już nie żyje – oświadczył kpiącym tonem.

Poeta stanął naprzeciw niego, zagradzając mu drogę.

– Zabójca wciąż jest na wolności. I nie jest powiedziane, że nie możecie mi pomóc w wymierzeniu sprawiedliwości.

– Nie posiadam żadnej użytecznej dla was wiedzy. Lecz gdybym był wami, szukałbym wśród klechów. Nie wydawało się, by Brunetto był w dobrej komitywie z mnichami, i nie zdziwiłbym się wcale, gdyby to jakiś ulubieniec Bonifacego wyprawił go na tamten świat.

– Z waszych słów wywieść można, że i wy nie jesteście w dobrej komitywie z Kurią.

Młodzieniec popatrzył nań drwiąco.

– Nie bądźcie hipokrytą, jak reszta tego zakłamanego miasta. Wiecie dobrze, jak się nazywam. A jeśli nie pamiętacie, mogę wam to przypomnieć – rzekł, unosząc na wysokość oczu poety prawą rękę, ozdobioną wielkim pierścieniem z pieczęcią, na której widniał herb rodu – rzymska kolumna.

– Moja rodzina już od lat jest w sporze z tymi bezwstydnikami Gaetanimi. I mitra, którą włożył sobie na głowę Bonifacy, nie ukróciła go, rzecz jasna. Gdyby mógł, już dawno wyrżnąłby nas wszystkich w pień. Obawia się jednak naszych żołnierzy i naszych twierdz, to trzyma go z dala od naszych domostw. Ale kto wie...

– Kto wie?

– Kto wie, może tym razem my podejdziemy go pierwsi – ciągnął Franceschino, dając upust swej nienawiści. – Kiedy zbierzemy się wszyscy!

– O czym wy mówicie? – spytał poeta.

Tamten najwyraźniej zdał sobie sprawę, iż powiedział zbyt wiele.

– Zobaczycie w swoim czasie – odparował i oddalił się odprowadzany badawczym spojrzeniem priora.

W Pałacu Signorii, około południa

Dante wyszedł ze swej celi i przemaszerował przez krużganek. Drzwi do cel innych priorów również stały otworem. Jego koledzy, zbici w niewielką gromadkę, prowadzili jakąś ożywioną dyskusję. Na widok poety natychmiast zamilkli, patrząc nań z zakłopotaniem. Szczególnie jeden z nich, niski człowieczek z twarzą typa spod ciemnej gwiazdy, wyglądał, jakby miał coś do ukrycia.

Dante zbliżył się zdecydowanym krokiem.

– Co was tak bardzo zajmuje, Lapo? – zapytał, stając naprzeciw niego.

Tamten butnie zadarł brodę.

– O to samo was wypadałoby zapytać! Nie bywacie już na zebraniach rady, za to najspokojniej w świecie biegacie po mieście o każdej porze, za nic mając sobie prawo i dobry obyczaj. Czy zapomnieliście może, że priorów obowiązuje zakaz opuszczania pokoi w San Piero przez cały czas trwania urzędu? Wydaje się wam, że prawu podlegają tylko inni, uczciwi synowie ludu, którego wybranym głosem jesteście... jeszcze przez kilka dni? – Lapo wypowiedział te ostatnie słowa ze złością.

– Dobrze powiedziane: jeszcze przez kilka dni – odciął się poeta. – Lecz i na ten krótki czas ów lud powierzył mi rządy i władzę, by wóz państwa przeprowadzić po prostej drodze, omijając zasadzki sprzedawczyków i intrygantów. Których nie brakuje i w najpilniej strzeżonych pokojach komuny – dodał, mierząc go wzrokiem.

Twarz Lapa nabrała szkarłatnej barwy. Zacisnął pięści i podszedł do poety tak blisko, że niemal stykali się ciałami. Dante wyczuł, że zbiera się, aby przyłożyć mu w głowę. Uskoczył więc czym prędzej do tyłu i wystawił pięści, szykując się do obrony.

Rozdzielił ich jeden z priorów. Zaniepokojony, chwycił Lapa za ramię i odciągnął do tyłu.

– Dość tego. Pomyślmy raczej o kolejnym posiedzeniu rady, skoro już mieliśmy to szczęście natknąć się na was, *messer* Alighieri.

– Wyjaśnijcie mi, Antonio, jakaż to pilna sprawa wzbudziła w was taki niepokój co do mych wycieczek – ironizował poeta.

– Kardynał d'Acquasparta...

– Papieski nuncjusz? Czego chce ten pachołek Bonifacego? – przerwał mu Dante. W jednej chwili ogarnął go niepokój. Odkąd na wiosnę wysłannik papieża przybył do Florencji i zamieszkał przy Santa Croce, szpony Bonifacego coraz głębiej wnikały w żywą tkankę miasta.

– Papież, nasz dobroczyńca i najwyższy obrońca Florencji, przez jego usta poprosił komunę o wsparcie jego orężnych wypraw. I byśmy wzmogli naszą czujność przeciw jego wrogom, jawnym i utajonym.

– Mówcie jaśniej. Papież Gaetani żąda florenów? Czy chce czegoś więcej?

Antonio rozejrzał się wokół siebie, szukając poparcia u towarzyszy. Jednak z wyjątkiem Lapa, który wciąż spode łba gapił się na Dantego, trzej pozostali priorzy z zakłopotaniem unikali jego wzroku. Antonio kilkakrotnie odchrząknął.

– Dobrze zatem, to delikatna sprawa. Nie powinno się o niej dyskutować na zewnątrz, gdzie łatwo o niepowołane uszy. Jako najstarszy proponuję się zebrać rankiem czternastego, w dzień, kiedy wygasa nasz urząd.

Wszyscy na to przystali. Dante mruknął tylko pod nosem. Łatwo było to sobie wytłumaczyć: w ostatni dzień podjęcie decyzji scedują na nowo wybraną radę, uwalniając słabe barki od ciężaru odpowiedzialności za własną uchwałę, jakakolwiek by ona była. Na tych twarzach, niczym piętno wypalane na twarzach zbrodniarzy, odciśnięte było znamię gnuśności. Wyjątkiem był Lapo – toczący go robak zepsucia wypełzł już na zewnątrz, zmieniając go w lubieżnego satyra, doskonałe uosobienie jego współobywateli.

Przed pałacem kapitana ludu panowało niezwyczajne poruszenie. Pośród biegających tam i z powrotem żołnierzy Dante rozpoznał dowódcę jednej z trzech kompanii z San Piero i zatrzymał go na schodach budynku.

– Co tu się dzieje, mistrzu Menico?

– Jeden z patroli pełniących straż na murach doniósł o grupach ludzi zmierzających do miasta od strony Prato. Prosili, by na wszelki wypadek trzymać w gotowości nasze oddziały.

– Jakich ludzi?

– Ha! Może pielgrzymów w drodze do Rzymu, może kuglarzy, a może zbuntowanych żołnierzy z Imoli. Podobno tamtejszej armii od miesięcy nie wypłacano żołdu. Ludzie zdezerterowali, i kierując się ku Apeninom, jęli pustoszyć napotkane wioski. Ale istnieje też obawa – dodał mężczyzna poufnym tonem, nachylając się do ucha poety – że mogą to być gromady heretyków i wichrzycieli, co przeszli Alpy, by się obłowić, rabując ziemie Italii.

– Heretycy? Skąd by się tu wzięło tylu odszczepieńców?

– Zdaje się, że w Langwedocji ponownie wybuchła zaraza – mówił dalej tamten, nie podnosząc głosu – i że to nieprzyjaciele prawdziwego Boga, kacerze i żydzi, wywołali ją dzięki jakimś swoim miksturom. Możliwe, że paru z nich wcześniej przeniknęło do miasta, by przygotować grunt swoim występnym wspólnikom. Zresztą jak temu zapobiec, jeśli wszystkie bramy otwarte są na oścież, a do Florencji zewsząd ściągają tabuny nędzarzy w poszukiwaniu najlichszego choćby zarobku?

Dante, przyglądający się panującemu wokół zamieszaniu, musiał przyznać mu rację. Do miasta napływały dziesiątki nieznajomych, którzy szukali tu miejsca pod swój kram z towarami, albo próżniaków w poszukiwaniu przygód. Jeszcze niedawno temu umiał wyliczyć po imieniu wszystkich mieszkańców swojej dzielnicy i dobrą część pozostałych obywateli Florencji. Lecz teraz, po tym jak miasto rozrosło się w ciągu ostatnich dziesięciu lat, zdawało mu, że jakaś potężna siła wydobyła się z okolicznych parowów, powódź, która zatapiała domostwa i drogi, by przelać się przez pierścień starych murów niczym wezbrana fala Arno.

– Nazywają to postępem – podjął na nowo Menico – ale dla mnie to nic innego jak zepsucie. Świat się starzeje, a mijający czas niesie z sobą tylko kolejne plagi. Spodlenie i niesławę. Spójrzcie na nie! – Wskazał palcem trzy młode kobiety odziane w jaskrawe szaty z dekoltem tak głębokim, że odkrywającym niemal całe piersi. Uśmiechały się zalotnie, starając się przyciągnąć uwagę przechodniów. – Nie tak dawno, za Giana della Belli, za taki strój skończyłyby w Stinche. Ale w dzisiejszych czasach... – dodał.

Dante krótko przytaknął. Podobne lamenty na nic się nie zdadzą. Nużyły go.

– Ale w dzisiejszych czasach nawet i to nie wystarcza. Teraz mężczyźni na dobre wkroczyli do tej profesji.

– Sodomici?

– Przeklęci pederaści, *messer* Durante. Jak ci, co każdej nocy schodzą się tłumnie do karczmy Ceccherina.

Na ustach Dantego pojawił się kpiący uśmieszek. Nie pierwszy raz słyszał to imię. Podobnych miejsc schadzek w mieście nie brakowało. We Florencji pełno było ustronnych przybytków, gdzie potajemnie się spotykano i dawano upust bezwstydnym chuciom, wbrew prawom ciała, które Natura uczyniła swoim przybytkiem.

– Tak, zda się, że nasze miasto słynie w świecie również z tej przyczyny, nie tylko dzięki zacnej jakości naszych tkanin.

– Ale to nie są wyłącznie Florentyńczycy – odrzekł Menico. – Więcej powiem, u Ceccherina bywają głównie cudzoziemcy i wciąż napływają tam całymi grupami.

Dante nagle się zainteresował.

– Co to za ludzie? Skąd przybyli? Co na to straże dzielnicy?

– A co mają robić, waszym zdaniem? Wstyd jest dotknąć nawet tych drzwi – westchnął Menico ze smutkiem. – Nikt, kto godzien zwać się mężczyzną, tam się już nie zapuszcza, nawet uzbrojony po zęby. Lecz nie tylko obawa przed hańbą trzyma straże z dala od tego miejsca. Nie myślcie sobie, że widuje się tam wyłącznie zniewieściałe chucherka. Nie, często to potężne chłopiska, których prędzej spodziewalibyście się u wioseł galery lub jedną ręką zaprzęgających do jarzma kilka par wołów. Trzeba sporej odwagi, by się z takimi mierzyć.

Mężczyzna mówił nadal, wyrzucając z siebie zniewagę za zniewagą pod adresem gorszonych i gorszycieli. Dante jednak przestał go słuchać.

Od pierwszej chwili czuł, że wszystkie wypadki miały jakąś odległą przyczynę. Jego miasto było czymś w rodzaju teatralnej kurtyny, sztuką barwnego płótna, na której tle kuglarze odgrywali swe farsy, tłem tragedii spisanej gdzieś w dalekim świecie.

Wszyscy aktorzy spektaklu przybyli z oddali. A kolejni zdawali się napływać. I jeśli wszystko odbyć się miało potajemnie, czyż nie mogła to być owa właściwa kurtyna, za którą kryło się rozwiązanie zagadki?

W głowie pobrzmiewały mu słowa młodego Colonny. „Kiedy zbierzemy się wszyscy” – tak powiedział. Gdzie mogliby znaleźć lepsze schronienie ci, których oczekiwano, jeśli nie w miejscu, w które nie ośmiela się zapuszczać nawet straż dzielnicy?

Skręcił w ulicę prowadzącą do Porta al Prato, biegnącą w miejscu *via decumana** pierwotnej rzymskiej osady. Domy ciągną-

---

* Typ drogi w urbanistyce rzymskiej (przyp. red.).

ce się po obu jej stronach, wyrosłe w ruinach niczym pleśń na zwłokach padłego zwierzęcia, były w większości prymitywnymi jednopiętrowymi budynkami, bez ozdób i wdzięku, z maleńkimi oknami wychodzącymi na ulicę, zasłoniętymi kawałkiem zgrzebnej tkaniny. Im bliżej obrzeży miasta, tym częściej napotykał wśród nich ogrody i warzywniki, z reguły wypalone słońcem zarośla.

Po drodze nie spotkał nikogo, z wyjątkiem kilku bezdomnych psów wałęsających się po okolicy. Z wnętrza budynków dochodziły go jednak wszystkie stłumione odgłosy zatrzaśniętego za tymi żałosnymi drzwiami życia uczepionych dryfującego wraku rozbitków.

Dotarł w końcu do celu. W oddali majaczył ciemny pas miejskich murów upstrzony od góry światełkami pochodni trzymanych przez pełniące straż patrole. Przed nim, nieco cofnięty od ulicy, wyrastał rząd marmurowych kolumn wysokich na pięć łokci. Niektóre z nich wieńczyły jeszcze oryginalne głowice. Do kolumnady prowadziły resztki szerokich schodów, które po dwóch stopniach niknęły w ziemi. Owa starożytna świątynia, w której oddawano niegdyś cześć zapomnianemu bogu, obudowana została murem z surowych ciosów tufu, tworzącym ciągnącą się w głąb przestronną salę.

Mógłby się tutaj mieścić pałac priorów, rzekł do siebie poeta. Lub kapitularz klasztoru. Lub sala dostojnego trybunału. Lub dwór barbarzyńskiego króla. Tymczasem w owym miejscu znalazła gościnę karczma Ceccherina. Hańba Florencji.

Od frontu, za parą środkowych kolumn, znajdowały się niskie szerokie drzwi wzmocnione ćwiekami i listwami z żelaza. Przez szerokie szczeliny, od góry i dołu, sączyło się chybotliwe światło, jakby wewnątrz paliły się setki lamp. Dante pchnął drzwi i wszedł do środka.

Zajął jedno z wolnych miejsc przy długim stole. Dał znać ręką posługaczowi, który kręcił się wśród gości z dzbanem wina na ramieniu, i kazał mu napełnić stojący przed sobą gliniany puchar. Rzucił mu monetę i podniósł kielich do ust.

Sącząc powoli kwaskowate wino, rozglądał się po sali wypełnionej wyłącznie przez mężczyzn. Panował tu niezwykły tłok, nawet jak na karczmę tej wielkości i wątpliwej sławy.

Spodziewał się podobnego widoku, choć trudno było mu się przyzwyczaić, że nie było tu kobiet. Żadnych odzianych w jaskrawe fatałaszki ladacznic, które w podobnych miejscach ofiarowały swe usługi. Ani nawet służących czy pomywaczek, jakby za sprawą czarów wszystko wróciło do pierwszych dni stworzenia, kiedy płeć słaba skrywała się jeszcze w niezgłębionym umyśle Boga.

Wychylił się poza krawędź ławy i oparł o ścianę. Z tego miejsca, osłonięty filarem, mógł spokojnie obserwować salę, nie wzbudzając niczyich podejrzeń i udając, że zajmuje go wyłącznie własny kielich. Szybko obrzucił wzrokiem całe wnętrze. Karczma wyglądała dokładnie tak jak z opowieści mistrza Menica.

Wszystkich zdawało się ogarniać wielkie poruszenie obecne w wirze głosów i śmiechów i płynnym ruchu wędrujących ciał. Niczym fale morza spokojnego z wierzchu, lecz w niezbadanych głębinach zamieszkanego przez potwory.

Mężczyźni złączeni w pary, a niekiedy i w bezwstydne trójkąty, obmacywali się bez skrępowania, pomrukując i szepcząc sobie na ucho miłosne słówka. Na znajdujących się w głębi schodach odbywał się nieustanny pochód. Gorączkowe, chaotyczne wędrówki w dół i w górę.

Czuł, jak narasta w nim obrzydzenie. Właśnie wtedy coś zauważył. Niewielkie grupki wciąż rozdzielały się i łączyły na nowo, jakby wysłannicy Zła krążyli między stołami niczym nici przeplatające diabelską osnowę. Lecz na rogu długiego stołu siedziało czterech klientów, którzy zachowywali się w podejrzanie spokojny sposób. Obojętna najwyraźniej im była eksplozja bezecnych chuci. Siedzieli zbici w ciasną gromadkę, mówili szeptem, z pozoru zajęci piciem wina z postawionego przed nimi glinianego dzbana.

Szaty ich również nie pasowały do otoczenia. Mieli na sobie odzienia zwykłego kroju, w kolorach nierzucających się w oczy i bez tych wszystkich rozcięć i otworów, które służyły innym, by zaprezentować części ciała zazwyczaj zasłonięte przed wzrokiem. Także ich kaftany były powszechnie przyjętej długości i zakrywały zapięcie portek, a nie przykrótkie jak u pozostałych, którzy wystawiali na pokaz swe pachwiny ledwie okryte tkaniną.

Ich oblicza nie zdradzały żadnych oznak perwersji, które w mniej lub bardziej czytelny sposób odcisnęły się w twarzach innych gości. I było w ich gestach, bardziej niż w słowach, których poeta nie mógł usłyszeć, coś, co mówiło mu, że pochodzą z daleka. Może to byli ci cudzoziemcy, o których mówił Menico.

Naraz podniosły się głośne krzyki przeplatane wyzwiskami. Siedząca tuż obok nieznajomych para, tuląca się dotąd do siebie i wymieniająca czułości, podniosła się od stołu i rozpoczęła dziką kłótnię. Krzyk po chwili przeszedł w pisk, obaj mężczyźni chwycili się za czupryny i potoczyli w przeciwną stronę sali.

Dante błyskawicznie chwycił swój kielich i, przemknąwszy wzdłuż ściany za plecami tej czwórki, zajął zwolnione w jej pobliżu miejsce, jakby dopiero co zaszedł do karczmy.

Tamci najpewniej nie zauważyli jego ruchu. Z uwagą przyglądali się sprzeczce i wymieniali półgłosem uwagi pełne kpiny.

Udawało mu się wychwycić tylko nieliczne słowa, reszta rozpływała się w panującym zgiełku. Choć z całych sił nadstawiał uszu, wciąż nie wiedział, o czym toczy się rozmowa. Czuł, jak narasta w nim wściekłość na całą tę bandę wynaturzeńców, która kłębiła się wkoło. Jakim to prawem swoim lubieżnym paplaniem ośmielają się oni przeszkadzać mu w wymierzaniu sprawiedliwości? Kiedy w końcu pojawi się ręka Boga i w pył rozniesie ową hołotę?

Bezwiednie podniósł oczy ku niebu, licząc niemal, że strop gospody rozpęknie się zaraz pod ciężarem ognistego deszczu. Albo on sam, i to czym prędzej, zarządzi, by ludzie Komendanta obrócili owo miejsce w perzynę. Nie zostanie z tej rudery kamień na kamieniu, a Ceccherino, pogrzebany w dymiących zgliszczach swej jamy, będzie dla wszystkich sodomitów okrutną przestrogą.

Gwar niespodziewanie przycichł, jakby niebiosa naprawdę wysłuchały jego złorzeczeń i ciszą pragnęły obwieścić przybycie anioła mściciela, tego samego, co zniszczył Sodomę.

– Zatem nic na razie nie wiadomo... – zakończył jeden z czterech.

Mężczyzna siedzący naprzeciw niego przerwał mu z gestem zniecierpliwienia.

– To niemożliwe, by wielki statek nagle rozpłynął się w powietrzu jak widmo. Zwłaszcza że widziano go u wybrzeży.

– Przynajmniej reszta jest w naszych rękach. A bardziej potrzeba nam stali niż światła – rzekł na to pierwszy, wzruszając ramionami.

– Nade wszystko zaś złota! – wtrącił się trzeci z przekąsem. – Z tej trójcy wybieram dla siebie złoto. Stal przyda się nam wszystkim. A co do światła – całe oddajmy cesarzowi. Czyż nie tego właśnie szuka?

– Mam wieści od pozostałych. Wszyscy będą w opactwie.

Dante wytężył słuch aż do bólu, aby nie umknął mu żaden szczegół tej podejrzanej konwersacji, obawiając się, że lada chwila wrzawa podniesie się na nowo i cały jego wysiłek pójdzie na marne. Nie poczuł nawet, że czyjaś dłoń delikatnie gładzi jego szyję.

Siedzący obok niego człowiek jego zadumę musiał wziąć za znak przyzwolenia. Powtórzył pieszczotę z większym zaangażowaniem.

– Co z tobą, śliczny czarnulku? Jesteś tu nowy? Widzę cię po raz pierwszy.

Dante odwrócił się w stronę, skąd dochodził ów głos. Owionął go czyjś cuchnący oddech. Ujrzał pociągłą, żółtawą twarz, zarośniętą rzadką blond brodą, w której płonęła para obłąkanych oczu. Mężczyzna trzymał w ręku puchar z winem, z którego dopiero co pociągnął kilka łyków. Drżący wianuszek czerwonych kropel okalał mięsiste wargi.

– Daj mi spokój, przyjacielu. Chcę się napić sam – mruknął i, odwróciwszy się od niego, pochylił się nad swym kielichem. Usiłował raz jeszcze wsłuchać się w rozmowę czwórki nieznajomych, która nadal toczyła się półgłosem.

– Sam? Czyż nie wiadomo ci, że w samotności tkwi przyczyna wszelkich przywar i grzechu? – nalegał nowo przybyły. – Za jej sprawą kiełkuje w duszy *melancholia obscura**, która wzburza w nas płyny, czyniąc ludzkie ciało podatnym na choroby i smutki, jak twierdzi Arystoteles w *De anima*. Pragniesz się może zestarzeć przed czasem w tym swoim pancerzu wyniosłości?

Dante spojrzał na niego, wyraźnie zaskoczony.

– Nie pomyślałeś, że taki ze mnie logik! – Mężczyzna ucieszył się wyraźnie, że udało mu się zwrócić na siebie uwa-

---

* Ukryty smutek (łac.).

gę. – W mig poznałem po twoich gestach, po twoich szatach, że jesteś uczonym. Jak ja.

– Arystoteles nic podobnego nie mówi. A już tym bardziej nie w *De anima* – oświadczył poeta, ponownie próbując pochwycić choć parę słów tamtych czterech. Zdawało mu się, że usłyszał coś o świątyni...

– Och, w takim razie to ktoś inny – parsknął jego rozmówca i na powrót jął wodzić mu palcami po karku.

Dante odskoczył gwałtownie. Pełnym wściekłości ruchem chwycił rękę głaszczącego. Musiał zadać mężczyźnie ból, gdyż ów zaczął wrzeszczeć, wzywając na ratunek innych gości. Małe oczka zapałały nagłą nienawiścią. Tumult ściągnął na Dantego po kolei wzrok wszystkich zebranych. W głębi sali kilku gości podniosło się z ław.

– Rzucił się na Teodolina! Brać go! – krzyknął jeden z nich, zwracając się do pozostałych, którzy sunęli groźnie w jego stronę. Mężczyzna ów, olbrzym odziany w coś w rodzaju pancerza ze skóry pokrytego srebrzystymi guzami, trzymał w garści wielki miedziany rondel i wskazywał nim priora swoim kompanom.

Grupa nadciągała z dwóch stron, chcąc otoczyć stół. Dante rzucał dokoła nerwowe spojrzenia, szukając jakiejś drogi ucieczki. Rękę, którą przytrzymywał blondyna, przeszył naraz ostry ból. Tamten wbił w nią zęby. Wolną pięścią poeta wymierzył mu potężny cios, który pchnął go na trójnóg stojący na środku sali.

Sporych rozmiarów blaszany piecyk zachwiał się i przewrócił z hukiem na ziemię, wzbijając w powietrze mgławicę iskier. Od strony stojących najbliżej napastników, na których spadł deszcz żywego ognia, podniósł się chór okrzyków bólu.

Mężczyźni ci, starając się za wszelką cenę wytrząsnąć z ubrań i włosów odpryski żaru, zdawali się poruszać w jakichś piekielnych pląsach. Wymachiwali rękami i nogami wśród przekleństw i wyzwisk, zapomniawszy zupełnie o Dantem. Lecz pozostali, po krótkotrwałym oszołomieniu, nadciągali w jego kierunku. I dołączali do nich coraz to nowi klienci.

Dante poczuł, że jest zgubiony. Kolos w pancerzu był już o krok od niego. Rzucił się w jego stronę, próbując go złapać za szyję, gdy nagle stracił równowagę i runął w dół. Dante miał wrażenie, że potknął się o stopę jednego z mężczyzn, których podsłuchiwał, zręcznie wetkniętą mu między nogi.

Prior wykorzystał zamieszanie, by zbiec do drzwi. Na progu zatrzymał się na moment i obejrzał za siebie. Złączył palce w obraźliwym geście.

– Żałosne sukinsyny, przeklęci zboczeńcy! To ogień, który was czeka i w którym z pewnością skończycie!

Karczma przypominała teraz dno piekieł. Tylko czterej cudzoziemcy stali nieruchomo na swoich miejscach i przyglądali się całej scenie niczym widzowie w teatrze.

Opuściwszy budynek, Dante rzucił się pędem przed siebie w obawie, że ktoś może puścić się za nim w pogoń. Lecz drzwi nie otworzyły się więcej, jakby były granicą, której nikt, kto w środku znalazł schronienie, nie powinien przekraczać. Na wszelki wypadek przywarł jednak do muru jednego z pobliskich domów, ukrywszy się w cieniu portalu.

Właśnie wtedy dostrzegł dwie postaci, które wybiegły z bocznej uliczki w stronę wejścia do karczmy, upewniwszy się wcześniej ukradkiem, że nikt ich nie śledzi. Ze swej kryjówki widział dobrze ich rysujące się wyraźnie w pełnym świetle twarze.

Cecco Angiolieri i młody Colonna.

Sieneńczyk mógł bywać i w takich miejscach. Staczał się po równi grzechu w takim tempie, że mógł już sforsować bariery natury. Ale Franceschino nie wyglądał na takiego, jeśli sądzić po wrażeniu, jakie wywierał. Nie, musieli tu przybyć z innego powodu, który miał związek z tajemniczymi gośćmi.

Stał jeszcze chwilę w bramie, zastanawiając się, co ma robić. Powrót do środka nie wchodził w grę. Czekanie, aż nieznajomi wyjdą i pozwolą się przesłuchać, mogło się okazać stratą cennego czasu, bez żadnej gwarancji, że usłyszy prawdę. Na tysiąc różnych sposobów mogli wyjaśnić swą obecność w tym miejscu, a on nie miał przeciwko nim żadnych dowodów.

Może więc lepiej wykorzystać to, co zostało z dnia, i odwiedzić Alberta w nadziei, że w kwestii mechanizmu udało mu się odkryć coś więcej.

Mechanicus przyjął go z zawiedzioną miną, która starczała za tysiąc słów.

– Nadal nic, mistrzu Alberto?

Mężczyzna potrząsnął głową.

– Nie do końca. Myślę, że pojąłem pewne zależności. I odtworzyłem jeden ze zniszczonych trybów. Spójrzcie.

Podał mu błyszczący krążek złocistego metalu. Na ostrych ząbkach wyczuwało się jeszcze ślady pilnika.

Dante uniósł go do światła sączącego się z okna, aby ocenić precyzję formy.

– Zda się, że dzieło wasze nie ustępuje pogańskiej robocie. Jednak poza doskonałością formy powinniście teraz uchwycić ducha ożywiającego to, co macie przed sobą. I to jak najprędzej, gdyż czas, który być może miała odmierzać owa machina, już zaczął płynąć.

Mistrz spojrzał na niego, przejęty jego trwożnym tonem.

– Nie powiedziałem, że wcale nie pojąłem istoty jej działania... – wyszeptał.

Oczy Dantego rozbłysły ciekawością.

– A co z jej przeznaczeniem?

– Chodzi o ciąg obrotów. Które tym są szybsze, im mniejsza średnica trybów.

Obaj mężczyźni spojrzeli sobie w oczy, pewni, że w ich głowach pojawił się ten sam pomysł.

Poeta odezwał się pierwszy.

– Podobnie jak we wszechświecie niebo Księżyca krąży szybciej niż niebo Saturna, które znajduje się najbardziej na zewnątrz, najbliżej siedziby Boga. Lecz po co to wszystko?

– Tego właśnie nie pojmuję. Jeśli machina wprawiona w ruch miałaby odmierzać czas, jej wskazówki nie obracałyby się wedle czasu ludzkiego. Więcej miałby on wspólnego z rytmem skrzydeł muchy niż z biciem człowieczego serca. Jakby ktoś skonstruował czasomierz dla jakiegoś narodu spoza tej Ziemi.

– Może Al-Dżazari zbudował zegar dla aniołów?

– Bądź dla demonów. Poza tym jest jeszcze jeden szczegół, o tutaj... To znamię geniuszu... Jeśli należycie wszystko pojąłem, myśl konstruktora zaprawdę musiała wniknąć w głąb Boskiego umysłu – ciągnął starzec, którego oczy lśniły teraz z podziwu.

– Co jest w nim tak niezwykłego? – spytał Dante z niepokojem. Widywał wcześniej ten nienasycony wzrok podszyty cieniem. U ludzi doprowadzonych na stos przez pragnienie pokonania granicy, którą Bóg ustanowił dla rozumu nieoświeconego przez łaskę.

– Widzicie ów sworzeń i dwie ołowiane kule na zakończeniu tych dwóch ruchomych pałąków?

Dante wytrzeszczył oczy, by przyjrzeć się maleńkim częściom. Po chwili znów utkwił w mistrzu pytające spojrzenie.

– To regulator prędkości obrotów... zupełnie prosty, ale to zaiste owoc olśnienia, jakim tylko sam Bóg może obdarzyć. Rozwiązanie bardzo ważnego problemu. Nie pojmujecie? Również nasza wiedza pozwala skonstruować mechanizm, który obraca się poruszany energią skumulowaną w łuku z giętej stali lub dostarczaną przez opuszczany ciężarek. Ale nikt dotąd nie wynalazł sposobu, który pozwoliłby wywołanemu przez nie ruchowi nadać stałą właściwość, jak w owej machinie.

Alberto nadal przyglądał się mechanizmowi z uznaniem.

– I spójrzcie tutaj – podjął na nowo, pokazując mu otwór w spiżowej blaszce z boku machiny. Wprawna ręka wyżłobiła wokół niego uproszczony kształt ludzkiego oka. Teraz on spojrzał na poetę z wyczekiwaniem, jakby liczył na jakieś wyjaśnienie.

Dante przysunął się, aby lepiej widzieć. Okrągła dziurka odpowiadała dokładnie źrenicy grawerowanego oka.

– Chodzi o to, by spojrzeć przez ten otwór? – zaryzykował niepewnie.

Za otworem znajdowała się ramka z mosiądzu zamocowana w taki sposób, by można ją było ustawiać pod różnym kątem. Przyjrzał się jej rozmiarom. W głowie kiełkował mu pewien dziwaczny pomysł. Mógłby zabrać jedno z luster wykorzystanych do podstępu z Dziewicą. Sprawdził z drugiej strony. Przed innym otworem była identyczna ramka. Zbity z tropu, przygryzł dolną wargę.

Wtedy *mechanicus* zaczął mówić dalej.

– Też o tym pomyślałem. Mógłby to być nietypowy model astrolabium, a otwór miałby służyć do spoglądania w gwiazdy. Ale to bez sensu. Po drugiej stronie mechanizmu znajduje się leżący symetrycznie otwór. Jeśli się spojrzy przez niego, widok zasłaniają obracające się ostrza. To nie ma sensu – powtórzył, kiwając głową.

– Chyba że jej przeznaczenie wiąże się z tym, by obserwować mechanizm w ruchu.

Alberto pochylił się nad stołem, złapawszy się za głowę.

– Al-Dżazari był szalony. Może machina służy jedynie ukazaniu pełni jego mistrzostwa. Jest pomnikiem jego ślepej pychy.

– Zachwycająca zabawka, bez właściwego przeznaczenia. I przez nią zginęło tyle osób?

Starzec spojrzał na Dantego trwożliwie, lecz nim zdołał coś powiedzieć, ten zarządził:

– Postarajcie się przeniknąć jej sekret, mistrzu Albercie. Nie potraficie sobie nawet wyobrazić, jakie to ważne.

– Dajcie mi jeszcze trochę czasu, priorze.

– Czas to akurat ten towar, którego mamy najmniej – rzekł cicho Dante. Alberto na powrót pochylił się nad stołem i zaczął grzebać we wnętrzu mechanizmu. Dante rozejrzał się po warsztacie.

W rogu dostrzegł Amida. Niewolnik, klęcząc na swym dywaniku, zatopiony był w milczącej modlitwie. Poeta, zaplótłszy ręce pod brodą, usiadł na skrzyni nieopodal stołu i począł się mu przyglądać z uwagą.

Wiedział, że Maurowie podczas modłów zwykli się zwracać w kierunku Mekki, lecz widok Amida bijącego pokłony pod ścianą, pochłoniętego niezrozumiałą litanią, miast wzbudzić w nim pobożność, wywołał wesołość.

Niewolnik najpewniej usłyszał jego chichot, gdyż przerwał modły i wpatrywał się weń z urazą.

– Opowiedz mi o twym raju, poganinie. Jest opisany w księdze? – zapytał go Dante. – I wybacz, że przeszkodziłem ci w rozmowie z twym Bogiem.

Czuł w głębi duszy, że go obraził. Lecz w sumie – dlaczego? Spytał sam siebie ze złością, szybko oddalając poczucie winy. Modlitwa, którą przerwał, to przecież dialog z nicością.

– Poprzez siedem nieb Prorok dociera do domu Boga, potężnego i litościwego, na skrzydłach Al-Buraka, czarodziejskiego uskrzydlonego wierzchowca. Tam zdradził mu on tajemnice wszechrzeczy.

– Co to za tajemnice?

– Bóg zapieczętował usta Proroka, by żadnej z nich nie wyjawił.

– Pewnie! Bo niczego nie widział. Bo niby dlaczego Bóg miałby przyjmować u siebie pospolitego heretyka i dzielić z nim swoje zamysły niczym jakiś kasztelan ze swoim rządcą? Może zezwala on wznieść się do swojego światła, lecz w ramach oczyszczenia i napomnienia dla całej ludzkości.

– Mahomet jest najszlachetniejszym z ludzi, pierwszym i jedynym prorokiem. Któż bardziej niż on godzien jest, by zwiedzić najwyższe nieba i zostawić nam swoje o nich świadectwo?

– Bóg mógłby wezwać do siebie najlichszego z grzeszników, pod warunkiem że w chwili narodzin obdarzyłby go najwspanialszym przymiotem, jakim jest rozum. Człowieka, którego śmiertelne włókno przeniknęła iskra niebiańskiego światła.

– Człowieka takiego jak wy, *messer* Alighieri?

Dante obojętnie wzruszył ramionami.

– Zatem twój raj ciągnie się poprzez przeczyste sklepienia niebios. Jak on wygląda?

– Po schodach, które mu się ukazały, by Bóg mógł go podjąć w swojej chwale, Prorok kroczy wpierw przez siedem nieb, którymi rządzi siedem planet. W takiej kolejności, w jakiej ułożyli je uczeni astronomowie z Bagdadu w swej doskonałej wizji. Mija po drodze pustynie światła i ciemności. Oraz ogniste jezioro winy.

Dante potrząsnął głową.

– W kolejności, której ułożyli je greccy mędrcy, pragnę rzec. Arystoteles i wielki Ptolemeusz. Owe przestwory ciemności i ognia, o których mówisz, to nie żadne filary świata, lecz coś, co nasze oczy potrafiłyby może dostrzec, lecz rozum nasz zostałby zmiażdżony owym widokiem. Bóg jest odległy i nawet twój Awicenna nie zdołałby policzyć kroków, które nas od niego dzielą.

Arab nie odpowiedział. Myśli Dantego na nowo poszybowały ku łańcuchowi zbrodni. Przypomniał sobie Fabia, matematyka. Nawet matematyk nie zdołałby tego wyliczyć. Na co potrzebny matematyk w owym tajemniczym planie?

Niespodziewanie ogarnął go niepokój. Wiedziony przeczuciem, szybko skierował się do drzwi.

Przebiegł długą drogę do gospody tak prędko, jak tylko pozwalały mu siły. Przeklinał w duchu swoją niefrasobliwość. Poruszony tym, co ujrzał w lochu Stinche, rozkazał, by puścić wolno tego mężczyznę. Była to decyzja podyktowana mu nie przez rozum, lecz poczucie winy spowodowane tym, że nieświadomie skazał go na tortury. Uwalniając go, pragnął wymazać z pamięci zalane krwią oblicze, skrępowane członki.

Lecz może uda się go jeszcze zatrzymać. Zapewne nim wyruszy na północ, matematyk będzie chciał nieco odpocząć, by odzyskać siły.

Pędził dalej przed siebie. Pod koniec drogi nieznacznie zwolnił. Sala na dole była pusta, nikogo nie spotkał również na schodach wiodących do izb gościnnych. Wspiął się na drugie piętro, gdzie znajdował się pokój Fabia dal Pozzo. Bez pukania pchnął drzwi i wszedł do środka.

Jeden rzut oka wystarczył, by stwierdzić, że izba jest zupełnie pusta. Na biurku leżał plik arkuszy z rysunkami figur geometrycznych i rzędami cyfr. Przesunął opuszkami palców po śladach inkaustu, jeszcze wilgotnych. Matematyk musiał opuścić pokój zaledwie chwilę wcześniej.

Przebiegł oczami stronę, którą, jak się zdawało, mężczyzna zapisał na końcu. Były to luźne notatki, uwagi dotyczące deklinacji Wenus. W rogu dostrzegł rozmazaną czerwonawą plamę, jakby ślad palców ubrudzonych krwią. Odruchowo podniósł wzrok do góry, w stronę sufitu. Dzwon właśnie wybił porę nieszporów. To najlepsza pora do obserwacji Gwiazdy Wieczornej w całym jej splendorze. Może Fabio wdrapał się na dach wieży, by uzupełnić swe obserwacje. W głębi ducha poczuł podziw dla tego człowieka, który nawet złożony cierpieniem, nie zaniedbywał pasji intelektu.

Wyszedł z pokoju i wspiął się po schodach na sam szczyt budynku. Na dach prowadził zamknięty właz nad końcowymi stopniami. Podniósł klapę i wychylił głowę przez otwór.

Poczuł ukłucie zawodu, nie znajdując tam nikogo. Opuścił pokrywę włazu. W tym momencie jego uwagę przyciągnęły krzyki dochodzące z dołu. Wydarzyło się chyba coś strasznego. Nie zwlekając, pobiegł na dół.

Krzyki dochodziły zza starożytnego muru, za którym niegdyś kończyło się miasto. Przeszedł na drugą stronę przez przeprutą w nim arkadę i dołączył do grupy ludzi pochylających się nad czymś u podstawy wieży.

Ciało matematyka leżało bezładnie na kamiennym bruku w kałuży krwi.

Wśród oszołomionych gapiów stał też oberżysta, który go rozpoznał.

– Co za straszliwe nieszczęście, priorze!

Dante nakazał wszystkim odsunąć się od trupa, a sam pochylił się, aby mu się dokładniej przyjrzeć. Na czaszce i końdczynach ślady gwałtownego uderzenia o kamień były aż nazbyt widoczne. Podniósł oczy ku rysującemu się w oddali szczytowi wieży. Fabio musiał spaść z samego jej wierzchołka; możliwe, że wówczas gdy dokonywał tam swoich obliczeń.

Ale kiedy to się stało? Ciało było jeszcze ciepłe, a przecież nie słyszał ani głuchego odgłosu upadku, ani żadnego krzyku. Nic z tych rzeczy.

– Kto znalazł nieboszczyka? – zapytał zbitych w grupkę gapiów. Każdy z nich potrząsał ze strachem głową i spoglądał na sąsiada.

Po chwili wystąpił do przodu pewien wystraszony chłopiec.

– To ja go znalazłem – wybąkał. – Szedłem, by przyjąć zamówienie na wino...

– Ktoś widział, jak spada?

I znów trwożne spojrzenia malujące się na otępiałych twarzach obecnych. Dante na powrót pochylił się nad zwłokami. Z uwagą przyjrzał się powykręcanym członkom. Ostrożnie obrócił trupa: na piersi, na wysokości serca, widniały dwa wyraźne cięcia. Przerwana tkanina zabarwiła się szkarłatem. Jeden z tych ciosów musiał go zabić od razu, a ponieważ nie wydał z siebie krzyku, był to zapewne pierwszy, który został zadany. Drugą ranę wyjaśnić można było tylko okrucieństwem zabójcy. Ofiara znała z pewnością mordercę, skoro mógł uderzyć znienacka. Nie próbowała się bronić.

Podszedł do niego rozdygotany oberżysta.

– Kto był tym czasie w gospodzie? – zapytał prior, podnosząc się z ziemi.

I nim tamten zdążył odpowiedzieć, popędził do drzwi wieży. Przedsionek nadal był pusty. Ponownie wspiął się po schodach, tym razem zaglądając do każdej sypialni. Nie było tam żywej duszy.

Oberżysta chodził za nim krok w krok.

– Nie wiem na pewno, lecz myślę, że poza kupcem nie było tu nikogo – wyjaśnił. – Tak mi się przynajmniej wydaje... Możemy przesłuchać służbę...

Dante uciszył go ruchem ręki. Teraz to już bez znaczenia. Próbował wyobrazić sobie, co zaszło.

Morderca zaskoczył Fabia na dachu wieży i tam go zabił, a następnie zepchnął trupa na dół. Później zszedł po schodach i, gdy usłyszał kroki poety, ukrył się w jednej z sypialń. I na koniec zbiegł w czasie zamieszania, jakie nastąpiło po znalezieniu ciała, wykorzystując to, że z miejsca gdzie upadło, nie widać drzwi gospody. By się nie zdradzić, musiał mieć nerwy ze stali. I sporo szczęścia.

Gdybym pojawił się zaledwie chwilę wcześniej, czynił sobie wyrzuty prior, może mógłbym zapobiec owemu nieszczęściu. Szczęście nie gości więcej pod moim niebem, pomyślał z goryczą.

Zmarli z tajemniczego statku, biegli w mechanice. Po nich Guido Bigarelli, rzeźbiarz przeklęty, architekt Fryderyka Drugiego. I Rigo, cieśla. A teraz Fabio, matematyk. Ktoś zabijał mężów w tajemniczy sposób powiązanych z planem, którego istoty nie umiał ogarnąć.

Wtem na schodach rozległ się odgłos ciężkich kroków. Wyjrzał na podest schodów, napotykając tam muskularną sylwetkę wchodzącego na górę Jacques'a Monerre'a.

Poeta zastąpił mu drogę.

– Domyślam się, że wiecie już, co się stało.

Francuz potwierdził.

– Widziałem zwłoki – odrzekł krótko. – Wypadek?

Dante nie odpowiadał. Uważnie śledził jego reakcję. Mężczyzna z beznamiętną twarzą czekał na odpowiedź.

– Nie – powiedział w końcu. – Kres jego życiu położyła mordercza ręka.

Monerre zadrżał i pośpiesznie rozejrzał się wokół, jakby obawiał się, że zabójca przyczaił się w pobliżu. Po chwili znów zaczął się wpatrywać w priora jedynym widzącym okiem.

– Wiecie, kto to był?

– Nie. Podobnie jak w wypadku pozostałych.

– Sądzicie, że coś łączy te wszystkie zbrodnie?

Dante przytaknął. Roztrząsanie tej sprawy z kimś, kto być może za wszystkim stoi, nie miało sensu.

– Chciałbym się od was czegoś dowiedzieć – rzekł, zmieniając temat. – Mówiliście, że pochodzicie z Tuluzy.

Tamten potwierdził to w milczeniu skinieniem głowy.

– Czy w mieście tym natknęliście się kiedyś na mnicha Brandana, świętego męża, który szykuje się, by stanąć na czele nowej krucjaty?

Monerre wysłuchał pytania bez śladu emocji. Choć jego blizna zdawała się bardziej rzucać w oczy na tle pobladłej niespodzianie twarzy. Jednak gdy przemówił, bił odeń zupełny spokój.

– Nie, nie wydaje mi się. Tuluza to duże miasto, tętniące życiem i tłoczne od pielgrzymów, którzy po drodze do Santiago di Compostela zatrzymują się tam, by odpocząć przed przeprawą przez Pireneje. Nie da się poznać wszystkich, nawet jeśli prowadzi się żywot mniej samotniczy niż ja. Lecz kogoś takiego jak ów mnich raczej się nie zapomina.

Dante przytaknął, po czym zamyślił się głęboko.

To Monerre postanowił przerwać milczenie.

– Dlaczego mnie o to pytacie? Co moje dalekie miasto może łączyć z Brandanem?

– Na pozór nic. Jest jednak osoba, która zaklina się, że spotkała go w tych stronach. Miałem nadzieję, że od was dowiem się, czy to może być prawda.

– Czy to ma jakieś znaczenie?

– Tuluza nie jest zwyczajnym miastem. To ośrodek wspaniałej kultury i wielkiego bogactwa, lecz również siedlisko wszelkich najważniejszych herezji oraz punkt zapalny niekończących się niepokojów w krainach Francji. Jeśli mnich w istocie pochodzi stamtąd, a sprawa znana jest inkwizycji, to należy się spodziewać, że prędzej czy później położy ona kres owej podejrzanej imprezie.

Poeta znieruchomiał, śledząc uważnie twarz Francuza, aby wybadać, czy wie on o fortelu. Albo czy, co więcej, nie jest cichym wspólnikiem mnicha. Monerre spojrzał na niego.

– Co powiecie o cudzie, którego wszyscy byliśmy świadkami, *messer* Alighieri? – zapytał nagle, jakby pragnął wyjawić mu cały podstęp.

– O to samo chciałem zapytać was.

Francuz zdawał się grać na zwłokę.

– W czasie mych podróży widywałem rzeczy bardziej zdumiewające. Na własne oczy widziałem cienie dżinów, pogańskich demonów, wznoszące się znad rozżarzonych kamieni. Lecz nigdy nie spotkałem podobnego dziwu. Sam jeden mityczny Feniks, który odradza się z własnych popiołów, mógłby się z nim równać w niesamowitości.

– Jeśli jest prawdziwy – rzekł cicho Dante.

– Jeśli jest prawdziwy, mógłby być ozdobą cesarskiego skarbca.

– Na przykład skarbca Fryderyka?

Monerre zadrżał.

– Dlaczego to powiedzieliście?

– Dlatego, że krążą głosy, że to właśnie w Tuluzie ukryty jest skarb cesarza przewieziony tam po jego śmierci przez jego potomków, aby uchronić go przed napastliwością wrogów i zachłannością następców. Jeśli to prawda, cudowna relikwia mogłaby być wydobyta z jednej z jego skrzyń.

– To dziwne, *messer* Alighieri, u nas mówi się, że skarb Fryderyka ukryto zupełnie gdzie indziej – odrzekł Monerre, rzucając mu zagadkowe spojrzenie. – Przypuszcza się, że znaj-

duje się on właśnie tu, we Florencji. I to jest prawdziwa wy-
kładnia proroctwa „*sub flore*", złączonego od zawsze z legen-
dą Fryderyka.

— Gdzie miałby się on znajdować?

— Lepiej zadać sobie pytanie, czym jest skarb Fryderyka
i czy jest ktoś, kto zna na nie odpowiedź.

6

Poranek 11 sierpnia

Wychodząc z San Piero, Dante natknął się na straże dzielnicy. Rozpoznawszy go, mężczyźni żwawym krokiem ruszyli w jego stronę, jakby go właśnie szukali.

– Priorze, w końcu was znaleźliśmy. Na południu, koło Carraia, zdarzył się wypadek. Topielec. Idziemy wyciągnąć ciało – rzekł jeden z nich, żegnając się znakiem krzyża.

Poeta również poczuł instynktowną ochotę, by się przeżegnać. W wierzeniach ludu śmierć w wodzie była zawsze zwiastunką nieszczęścia. I może było w tym coś na rzeczy, gdyż to ziemia jest miejscem przeznaczonym ciałom na wieczny spoczynek. Wodny grób to sprzeniewierzenie się naturze.

Dlaczego jednak najwyższe władze komuny powinny zajmować się tak zwykłym, choć niewątpliwie bolesnym zdarzeniem? Topielec w Arno to nie była rzadkość, zwłaszcza latem, gdy wielu, zwiedzionych niskim stanem wody, padało ofiarą jego zdradzieckich wirów.

Już miał polecić strażnikom, żeby zwrócili się z tym do kogoś innego, gdy nagle ogarnęło go jakieś przeczucie. Natychmiast zmienił swój zamiar.

– Prowadźcie – wykrzyknął i podążył za mężczyznami.

Szli brzegiem Arno, na południe od Ponte Vecchio, wzdłuż rzędu wodnych młynów. O tej porze roku wody rzeki niemal całkiem wysuszone przez letnie upały płynęły powoli, często zakręcając się w szerokie wiry.

Na brzegu, nieopodal filaru Ponte alla Carraia, zebrał się niewielki tłum przypatrujący się czemuś i pokrzykujący z ożywieniem. Dotarłszy na miejsce, poeta dostrzegł powód całego poruszenia. Z jednej z łopat koła ostatniego młyna zwisało ludzkie ciało, które wynurzało się z wody przy każdym jego obrocie. Niczym upiorne rzeczne bóstwo ukazywało się w najwyższym punkcie trajektorii w całej swej dramatycznej kruchości, nasiąkłe skrzącą się w słońcu wilgocią. I znów opadało, zanurzając się w podwodnym grobie.

Jest coś niesamowitego w tej alegorii niedokończonego zmartwychwstania, pomyślał poeta. Jakby zmarły nie chciał dać się pogrzebać lub jakby moce władające podziemiem odmawiały mu tam wstępu, za każdym razem wstrzymując go u progu wyzwolenia.

– Dlaczego nikt dotąd nie zatrzymał młyna? – zawołał Dante do jednego z ludzi Komendanta, który z założonymi rękami przyglądał się scenie.

– Młynarz w tej chwili usiłuje to zrobić. Odłączył już koło od kamienia młyńskiego, lecz nie przestało się obracać. Chcą je zatrzymać od środka jakimś drągiem, a potem przywiązać liną.

Rzeczywiście, od pewnego czasu potężne koło mierzące więcej niż dziesięć łokci średnicy zaczęło zwalniać i zmartwychwstania topielca stały się rzadsze. W końcu zatrzymało się zupełnie. Dwóch strażników wdrapało się ostrożnie na obudowę z bali, by dotrzeć do miejsca, w którym utkwiło ciało. Stamtąd, pomagając sobie liną, opuścili makabryczny ładunek na niewielką łódkę, która czekała w pobliżu.

Dante wyczekiwał na brzegu.

– Rozpędźcie tę zgraję próżniaków! – krzyknął do ludzi Komendanta, wskazując im gromadkę gapiów.

W czasie gdy żołnierze starali się zrobić miejsce, zamiast kijów używając rękojeści włóczni, łódź dopłynęła do brzegu. Dante pochylił się nad nieboszczykiem leżącym krzyżem na brzuchu, z głową wystającą poza krawędź łodzi.

Ostrożnie uniósł jego głowę i odgarnął z czoła burzę mokrych włosów. Pod wpływem ruchu z ust zmarłego wytrysnęła strużka wody, jakby jego ciało całe przesiąkło wilgocią, która go zabiła. Prędko ponownie opuścił na twarz włosy, które na powrót zasłoniły jej rysy. Rozejrzał się wokół siebie, by po minach żołnierzy wybadać, czy komuś udało się je rozpoznać. Ich gęby, na których malowało się tępe wścibstwo, upewniły go, że nie.

Była to twarz Brandana. Zapewne jedna z wielu i tym razem na pewno ostatnia. Mnich nie zdążył przybrać wystudiowanej pozy. W jego posiniałym obliczu można było wyczytać jedynie przestrach w obliczu nagłej śmierci.

Prior uniósł nieco zwłoki i rozpiął szatę pod szyją, by pobieżnie je zbadać. Ciało nieboszczyka pokryte było wybroczynami i siniakami. Musiał mocno uderzyć o dno. Z boku dwie czerwone wyrwy znaczyły miejsca, w których coś zagłębiło się w skórę. Przyjrzał się kołu. Łopaty przytwierdzone były do ramy długimi ciesielskimi gwoździami. Pewnie to one wyżłobiły owe niewielkie, acz głębokie rany.

Kontynuował oględziny: na ramieniu zwrócił jego uwagę niezwykły tatuaż. Wykonany jasnoczerwoną farbą, wyglądał na tle sinoniebieskiej skóry jak krwawe piętno. Przedstawiał ośmiokąt otoczony wianuszkiem mniejszych znaków. Dante nigdy nie widział czegoś podobnego: zaledwie parę oznaczeń przypominało symbole, którymi w swojej sztuce posługują się astrologowie. Milczał przez chwilę, zastanawiając się nad tym, co zobaczył. Naraz się ocknął.

– Weźcie od młynarza jakieś płótno i owińcie w nie te żałosne szczątki – zarządził, podnosząc się na nogi. Sam tymczasem wyjął z torby, którą nosił przy pasku, woskowaną tabliczkę i wprawną kreską sporządził rylcem kopię tatuażu.

Nie sprawiło mu to większej trudności: już za młodu objawił się jako znakomity rysownik, a umiejętność mieszania barwników bardzo mu pomogła, gdy starał się o przyjęcie do cechu aptekarzy. Gdyby chciał, mógłby z powodzeniem trudnić się malarstwem. Również jego przyjaciel Giotto był tego zdania i po wielekroć go do tego namawiał. Może pewnego dnia, gdy stanie się kimś innym niż teraz...

Po niedługim czasie ludzie Komendanta powrócili z kilkoma workami z konopnego płótna i z nich naprędce przygotowali całun. Poeta kazał zawinąć w niego mężczyznę, dbając, by w czasie tej operacji jego twarz pozostała zakryta. Dopiero gdy ciało nieboszczyka mocno skrępowano sznurem, odetchnął z ulgą.

Przynajmniej przez kilka godzin wiadomość o śmierci Brandana będzie tajemnicą. To, że na razie był jedyną osobą, która o niej wiedziała, mogło się okazać użyteczne.

– Zawieźcie ciało do Santa Maria. Komuna zatroszczy się o pochówek, jeśli nikt z krewnych ani przyjaciół nie zgłosi się po ciało.

Ludzie Komendanta oddalili się. Dante zastanawiał się co dalej. Zatem mnich nie przeżył ucieczki przez podziemny korytarz. Z jakiegoś powodu jego ciało spłynęło do rzeki, a tam, obciążone szatą, dostało się w wir przy młynie i uwięzło między łopatami koła.

Wyjątkowo żałosny koniec jak na człowieka, który utrzymywał się z własnej prestidigitatorskiej zręczności. Wszystko wskazywało jednak na to, że właśnie w ten sposób wypadki się potoczyły. Również pośmiertne zmiany na ciele wskazywały, że musiał utonąć w porze odpowiadającej w przybliżeniu godzinie jego ucieczki z opactwa.

Dantego nie przestawał jednak dręczyć jakiś wewnętrzny głos, budząc w nim niepokój. Dwie głębokie rany w boku można było wytłumaczyć tak, jak to on uczynił w pierwszej chwili, lecz nie potrafił pozbyć się wrażenia, że bardzo przypominają te, które znalazł na ciele Guida Bigarellego, a potem Riga di Coli.

I na koniec tatuaż z zagadkową astralną kombinacją. Tu przynajmniej istniała nadzieja, że uda mu się rozwikłać jej sens: stary Marcello zdradził mu, że w swych diagnozach ucieka się do pomocy astrologii. Być może on będzie potrafił to odczytać.

W gospodzie powiedziano mu, że Marcello wedle swego zwyczaju powinien być teraz w San Giovanni na codziennej modlitwie.

Dante błyskawicznie dotarł do baptysterium i wszedł do środka przez południowy portal. Zmuszony był przedrzeć się przez gąszcz obrzydliwych bud, które przez lata narosły wokół majestatycznej budowli, niemal dusząc ją w swym uścisku, oraz pokonać tłum handlarzy, co rozłożyli tam swoje kramy, wciskając je nawet pomiędzy groby dawnego cmentarza, który przetrwał w tym miejscu.

Stary medyk stał w kwadracie światła wpadającego przez jedno z okien. Z pochyloną głową i zamkniętymi oczami wyglądał na pogrążonego w głębokiej modlitwie.

Zdawało się, że siatka zmarszczek na jego twarzy, naznaczonej przez czas, pogłębiła się w ciągu ostatnich godzin niemal do kości. Rysy zastygły w grymasie bólu, tak odmiennym od codziennego spokoju jego oblicza, w którym odcisnął się ślad bogatego życia w służbie sztuk wyzwolonych. Dante miał wrażenie, że ów doświadcza nieznośnego cierpienia, jakby nagły spazm bólu rwał jego wnętrzności.

W tym momencie Marcello otworzył oczy i go rozpoznał. Jego twarz natychmiast się wygładziła, przybierając swój zwykły wyraz.

– Wszelki duch, priorze. Wy też wybraliście się do tej szczególnej świątyni, aby pokłonić się Bogu?

– Nie, mniej szlachetne są moje pobudki. Dowiedziałem się, że was tu znajdę.

– Szukaliście mnie? To zaszczyt być obiektem zabiegów priora Florencji.

Dante pewien był, że wychwycił cień ironii w głosie tamtego, lecz ciągnął dalej.

– Pragnę odwołać się do waszej wiedzy o ciałach niebieskich. Co o tym sądzicie? – rzekł, wyciągając z torby pokrytą woskiem tabliczkę i mu ją podając.

Marcello wziął tabliczkę do ręki i przytrzymał z dala od oczu.

– Z upływem lat moje źrenice straciły zdolność widzenia z bliska, *messer* Durante. Jakby śmierć chciała się upewnić, że może mnie bez trudu zaskoczyć, gdy nadejdzie mój koniec – powiedział, usiłując przyjrzeć się figurze wyżłobionej w wosku. Naraz zamilkł. – Gdzie widzieliście owe znaki? – zapytał po długiej ciszy.

– Na ciele martwego człowieka. Pomyślałem, że znając ich sens, łatwiej odgadnę jego tożsamość.

Marcello spojrzał na niego, jakby chciał rozszyfrować ukryte znaczenie tych słów. Nie wypuszczał tabliczki z rąk.

– Zaiste, niespotykane to znaki – wyszeptał.

– Symbole gwiazd, jak mniemam. Ale co oznaczają?

– Jak słusznie założyliście, znaki otaczające ośmiokąt to symbole różnych ciał niebieskich. Oto Słońce – rzekł medyk, wskazując malutkie kółko. – A to Wenus i gwałtownik Saturn.

– Ale co ma symbolizować ośmiokąt? Widywałem różne mapy zodiaku, lecz ta nie przypomina żadnej z nich.

Starzec odpowiedział po chwili wahania. Krążył palcem po płytkich śladach zostawionych w wosku przez rylec.

– Można ją wykreślić na wiele sposobów, lecz ten jest doprawdy niezwykły. Niewielu wie o pewnym szczególnym aspekcie kątowych kombinacji gwiazd. Aspekcie rzeczywistym, mierzącym sto trzydzieści pięć stopni. O ile wiem, tylko astronomowie arabscy o nim słyszeli.

– Dlaczego „rzeczywisty"? Co tak nadzwyczajnego jest w owej kombinacji?

– W ośmiokącie, chcieliście powiedzieć? To kształt, jaki przybrał Bóg, kiedy zapragnął objawić się ludziom, jak wierzą poganie zza morza. Oznacza podwojony Tetragrammaton, imię Boga niewypowiedzianego, podwójny sześcian, na którym umocowany jest świat. Kształt przypisany przez starożytnych budowlom, które pomieścić miały światło Boga.

– Światło Boga?

– Tak... jego ducha. Albo ślady jego tchnienia. Czyż w dziełach poetów, które tak są wam drogie, nie napisano, że Święty Graal przechowywany jest w kamiennym oktagonie?

Dante podniósł oczy na mozaikę na sklepieniu. Obrócił dokoła głową.

– Baptysterium także ma plan ośmiokąta – zauważył.

Tamten śledził wzrokiem bieg jego spojrzenia.

– W rzeczy samej – powiedział.

– Po co więc, waszym zdaniem, ktoś chciałby wznieść na naszych ziemiach wielką ośmiokątną budowlę? Nie ma kolejnego Graala do przechowania.

Marcello spojrzał nań ponownie, zdziwiony.

– Kto buduje coś podobnego? I gdzie? – zapytał po krótkiej przerwie.

– Na północ od miasta. Coś niepojętego.

– Widzieliście to?

– Tak.

– I co udało się wam ustalić?

– Nic lub zgoła niewiele, poza ogólnym kształtem. I jeszcze...

– Jeszcze?

– Że budowlę wzniesiono na ścieżce śmierci. I że śmierć do niej zajrzała. Prawdopodobnie był to kolejny przystanek na jej drodze, po gospodzie Pod Aniołem. I bagnach.

– Bagnach? O czym wy mówicie, *messer* Alighieri?

– Wody Styksu płyną bliżej, niż sądzicie – odrzekł poeta i oddalił się, odprowadzany zdumionym wzrokiem medyka.

W siedzibie cechu budowniczych

Dante podał mistrzowi Manoello, priorowi cechu, arkusz, na którym Rigo nakreślił plan spalonej konstrukcji. Mężczyzna zasiadał za wspaniałym pulpitem stojącym na dębowym cokole zdobnym w rzeźbione insygnia cechu.

Milczał przez kilka chwil z niepewną miną. Zdawał się nieufny. Potem spojrzał na dwóch innych sędziwych mistrzów, którzy podnieśli się ze swych siedzeń, by lepiej widzieć, co się dzieje, jakby szukał w nich oparcia.

– Co to jest?

– Chciałbym, żebyście wy mi to powiedzieli. To projekt jakiegoś budynku, którego budowę jedynie rozpoczęto. Czy umielibyście, czerpiąc z waszej znajomości rzeczy, orzec, co przedstawiają owe rysunki? Bądź jakie mogło być przeznaczenie owej budowli?

– Dlaczego chcecie to wiedzieć?

Dante pociemniał na twarzy. Zaciskając pięści, uczynił krok w stronę katedry. Dobrze wiedział o rygorystycznej dyskrecji, którą objęte były wszelkie sprawy cechu budowniczych, i zakazie dzielenia się nimi z obcymi. Tym razem jednak przez jego usta przemawiał interes florenckiej komuny.

– Ponieważ mam powody, by sądzić, że budowla owa ma związek ze zbrodnią. I moją powinnością jest podążanie ścieżką ku prawdzie, natomiast waszą – dopomożenie mi w tym pochodzie – wysyczał, uderzając palcem w arkusz, na który mistrz nawet dotąd nie spojrzał.

Ów stał oszołomiony. Gestem ręki przyzwał pozostałych dwóch i pochylił się w końcu nad rysunkiem.

– Niespotykana to konstrukcja. Jakaś wieża? – wyszeptał, pokazując linię zewnętrznych murów mężczyźnie, który podszedł pierwszy.

– Zbyt duża – orzekł tamten, wyliczywszy coś w pamięci. – Może... przędzalnia. Słyszałem, że na północy wznosi się potężne przędzalnie. Albo suszarnia farbowanych tkanin. Lub wyprawionych skór.

– Nie... ja wiem, co to jest – powiedział cicho czyjś drżący głos.

Trzeci mistrz, najstarszy z nich wszystkich, po tym jak obrzucił arkusz krótkim spojrzeniem, trzymał się na uboczu. Dante zwrócił się w jego stronę. Na jego twarzy, białej niczym płótno wyprane w ługu, śmierć odcisnęła już nieodwołalnie swe piętno. Jedno z oczu zaślepione było paskudną raną, drugie, zmętniałe od zaćmy, ledwie dawało się dostrzec za wpółprzymkniętą powieką. Jednakże w tej chwili zdawał się w nim palić niespodziewany ogień.

– Wiele... wiele lat temu...

– Mistrzu Matteo, swemu sędziwemu wiekowi nie przypisujcie... – przerwał mu Manoello z wyższością.

Lecz Dante uciszył go władczym gestem.

– Gdzie?

– Widzicie owe baszty wszczepione w krawędzie zewnętrznych murów, które w mniejszej skali powtarzają plan całej budowli? Widzicie zachwycającą doskonałość korony, którą tworzą? – ciągnął starzec z narastającym ożywieniem. – To nie jest budowla pomyślana na ludzką miarę, lecz jako mieszkanie bogów. Kiedy Bigarelli...

– Bigarelli – wykrzyknął Dante. – To on jest...

Tamten zdawał się go nie słyszeć. Zatopiony w swojej wizji, przyciskał arkusz rozczapierzoną dłonią.

– Będzie odtąd pięćdziesiąt zim... Całe moje życie.

Na powrót pochylił się nad rysunkiem, skupiając nań resztki wzroku.

– Tak, widziałem, jak Guido Bigarelli kreśli plany zamku, wykonując cesarski rozkaz.

Dante zaczynał rozumieć.

– To któryś z zamków Fryderyka? Jedna z twierdz, którymi znaczył krańce swych włości?

– Nie, ów wznosi się nie na granicy, lecz w samym sercu Kapitanaty, na wzgórzu, z którego w oddali widać brzeg morza. W oślepiającym słońcu południowej Italii. Zamek Santa Maria al Monte.

Trzęsąc się, starzec podniósł się z miejsca i odprowadzany spojrzeniem zebranych, podszedł do ściany z tyłu sali, wzdłuż której biegły regały wypełnione przez zwinięte w rulony arkusze i skrzynie okute żelazem. Otworzył ze zgrzytem zamek jednej z nich, a potem długo w niej czegoś szukał. Na koniec uniósł twarz z wyrazem triumfu i pokazał im zwitek zakurzonych pergaminowych arkuszy.

– Znalazłem! Oczy moje są już zmęczone, lecz pamięć nie doznała szwanku. Wiedziałem, że muszą tu być. – Rozwinął przed nimi pergamin. – To kopia, którą ja sam sporządziłem w czasach, gdy pracowałem razem z Bigarellim. Po kryjomu – dodał, wzdrygając się, jakby się obawiał, że stary mistrz może się jeszcze zemścić.

Dante pochylił się nad planami. Zatem to, co miał przed sobą, był to projekt arcydzieła stworzonego dla Fryderyka, budowli, o której pielgrzymi wracający z Outremeru opowiadali legendy, jeśli los powiódł ich ku Kamiennej Koronie, jak lud nazywał ową tajemniczą ośmiokątną twierdzę strzeżoną przez osiem wież o takimż kształcie. Geometryczna doskonałość proporcji, w których odtworzono z dumą plan starożytnej świątyni Salomona. I to Guido Bigarelli był tym, który tego dokonał.

– Ja... ja to widziałem – wyszeptał starzec raz jeszcze.

– Widzieliście, jak Bigarelli kreśli te plany? Pewni jesteście?

– Architekt wykonał projekt. Lecz pomysł został mu poddany przez kogoś innego. Zakonnika.

– Zakonnika? Kogo? – chciał wiedzieć Dante.

Miast odpowiedzieć, starzec jął na nowo przeglądać plany. Wyglądało na to, że czegoś szuka pośród wyblakłych oznaczeń drzwi i okien. Jeden z rysunków przedstawiał pionowy przekrój muru.

– Tak... tak to sobie zamyślił wielki Bigarelli... nie jak to później przebudowano.

Prior wyrwał mu rysunek.

– Ten plan różni się od rzeczywistej budowli? W jaki sposób?

– Tutaj, w przyziemiu. Lity mur. Taki był zamysł mistrza. Bez okien, które dodano później. Jak możecie tu zobaczyć, przyziemie miało być od zewnątrz otoczone ciągłą ścianą, bez żadnych prześwitów, bez owych przepierzeń w środku, które ktoś wybudował po latach, by podzielić je na mniejsze sale.

Prior cechu przyznał mu rację skinieniem głowy.

– Święta prawda. Bez owych przepruć twierdza zyskałaby na obronności. Im solidniejsze mury, tym lepiej chronią przed natarciem nieprzyjacielskich oddziałów.

Dante odłożył pergamin na pulpit, rzuciwszy nań ostatnie spojrzenie. Zawładnęło nim pewne niespodziewane przeczucie.

– Mówicie: lepiej chronią, *messer* Manoello? Fryderyk był panem tych ziem, ludzi, ich myśli i dusz. Jego murami była pierś przybocznej straży, klingi Arabów z Lucery. Gdyby zasnął w środku pola na którejkolwiek ze swoich ziem, byłby bezpieczniejszy niż w zaciszu sal swego pałacu w Palermo. Nie, ów ślepy mur nie został wzniesiony po to, by chronić go przed kimkolwiek. – Poeta podniósł się pośród zdumionych spojrzeń pozostałych. – Raczej, by zatrzymać siłą. Zamknąć we wnętrzu coś, co pod żadnym pozorem nie powinno się stamtąd wydostać.

Manoello potrząsnął głową.

– Więzienie? Nie, zbyt wiele tu marmurów i mozaik jak na więzienie. Poza tym Fryderyk miał po jednym w każdym ze swych miast.

– Tylko jedna koncentryczna cela i to zdecydowanie za duża – dodał mistrz Matteo. – Nie o więzienie tu chodzi – wyszeptał. – Ciemne sklepienie, bezmierna przestrzeń...

– A co, jeśli chciał tu pomieścić rzecz potężnych rozmiarów? – nalegał Dante, podążając tropem swoich domysłów. – Ciągły krąg, sekretna jama, lecz nie dla Minotaura, tylko Uroborosa, wielkiego węża czasu, co po wiek wieków gryźć będzie swój ogon?

Na ten domysł Manoello znów potrząsnął głową.

– Fryderyk z całą pewnością nie celował w cnocie. My wszyscy, jako posłuszni synowie Kościoła, w pełni zgadzamy się w jednym: że był on wcieleniem antychrysta zesłanym przez szatana, aby nas dręczył. A wy mówicie o nim jak o co najmniej drugim Minosie! Cóż takiego miałby uwięzić w owym kamiennym pierścieniu? Myślicie, że ten heretyk przywiózł z sobą straszliwego Minotaura ze swej wyprawy do krain Orientu?

– Nie. Lecz jest inna rzecz, którą lepiej ukrywać w murach, z dala od ludzkich spojrzeń. Rzecz, która zaiste wykracza czasem poza ludzką naturę, podobnie jak członki człowieka byka wykraczały poza naturę zwierzęcą.

– Co to takiego?

– Wiedza. I wy z pewnością się ze mną zgodzicie, Matteo – odrzekł poeta, zwracając się do sędziwego mistrza, który przytaknął. – Pragnę was prosić o jeszcze jedną przysługę – ciągnął Dante. – Nakreślcie mi prędko plan zamku Fryderyka w jego pierwotnej postaci, takiej, jaka pozostała w waszej pamięci.

Mistrz Matteo wymienił błyskawiczne spojrzenie z priorem cechu, jakby go prosił o pozwolenie. Tamten krótkim gestem dał znak, że się zgadza. Starzec zasiadł więc przy długim stole i wziął wielki arkusz czerpanego papieru. Począł na nim kreślić kolejne linie, zamykając przy tym oczy, jakby czegoś szukał w odmętach pamięci. W końcu znieruchomiał, przyglądając się swemu dziełu. Po chwili zastanowienia dodał kilka szczegółów, potem rozsypał na powierzchni papieru proszek pochłaniający nadmiar inkaustu i wręczył go Dantemu.

– To wszystko, co widziałem ponad pięćdziesiąt lat temu.

Dante opuścił siedzibę cechu z poczuciem, że niewiele udało mu się ustalić. Albo zgoła nic. Teraz przynajmniej wiedział, że zbrodnie, którymi się zajmował, miały związek z tajemniczym zamkiem Fryderyka. A także z coraz bardziej zdumiewającą konstrukcją, która spłonęła w pobliżu. Podniósł oczy na niebo i spojrzał na zachodzące słońce. Już niedługo dzwony ogłoszą, że pora rozejść się do swych domów. To odpowiedni moment, aby przycisnąć Cecca.

Szybkim krokiem udał się do opactwa. Dotarłszy na miejsce, wszedł do kościoła przez niewielki boczny portal i cicho wdrapał się po schodach na piętro klasztoru ponad zakrystią.

Na swej drodze nie natknął się nawet na ślad przyjaciela. Przez chwilę myślał, że zbiegł razem z Dziewicą, gdy nagle usłyszał stłumione harmonijne dźwięki dochodzące z głębi korytarza. Skoczną melodię, zapewne piosnkę do tańca lub marsz towarzyszący idącym na wojnę oddziałom, ale wygrany z delikatnością, przepełniony słodyczą.

Dante zatrzymał się w progu, podziwiając kobietę, która skulona na poduszce, przygrywała na lutni. Amara, pochylona nad instrumentem, szczupłymi palcami dotykała strun przeciągłym ruchem, w sposób przywodzący na myśl pieszczotę. Zdawała się chłonąć wibracje instrumentu, pogrążona w tajemniczej ekstazie dźwięków, których przypuszczalnie nie mogła usłyszeć. Światło świecy igrało ze śnieżną bielą jej włosów, zamieniając je w srebrzysty wodospad. Dante chciwie pożerał wzrokiem jej doskonałe kształty, czując, jak jego serce bije coraz szybciej.

Niespodziewanie kobieta podniosła oczy i go zobaczyła. Natychmiast skoczyła na równe nogi, jakby się czegoś bała.

Gwałtowny ruch sprawił, że instrument wypadł jej z rąk i potoczył się po ziemi z zawodzącym brzękiem.

Dante spróbował ją uspokoić gestem ręki.

– Szukam Cecca. Potrafisz zrozumieć, co mówię?

Amara skinęła głową. Może i ona wyczuła ów żar namiętności, jaka się w nim zbudziła, i chciała jej umknąć? Jednak dotarłszy w pobliże drzwi, miast rzucić się do ucieczki, stanęła i ruchem ręki przyzwała Dantego do siebie, po czym wskazała mu niewielki stolik w kącie. Krążyła niespokojnie wzrokiem, jakby czegoś szukała. Kilkakrotnie podniosła rękę do ust. Najwyraźniej starała się coś powiedzieć. Wskazywała na ten sam punkt.

Poeta podszedł bliżej. Na stoliku leżała cienka kamienna płyta, na której wyryto przecinające się prostopadle linie tworzące szachownicę.

Na płycie i obok niej leżały porozrzucane w nieładzie piony do gry, maleńkie figurki z kości słoniowej i hebanu niczym ofiary bitwy rozpętanej przez bogów.

Amara wzięła do ręki czarnego króla i ustawiła go na środku szachownicy, po czym spojrzała na Dantego, jakby chciała się upewnić, że z uwagą śledzi jej ruchy. Palcem wskazującym dotknęła niewielkiego posążka. Ponad głową wystawały mu spiczaste liście korony. W tym samym czasie poruszała ustami, jakby próbowała wypowiedzieć jakieś imię.

– Król? – zapytał Dante. Amara skinęła głową, po czym kilka razy dotknęła korony na głowie pionka.

– Korona. Symbol władzy? Cesarstwo? – zgadywał dalej Dante. Kobieta wciąż czekała na właściwe słowo, nie przestając dotykać maleńkiej korony. – Cesarz. Fryderyk?

Niemowa przytaknęła z ożywieniem, a jej oczy zalśniły z zadowolenia. Wzięła do ręki czarną królową i postawiła ją obok figurki króla, następnie otoczyła je obie końmi i wieżami. Potem palcem nakreśliła pospiesznie wokół tej grupki niewielki okrąg, chcąc najwyraźniej, by potraktować ją jako całość.

– Dwór Fryderyka? – wyszeptał poeta.

Ona znów potwierdziła. Zdawało się, że ów krótki spektakl dobiegł końca. Dante raz po raz przesuwał wzrok od jej twarzy do pionów na szachownicy, próbując odgadnąć jego ukryty sens. Amara stała nieruchomo, przyglądając się w skupieniu swojemu dziełu. Wtem chwyciła następną figurkę, leżącą na krawędzi stołu, i ustawiła w pobliżu króla, tuż za nim. Była to biała królowa.

– Inna kobieta?

Kolejne twierdzące skinienie. Zaraz potem Amara wzięła następny posążek i koło białej królowej stanął pionek tego samego koloru.

– Syn – wyszeptał Dante. – Z inną kobietą.

Niemowa na powrót znieruchomiała. W owych momentach zawieszenia, kiedy zdawała się nieobecna, był jednak jakiś sens. Nieruchomiejąc, chciała najprawdopodobniej zaznaczyć upływ czasu.

W tej właśnie chwili Amara się ocknęła, znów czegoś szukając wśród rozrzuconych figur. Wyciągnęła rękę ponad szachownicą i ustawiła na niej białą figurę, dokładnie za plecami Fryderyka. Kilkakrotnie wskazała ją Dantemu, po czym chwyciła ją w rękę i mocno uderzyła nią w króla, który potoczył się do brzegu stołu i upadł na podłogę.

Podczas upadku posążek rozpękł się na dwie części na wysokości szyi. Dante odruchowo przyklęknął, by podnieść je z ziemi. Zbliżył kawałki do twarzy Amary, jakby prosił, by potwierdziła to, co zobaczył.

– Ktoś zamordował Fryderyka? Jeden z członków jego świty?

Kobieta ponownie przytaknęła.

Prior pokiwał głową. Wieść o tym, że cesarz został zamordowany, rozniosła się już niebawem po jego śmierci.

Wielu pragnęło jego zgonu, więc oczywiste było, że pojawią się takie pogłoski. A jednak Amara zdawała się zupełnie pewna tego, co mu pokazała. Może słyszała coś poza zwykłym bajaniem spiskowców. Ponownie przyjrzał się inscenizacji na szachownicy. Amara obsadziła w roli zabójcy biały pion, podobnie jak biała była druga kobieta. Być może biel oznaczała kogoś z zewnątrz, kto wślizgnął się na dwór, skrywając swą prawdziwą tożsamość.

Wtem poczuł, że ktoś ciągnie go za rękaw. Niemowa na powrót starała się skierować jego uwagę na szachownicę. Wskazywała teraz pionek zasłonięty dotąd szatą białej królowej. Uniosła go i położyła na przeciwnym krańcu szachownicy. Następnie wyszukała dwie czarne figury przybrane w coś w rodzaju mitry, przypominające sylwetką biskupa, i ustawiła obok niego, tak jakby miały go chronić.

– Syn uciekł? Został ukryty wśród... duchownych? – ponaglił ją; kobieta wpierw zaprzeczyła ruchem głowy, potem, jakby nagle zmieniła zdanie, jęła energicznie przytakiwać.

– I jaki koniec spotkał owo dziecię? – zapytał Dante.

Amara zdawała się niepewna. Wyginała nerwowo palce, nie znajdując sposobu, aby wyrazić to, co pragnęła. Jej wzrok padł na maleńką koronę, którą poeta wciąż trzymał w dłoni. Jej oblicze się rozpromieniło. Wyrwała mu ją z garści i położyła na głowie pionka z uśmiechem triumfu.

– Syn... włoży koronę?

Kobieta ruchem głowy przytaknęła. Następnie wyciągniętą ręką zatoczyła koło.

– Tutaj? Włoży koronę tu, we Florencji?

W tym momencie uwagę priora zaprzątnął odgłos cichych kroków. Odwrócił się. Na progu ujrzał Cecca.

Rozpoznawszy go, Amara podskoczyła i w pośpiechu wycofała się w głąb izby, jakby jego przybycie wprawiło ją w zakłopotanie.

– Cecco – odezwał się Dante lodowatym tonem. – Przyszedłem tu, aby ci o czymś powiedzieć. – Tamten stanął zaciekawiony. – Widziałem dziś Brandana na brzegu Arno. Bez życia.

Sieneńczyk zasłonił ręką usta, blednąc. Na moment podążył wzrokiem w stronę, gdzie zniknęła kobieta, później ponownie spojrzał na Dantego.

– Jesteś tego pewien?

– Tak jak tego, że tu teraz jestem.

Cecco oparł się o ścianę, jakby nagle zabrakło mu sił.

– W jaki sposób zginął?

Prior odczekał chwilę, nim odpowiedział.

– Najpewniej utonął. Choć są na ciele nieboszczyka znaki, które każą mi myśleć, że ktoś się do tego przyczynił. Także twoja mina każe mi myśleć w ten sposób. Powiedz mi w końcu wszystko.

– Już powiedziałem ci wszystko.

– Chcę wiedzieć również to, czego mi nie wyjawiłeś. I musisz zacząć mówić, jeśli nie przez wzgląd na starą przyjaźń, to po to by ocalić własną skórę.

– Jeśli Brandano został zamordowany, za tym wszystkim stać musi ręka Bonifacego. Jego pazerność.

– Ale dlaczego? Jeśli zaiste ludzie Kościoła odkryli wasz fortel, a twój w tym wszystkim udział ogranicza się, jak się zarzekałeś, do wyłuskania paru florenów z kieszeni łatwowiernych głupców, po cóż to sam papież miałby zawracać sobie głowę gromadką oszustów i potajemnie próbować ich zabić? Od dawna bylibyście już w łapach inkwizycji, przytroczeni do pręgierza na którymś z placów ku przestrodze ludu i chwale Boga. Oraz, rzecz jasna, Bonifacego.

– Byłoby tak, gdyby papież był rzeczywiście prawowitym Boskim namiestnikiem, którym się mieni, a nie sekciarzem kipiącym żądzą pieniądza. – Cecco opuścił głowę. Po chwili podniósł ją i utkwił wzrok w Dantem. – Jest jedna rzecz, o której ci nie powiedziałem, przyjacielu. Plan Wyznawców nie kończy się na tym, co już widziałeś.

– Mów śmiało.

– Fortel z Dziewicą to tylko odcinek dłuższego pochodu, na którego końcu znajduje się skarb. Jeśli to właśnie odkryli ludzie Bonifacego, wszyscy naprawdę jesteśmy zgubieni.

– O jakim skarbie mówisz?

– Fryderyk w każde miejsce, w którym przebywał ze swoim dworem, zabierał skrzynie ze skarbem cesarstwa. I czynił to z coraz większą zapobiegliwością, odkąd zaczął wyczuwać wokół siebie zdradę, po tym jak kazał stracić swego osobistego sekretarza Piera delle Vigne. Przewożenie skrzyń wymagało jednak coraz więcej zabiegów. Po przegranej bitwie pod Parmą, kiedy złupiono cesarski obóz, a sam skarb tylko cudem nie dostał się w ręce najeźdźców, postanowił, zdaje się, ukryć go w bezpiecznym miejscu.

– I ty znasz owo miejsce? – zapytał szeptem poeta, bezwiednie przysuwając się do przyjaciela.

– Mówi się, że Wyznawcy je znają. Myślisz, że dlaczego przystałem do tych szaleńców? Myślisz, że mi odbiło, jak sądzi ta dziwka Bacchina, moja kobieta? Podobno wieść o tajemniczym miejscu ukrycia skarbu jakimś sposobem dotarła do Francji, do Wyznawców w Tuluzie, lecz jego odnalezienie to dzieło mozolne i czasochłonne. Dlatego ruszyła cała ta farsa z krucjatą: aby znaleźć pieniądze i ludzi pomocnych w odnalezieniu skarbu.

– I ty znasz ową sekretną kryjówkę?

Sieneńczyk z niepokojem potrząsnął głową.

– Tutaj, we Florencji, ktoś miał się z nami skontaktować i pokierować biegiem wypadków. Gospoda Pod Aniołem miała być miejscem spotkania. Jedynie Brandano wiedział, co to za osoba. Może do spotkania doszło, lecz wraz ze śmiercią mnicha nić wiadomości się zerwała. Co my mamy teraz robić? – zakończył, wykręcając ręce.

– Bądźcie czujni i pozostańcie w ukryciu, na razie. Śmierć Brandana to mógł być równie dobrze nieszczęśliwy wypadek. Może nie docenił siły prądów Arno. Jeśliby to ręka Bonifacego skróciła jego żywot, szpony papieża już dawno by tutaj sięgnęły. Może nieznajomy, którego oczekujecie, jeszcze się objawi.

Cecco przytaknął. Zdawało się, że z całej siły uchwycił się tego cienia nadziei.

– Coś jeszcze słyszałem o tym skarbie. Krążyły głosy, że Fryderyk zamknął go w ośmiokącie.

Dante zasiadł przed szachownicą i się zamyślił. Gdyby w istocie skarb Fryderyka, o którym opowiadano legendy, leżał u podstaw zagadkowej budowli, starczałoby to z nawiązką za motyw, który uruchomił ów łańcuch śmierci. Zamknął go w ośmiokącie. Czy cesarz mógł ukryć skarb w Castel del Monte? Jeśli tak było, to cel fałszywej krucjaty zdawał się oczywisty: zebrać motłoch gotowy do czynu, przeciągnąć z nim przez Apulię, mamiąc obietnicą wyprawy do Ziemi Świętej. A potem dotarłszy do Kapitanaty, wykorzystać zamęt, aby odzyskać skarb i ukryć go w taborze wojska.

Lecz po co wznosić we Florencji tajemniczy zamek? Może po to, by wybadać jego tajemne proporcje, odkryć fałszywe ściany, za którymi upchnięto złoto? Lecz jeśli to sam Bigarelli zbudował oryginał, na cóż zdać się mogła wzniesiona tu kopia?

Po co przewozić wszystkie te lustra, skoro do fortelu wystarczały dwa?

A zagadkowa machina? A zamordowani ludzie?

I jeszcze: czy naprawdę istniał dziedzic Fryderyka, czy to sam cesarz, który nigdy nie umarł, sposobił się, by powrócić w pełni swej chwały?

Czuł, że głowa zaczyna mu ciążyć, a zmęczenie narasta, przenikając go od środka wraz z falującym dymem świec gęstniejącym w powietrzu. Powoli osunął się na dywan i zwinął się w kłębek przed szachownicą. Szukając wytchnienia, zamknął powieki.

Podczas snu musiał się poruszyć i zsunąć z dywanu. Chłód posadzki wniknął w głąb jego kości. Czuł silny ból i mrowienie w znieruchomiałych kończynach. Wydało mu się naraz, że ktoś poustawiał zwierciadła na środku sali. Poraziła go straszliwa geometria lustrzanych obrazów, nierzeczywistych odbić, przerażająca tak, jakby w przestrzeni sali zrodził się jakiś nieznany kosmos. Czuł, jak na powierzchnię szkła od wewnątrz napierają ogniste demony, ich wibrujące wężowe ogony niczym macki rozpełzające się po posadzce, owijające się wokół świeczników.

Zdawało mu się, że podnosi się z ziemi, wciąż jednak czując senne rozluźnienie, i próbuje się wydostać z sali. Skierował się do rogu, gdzie jak zapamiętał, znajdują się drzwi piekielnego opactwa. Nagle stanął, słysząc rzężenie dobiegające z jednego z luster. Skamieniał ze strachu. Plama cienia pośrodku ośmiokąta znaczyła miejsce, w którym rozwarła się przepaść. Z dołu dał się słyszeć huk. Jakby runęły filary potężnego gmachu, przygniatając ryczący z bólu tłum. Spojrzał w dół. Z mroków otchłani wydobywała się z coraz większą prędkością bezkształtna masa. Nadciągała jakaś nieczysta siła. Jego otępiałe zmysły odliczały tylko pozostały czas. Cały się trząsł, nie mogąc opanować dreszczy.

W oszołomieniu wpatrywał się przed siebie. Z leja wynurzył się brodaty olbrzym o dwóch twarzach z okrętu śmierci, potężny niczym wieża. A każda z jego gąb międliła w lewiatanowych zębiskach ludzkie ciało. Potrząsał głową, rozbryzgując naokoło krew i kawałki mięsa.

Dante ze zgrozą spostrzegł, że owi ludzie wciąż żyją, dogorywają, wydając z siebie rozdzierające krzyki. Dwaj ludzie ze złotą koroną na skroniach, dwaj królowie. Ojciec i syn.

7

Poranek 12 sierpnia, w gospodzie

Bernardo odłożył stronice papieru, które przeglądał. Podniósł się z błędnym wzrokiem, jakby jego umysł wciąż zajmowały wcześniejsze myśli. Chwycił go atak kaszlu, który wyssał z niego resztki żywotnych mocy. Na powrót opadł ciężko na łoże.

– Dajcie mi wody – wyszeptał, wskazując stojący na stole dzban.

Był zlany potem, jego policzki trzęsły się od gorączki. Nim Dantemu udało się napełnić mosiężny kubek, wyrwał mu go z ręki i wypił duszkiem. Odstawił go zaraz po tym, jak go opróżnił. Drżał na całym ciele w gwałtownym napadzie dreszczy.

Dopiero po chwili zdał się w końcu zauważyć poetę. Najwyraźniej odzyskiwał siły. Dwornie poprosił, aby się rozgościł, robiąc mu miejsce na drewnianym zydlu, z którego zabrał kilka leżących tam wcześniej ksiąg.

Gdy jego gość rozsiadł się wygodnie, *literatus* wsparł się na poduszce.

– W czym mogę wam służyć, *messer* Durante?

– Jest pewna sprawa, w której, jak sądzę, powinienem się uciec do waszej wiedzy, Bernardo. Ma ona związek z życiem cesarza Fryderyka.

Tamten skinął nieznacznie głową, dając mu znak, by mówił dalej.

– Czy to możliwe, by żył gdzieś jeszcze jego potomek?

Dziejopis wzruszył ramionami. Niespodziewanie zauważył na swych palcach plamę atramentu i zdawał się jej przyglądać z zaciekawieniem, jakby w niej miała się zawierać odpowiedź.

– To możliwe – odrzekł po chwili, na powrót kierując swój wzrok na poetę. – Dlaczego mnie o to pytacie?

– Z powodu... pewnych wydarzeń ostatnich dni. Przeczucia, niejasnych wskazówek... Sądziłem, że wy będziecie wiedzieli o tym więcej.

– Fryderyk był niesamowitą osobą, zaiste słusznie uważaną za dziw naszych czasów. *Stupor mundi**, jak go nazywano. I wiele jest niepewnych przekazów o nim i jego życiu. Niewiadomych, które częściowo pragnę rozwikłać w mym dziele, lecz które na dłuższą metę pozostaną. Pamięć o licznych jego uczynkach przepadła, została wypaczona lub zafałszowana. Przez wiele lat nie wierzono również w jego śmierć. Niedawno w krainach Germanii pojawił się pewien typ, który utrzymywał, że jest cesarzem. Że udało mu się umknąć wrogom i powrócił, by ocalić imperium.

– I uwierzono mu?

– Tak, przez kilka lat wałęsał się po owych ziemiach w towarzystwie wiernych sobie oddziałów gotowych zginąć w jego obronie. A co do waszego pytania, odpowiedź brzmi: tak i nie.

Dante wyczekiwał dalszego ciągu, lecz Bernardo najwyraźniej nie miał ochoty rozwiązać zagadki. Wbił w niego wzrok, jakby to on na coś czekał. W końcu zdecydował się mówić.

– Dynastia Staufów. Jej więzy krwi wygasły wraz z nieszczęśnikiem Konradynem. To tyle, co się tyczy prawowitych

---

* *Stupor mundi* (łac.) – dziw świata.

potomków cesarza. Ale Fryderyk był mężczyzną wielu namiętności...

– Wiadomo o kilku jego nieślubnych dzieciach.

– O całej gromadce. W większości to opowieści wyssane z palca. Nie było niewiasty w jego haremie, która nie szczyciłaby się tym, że wydała na świat jego potomka. A sam cesarz nie dementował owych pogłosek. Co więcej, był przekonany, że płodność jest jednym z atrybutów wielkości oraz że liczne potomstwo przyczyni się do wzmocnienia dynastii i jednocześnie poskromi apetyty i ambicje prawowitych dziedziców. Nie zamierzał składać berła prędzej niż w dniu, który wyznaczyła mu matka natura.

– Pomiędzy bękartami nie było przypadkiem nikogo, kto miałby większe od innych prawo, by walczyć o sukcesję?

Bernardo wskazał na plik arkuszy leżący na biurku.

– Kto wie. Może jeden z nich. To właśnie próbuję ustalić, wczytując się w pisma mojego mistrza – odpowiedział niejasno.

Dante miał wrażenie, że nie wie nic więcej o sprawie. Albo że z jakiejś przyczyny nie chce wyjawić mu prawdy. W słowach historyka była jednak pewna rzecz, która go uderzyła.

Napomknienie o naturze.

– Fryderyk obawiał się, że zostanie zamordowany?

Bernardo przeszył go spojrzeniem.

– Cesarz naprawdę został zamordowany. Przez fałszywą rękę, która zgasiła tchnienie największej nadziei naszego stulecia.

– Plotka, że Fryderyk został zamordowany, rozniosła się natychmiast, zarówno przez wzgląd na okoliczności, jak i raptowność jego odejścia. Lecz nie odnaleziono na to żadnych dowodów, poza oszczerstwami Kurii, która oskarża szlachetnego Manfreda o to, iż udusił chorego ojca, by zająć jego miejsce.

– A jednak Mainardino nie miał najmniejszych wątpliwości. Był przekonany, że cesarza otruł ktoś bardzo mu bliski, ktoś, komu ufał.

– Jego medyk, wiem, takie głosy także krążyły.

– Jeden z medyków rzeczywiście nastawał na jego życie po bitwie pod Parmą. Lecz został zdemaskowany. Nie, to była inna osoba. Mainardino był pewien, że mógłby to udowodnić, gdyby tylko...

– Gdyby tylko?

– Gdyby tylko udało mu się dociec, w jaki sposób zaaplikowano truciznę. W ostatnich latach Fryderyk był nieufny, nie brał niczego do ust, jeśli wpierw nie dał tego komuś do spróbowania. A jednak jakimś sposobem został otruty.

– Nie zdradził wam nigdy imienia zabójcy?

– Nie. Lecz nienawidził go z całych sił. Człowiek ów nie tylko zamordował cesarza, ale także pogrzebał nadzieje na sprawiedliwy porządek rzeczy.

Dante nachylił się ku niemu.

– Skąd w was taka pewność? Ja także słyszałem rozmaite głosy, lecz w niczym nie różniły się one od plotek, które zawsze krążą po śmierci wielkiego człowieka.

– Wyjawił mi to osobiście Mainardino, na łożu śmierci. I przyznał mi się, że nigdy nie miał wątpliwości co do tego, kto podał truciznę. Mówił o nim z pogardą „człek niepełny".

– Człek niepełny? Co miał na myśli?

– Może chodziło mu o jakowąś cielesną ułomność? Albo skazę ducha, *vulnus** na sumieniu?

– Dlaczego więc nie wymierzono sprawiedliwości, skoro znana była tożsamość sprawcy?

---

* Rana (łac.).

– O to samo spytałem mojego mistrza. Odrzekł, że jego podejrzenia napotkały mur nie do przebicia: nie udało mu się domyślić, w jaki sposób dokonano otrucia. *Certus quis, quomodo incertus*, tak napisał. Wiadomy zabójca, niewiadomy sposób. Fryderyk, wówczas już cierpiący, stosował pewną szczególną dietę z samych owoców. Pijał jedynie rozcieńczone wodą wino z Apulii i, jak wam rzekłem, to wszystko wpierw podawane było do spróbowania Saracenom z jego przybocznej gwardii, oddanym mu bez reszty. Tymczasem komuś udało się dolać zatrutej wody do jego kielicha tak, że nie spostrzegli oni niczego ani nie ponieśli najmniejszej szkody.

Bernardo przerwał. Dantemu się zdawało, iż widzi, jak w jego krótkowzrocznym oku szkli się łza.

– Później, gdy cesarz miotał się jeszcze w konwulsjach agonii, a jego królestwo poczynało walić się w gruzy, wobec zamętu pierwszych godzin, gdy wybuchały utajone niesnaski i zawiści, Mainardino postanowił odłożyć swe oskarżenia na spokojniejsze czasy.

– Co stało się z kielichem?

– Nie wiem. Zniknął w zamieszaniu po śmierci władcy. Mainardino był przekonany, że to zabójca zabrał go ze sobą, by ukryć dowody, obawiając się, że pewnego dnia zdradzi on wraz ze sposobem, w jaki dokonano zbrodni, również jej sprawcę.

Przed południem

Tymczasem był jeszcze jeden element w zagadkowy sposób powiązany ze sprawą. Prior błyskawicznie dotarł w okolice Santa Maria, do warsztatu Alberta, Lombardczyka.

Zastał mistrza w jego pracowni na pierwszym piętrze, wciąż pochłoniętego pracą przy mechanizmie znalezionym na statku. Natychmiast spostrzegł z zadowoleniem, że z ławy zniknęły stosy mosiężnych trybików podobnych do wnętrzności tajemniczego zwierzęcia. Trafiły one najwyraźniej na swoje miejsce we wnętrzu machiny; lecz miast nadać jej rozpoznawalny kształt, czyniły ją jeszcze bardziej dziwaczną.

– Zdaje się, że dopięliście swego, mistrzu Albercie. Powiedzcie mi, co udało wam się odkryć.

Mężczyzna odwrócił się w jego stronę z niezadowoloną miną.

– Udało mi się wmontować części na właściwe miejsce, podążając za logiką zależności między nimi. Mechanizmami włada zasada konieczności, podobnie jak w naturze. Lecz jeśli ona jest córą nieprzeniknionego rozumu Boga, te pierwsze zrodzone w ograniczonym ludzkim umyśle rządzą się o wiele mniejszą liczbą kombinacji. To pozwala nam złożyć elementy w sprawną całość, co nie udałoby się z rozczłonkowanym ciałem żywego stworzenia. Lecz...

– Lecz? – ponaglił go niespokojnie poeta.

– Lecz mimo iż machina została na powrót złożona i wprawiona w ruch działa, wciąż nie pojąłem jej zagadkowej funkcji.

Obudowę mechanizmu stanowił sześcian z drewna, którego bok mierzył około stopy długości, skrywający we wnętrzu dziesiątki trybów. Kilka nieco jaśniejszych punktów zdradzało miejsca uszkodzeń, w które rzemieślnik wstawił nowe części. Nad pudłem spoczywała długa pozioma oś z mosiądzu, poprzez skrajne koło zębate połączona z wewnętrzną maszynerią. Do jej przeciwległych krańców przymocowane były dwa półkola wielkości rozpiętej dłoni.

– To wszystko nie ma sensu – zawyrokował kolejny raz Alberto.

Również młody Amid podszedł do nich i obserwował machinę w milczeniu.

– Spowite w obłoki bywają czasem zamysły Allaha – wyszeptał.

Dante wzruszył ramionami.

– Powiedzieliście, że to działa. Pokażcie mi jak.

Tamten skinął głową, po czym sięgnął ręką za instrument. U dołu, w miejscu, które umknęło wcześniej uwadze poety, wystawał z mechanizmu wygięty prostopadle pręt, tworzący rączkę. Alberto chwycił go i zaczął obracać, powodując metaliczny chrzęst.

– Ta rączka napina stalową spiralę. Zaczekajcie chwilę.

Wykonał ręką z tuzin obrotów. Dante zauważył, że z każdym obrotem stal stawia coraz mocniejszy opór. W końcu Alberto wydawał się zadowolony.

Po przeciwnej stronie rączki znajdował się metalowy kluczyk kształtem przypominający motyla. *Mechanicus* obrócił go nieznacznie, wprawiając w ruch wewnętrzne tryby, które jęły pracować z głośnym tykaniem. Górna oś poczęła krążyć, stopniowo zwiększając prędkość obrotów.

Dante obserwował to wszystko z wytężoną ciekawością. Półkoliste zakończenia osi wirowały teraz z hałaśliwym trzepotem niczym skrzydła olbrzymiego owada, który za chwilę wzleci ponad ławę. Machina lekko wibrowała, lecz ciężar obracających się części musiał zostać idealnie wyważony, gdyż drgania nie zaburzały równowagi obrotów.

– Teraz uważajcie, priorze – powiedział Alberto i ponownie poruszył kluczykiem. Przesunął go jeszcze o ćwierć obrotu. Krążąca oś przyśpieszyła. – Kluczyk zwalnia wewnętrzny hamulec, który pozwala regulować prędkość obrotów.

Wirując, dwa przeciwległe półksiężyce zlewały się w oku poety w krąg litego mosiądzu.

– Ale do czego ten mechanizm służy? – spytał ponownie Dante. Po chwili Alberto przekręcił powoli kluczyk

– Jak wam już rzekłem, nie wiem – odpowiedział. – Nie wydaje się, by miał jakieś praktyczne zastosowanie. Wprawia tylko w ruch owe niby-skrzydła.

Dante wciąż wpatrywał się w przedmiot, zastanawiając się nad jego możliwym przeznaczeniem.

– Może to tylko element większego układu?

– To także rozważyłem. Ale nie. Cały system wewnętrznych przekładni podporządkowany jest temu wyłącznemu celowi, a w odbudowie nie ma żadnych otworów, które pozwoliłyby go połączyć z innym urządzeniem. Z kolei patrząc na zewnętrzną część wirującego mechanizmu, nie dostrzega się niczego, co pozwalałoby sądzić, że jakiegokolwiek elementu brakuje. Nie, wszystko, co z sobą przywieźliście, jest tutaj, przed wami.

Dante osunął się na zydel. Oparł łokcie o ławę i ujął brodę zaciśniętymi w pięść dłońmi. Nieprzerwanie gapił się w drewniany sześcian.

– Jednak obecność regulatora prędkości obrotów kazałaby się domyślać jakiejś formy miary – rzekł po chwili. – Na pewno wykluczacie podejrzenie, że to rodzaj czasomierza?

– Priorze, z pomocą owej machiny nie dałoby się zmierzyć żadnej z ludzkich czynności. Może to w istocie rodzaj sfery armilarnej, lecz stworzonej z myślą o innych niebach, o innych światach.

Dante wolno pokiwał głową. Ponownie popatrzył na mistrza, a potem na Amida, żywiąc cichą nadzieję, że Saracen będzie chciał coś dodać. Młodzieniec jednak nie odezwał się ni słowem, spoglądając nieufnie na machinę. Widoczna za jego plecami zasłona, skrywająca jego legowisko, była odsunięta do połowy. Wzrok poety padł na rękopis księgi *Miradż* rozłożony na skromnym dywanie. Westchnął.

– W każdym razie dziękuję wam, mistrzu Albercie, za to, co dla mnie uczyniliście.

W rogu stała sporych rozmiarów skrzynka. Poeta z pomocą Alberta umieścił w niej machinę.

– Okryjcie skrzynkę jakimś workiem – polecił. – Wdzięczny wam jestem i zadbam o to, by wasz trud niezwłocznie wynagrodzono.

Nie miał zielonego pojęcia, jak wytłumaczy sekretarzowi komuny podobny wydatek, lecz niewątpliwie o to zadba. Nie miał też jasnego pomysłu na to, co zrobić z zagadkowym przyrządem. Instynkt podpowiadał mu, że należy go stąd zabrać. Zbyt wiele osób wiedziało, że jest tutaj.

– Nie troszczcie się o zapłatę, priorze. Miasto wasze przygarnęło mnie jako wygnańca, gdy uchodzić musiałem przed prześladowaniami waldensów. Moją pracę potraktujcie jako dar.

Przed wyjściem wzrok Dantego padł na młodego niewolnika.

– Pomożesz mi przenieść skrzynię – zaordynował sucho, zyskawszy wcześniej nieme przyzwolenie Lombardczyka. Niespodziewanie przyszła mu na myśl pewna kryjówka.

Z trudem powściągnął ironiczny uśmiech, który wykwitł na jego ustach. Jakież miejsce nadawało się do tego lepiej niż opactwo Santa Maddalena? Tyle tajemnic już skrywało, ludzi i przedmiotów. Jeśli przeznaczeniem tego kościoła jest być skarbnicą sekretów, i on ukryje tam swój.

Szybkim krokiem podążył w kierunku opactwa. Za nim śpieszył Saracen ze swym bagażem na plecach. Machina nie była szczególnie ciężka, lecz w bezlitosnym upale po paru krokach chłopak mokry był od potu. Szedł jednak za poetą bez słowa skargi.

Po jednej stronie ulicy rozciągał się cień płóciennego zadaszenia sklepu, odciskając ciemny kształt na rozpalonym bruku. Dante dał młodzieńcowi znak, by się zatrzymał, i przysiadł na skrzyni, którą tamten odstawił z ramion na ziemię.

– Zatem wedle twej księgi Bóg z wysokości swego tronu strzeże sprawiedliwych. A co z niegodziwcami?

– Gdy Prorok dotarł do trzeciego nieba, rozwarła się przed nim otchłań win i ujrzał straszliwy lej przeznaczony występnym oraz siedem stopni ich upadku.

– Siedem? W zależności od winy?

– Ukaranych za popełnione zbrodnie odwrotnością swojej przewiny.

– Kara odwetu. Ją także wzięliście od Arystotelesa – uśmiechnął się poeta ze złośliwym grymasem. – A w jaki sposób dostał się do nieba ten twój prorok?

– Udał się tam prowadzony przez archanioła Gabriela – odrzekł młodzieniec, ocierając pot z czoła wierzchem dłoni.

Dante długo ważył odpowiedź, skubiąc palcami dolną wargę.

– Dlaczego anioł miał mu pomagać? Dlaczego nie dotarł tam o własnych siłach?

Amid rzucił mu badawcze spojrzenie.

– O własnych siłach spalicie swe skrzydła – odezwał się po chwili, potrząsając głową. – Tylko niebiańska istota wstąpić może przed tron Straszliwego Majestatu.

– Zatem być może pewien duch niebiański będzie mi towarzyszył – mruknął Dante. Podniósł się nagle i ruszył dalej.

Kiedy dotarli w okolice antycznego forum, a do celu pozostało niespełna sto kroków, prior przerwał marsz i wręczył Amidowi monetę. Młodzieniec postawił skrzynię na ziemi, rozglądając się ze zdziwieniem dokoła, lecz nic nie powiedział. Dante nieprzypadkowo wybrał to miejsce, w pobliżu targu.

Liczył na to, że nawet w tym mieście plotkarzy akurat tu nie wzbudzi niczyjej ciekawości jego widok w towarzystwie tragarza z zagadkowym ładunkiem.

Odczekał, aż niewolnik zniknie za rogiem, po czym zarzucił sobie skrzynię na plecy i ruszył dalej w kierunku opactwa.

Na drodze napotkał kilka znajomych twarzy, lecz parł do przodu ze wzrokiem utkwionym przed siebie, nie odpowiadając na pozdrowienia. Dotarł do kościoła dokładnie w momencie, gdy dzwon opactwa wydzwaniał czas nieszporów. Podszedł do bocznego portalu i, kolejny raz upewniwszy się, że nikt go nie śledzi, wszedł do kościoła razem ze swym ładunkiem.

Wnętrze było zupełnie puste. Wykorzystał to i błyskawicznie wprawił w ruch mechanizm strzegący zejścia do krypty. Zstąpił do podziemia. Przypomniał sobie, gdzie stała oliwna lampka. Zapalił ją i począł się rozglądać za jakimś schowkiem.

W krypcie nie było widać dobrych kryjówek. Przez chwilę rozważał ukrycie mechanizmu w biegnącej pod nią rozpadlinie, lecz powstrzymał go lęk, że wody studni mogłyby w niewiadomy sposób dotrzeć aż tutaj.

Na powrót stanął mu przed oczami widok Dziewicy. W kącie na starożytnym sarkofagu leżał złożony tam relikwiarz Bigarellego, który zdawał się w niego wbijać kamienne źrenice. Podszedł, chcąc przyjrzeć się z bliska wytworowi szaleństwa rzeźbiarza.

Wtem jego uwagę przykuła pokrywa sarkofagu. Kamienną płytę przesuwano, i to niedawno, sądząc po śladach na posadzce. Z wysiłkiem odsunął ją, otwierając szczelinę szeroką na parę cali. Uniósł kaganek, usiłując oświetlić wnętrze grobowca.

Spodziewał się, iż ujrzy w środku resztki rozsypujących się kości. Miast tego chwiejny płomień odbił się w setkach błyszczących stalowych ostrzy.

Ktoś ukrył we wnętrzu cały arsenał. Rozejrzał się wokół siebie. W krypcie stały jeszcze dwa inne sarkofagi. Szybko odsunął także ich pokrywy, odkrywając kolejne składowiska broni.

Tym, co tam znalazł, można by wyposażyć niewielką armię. Nowiuteńkie klingi, bez najmniejszych śladów rdzy.

Znieruchomiał na chwilę, by pomyśleć. Potem, zrobiwszy miejsce wśród broni, złożył skrzynię z mechanizmem na dnie grobowca.

Miał już zasunąć płytę sarkofagu, gdy usłyszał czyjeś kroki na schodach krypty. W drżącym świetle kaganka zobaczył Cecca. Ów ściskał w garści krótki miecz.

Ujrzawszy Dantego, opuścił broń.

– Słyszałem jakieś hałasy. A zatem wróciłeś, co? Miałem już...

– Dlaczego mnie okłamałeś? – przerwał mu poeta, dosuwając pokrywę.

Oblicze przyjaciela przybrało wyraz błazeńskiego strapienia.

– O czym ty mówisz? – wybąkał, drapiąc się po wystającym brzuchu.

– W krypcie pełno jest broni. Co zamierzacie z nią zrobić, skoro waszym jedynym celem jest wydębienie od głupców paru florenów?

– Wiedziałem wcześniej o tej broni. Ale nie wiem, dlaczego ktoś ją tutaj ukrył, przysięgam! – Podszedł do Dantego, odrzuciwszy miecz. – Wyznawcy zgotowali to wszystko, lecz nie we wszystkie tajniki planu mnie wprowadzono. Żaden z naszych nie wie wszystkiego. Lecz jeśli odkryją to ludzie Bonifacego...

Twarz Sieneńczyka powlekła się naraz trupią bladością. W jego członki wstąpił nieokiełznany dygot. Kolana się pod nim ugięły i osunął się bezwolnie na ziemię.

– Wtedy wszyscy będziemy zgubieni...

– Co ma do tego papież? – zapytał Dante, który naraz się zaniepokoił. Ostatnią rzeczą, której teraz pragnął, było starcie z Gaetanim.

Tamten nerwowo zagryzał wargi, bez słowa. W końcu zdecydował się mówić.

– Wyznawcy planują coś wielkiego...

– Tutaj, we Florencji? Co takiego?

Cecco przybrał ostrożną pozę, jakby się obawiał, że ktoś podsłuchuje. Strach zdawał się go opuszczać, gdyż powróciła jego zwykła zuchwała mina.

– Chodzi o pieniądze, mój przyjacielu, o pieniądze. To wiem na pewno. Dla nich przyłączyłem się do tej hucpiarskiej awantury, a co ty sobie myślisz? Całe wory pieniędzy, spadek po Fryderyku, niech Bóg przyjmie go do swej chwały! Tym sposobem będę mógł posłać do diabła mojego ojca, w końcu...

– Co ma do tego cesarz, przeklęty kłamco? – wykrzyknął zniecierpliwiony Dante. – Wszyscy mówicie o nim tak, jakby cień jego na powrót zamieszkał wśród żywych. Lecz miast wspominać go z szacunkiem, jaki należy się zmarłym, wy wprost wydzieracie go z grobu, by posłużyć się nim jako przykrywką dla własnych intryg. Jaki jest cel tego wszystkiego?

Cecco potrząsnął głową.

– Cały plan się rozgałęzia, niczym konary wielkiego drzewa. Każdy z nas zna swoje zadanie... jedynie Pierwszy ogarnia wszystko. Ja jednak zrozumiałem... Skarb cesarza... przyjaciele natrafili na jego ślad. I mogę ci przysiąc, że spora część tej stali przylgnie do mych palców, które aż się do tego palą. I do twych również, jeśli zechcesz mnie wesprzeć swoim ramieniem. Jak tamtego razu pod Campaldino... – zakończył, klepiąc go energicznie po ramieniu.

Dante odsunął jego rękę ze złością.

– Kto teraz stoi na czele Wyznawców? Ów Pierwszy, o którym mówisz?

Sieneńczyk potrząsnął głową.

– Przez długie lata Wyznawców prowadził nasz wspólny przyjaciel Guido Cavalcanti. I wciąż stałby na ich czele, gdyby nie objął go nakaz banicji, do którego sam przyłożyłeś swą pieczęć – wypalił tonem pełnym urazy. – Teraz przywódcą jest ktoś znacznie dostojniejszego rodu. Tyle wiem na pewno.

Dante chwycił się za głowę. Wszystkie elementy tej tajemniczej układanki wirowały mu w myślach niczym oszalałe ćmy wokół płomienia.

– Wiem, że chcą pomścić cesarza, to także słyszałem. Jego śmierć – rzekł jeszcze Cecco.

– Jego śmierć? – jak echo powtórzył prior.

Przypomniał sobie słowa Bernarda.

– Cecco, czy i Wyznawcy myślą, że cesarz został zamordowany?

– Takie głosy wśród nas krążą. Sądzi się zgodnie, że to trucizna, że mógł ją podać jego medyk.

– I w jaki sposób miał tego dokonać?

– Tego nikt nie wie – odrzekł Sieneńczyk, unosząc ramiona.

Dante zatrząsł się ze złości. Kolejny raz ktoś przywiódł go na próg tajemnicy i zaraz zatrzasnął mu drzwi przed nosem.

Późny ranek

Dante przeszedł przez plac ubitej ziemi, który rozciągał się na tyłach San Piero, wciąż otoczony ruinami gibelińskich domów zrównanych z ziemią przez impet, który podniósł się po ich klęsce w tysiąc dwieście sześćdziesiątym szóstym roku. W tym miejscu, wykorzystując pozostałości starych murów, wznoszono przyszły Pałac Signorii z wyrastającą nieproporcjonalnie wysoko wieżą. Na razie jednak urzędy komuny rozproszone były w niskich budynkach wynajmowanych w tym celu w pobliżu.

Sekretarz komuny urzędował na pierwszym piętrze jednego z nich, u wylotu ulicy prowadzącej do Targu. Pod zajmowaną przezeń izbą i w suterenach spoczywały miejskie archiwa. Stosy dokumentów i uchwał, protokoły niezliczonych zebrań i posiedzeń rady leżały posegregowane i oznaczone malowanymi tabliczkami.

– Witajcie, *messer* Duccio – pozdrowił go poeta.

Łysy człowieczek, który rzucił się mu naprzeciw, pośpiesznie odpowiedział na pozdrowienie ukłonem, odłożywszy uprzednio wielki plik dokumentów, którymi się zajmował.

– Co mogę dla was uczynić, priorze?

– Znacie w tym mieście wszystko. Każdego wydanego i zarobionego florena. I wiecie o wszystkim, co się tu dzieje, gdzie i za czyją sprawą.

Tamten przymknął oczy z ledwo wyczuwalnym, wyrażającym ukontentowanie uśmieszkiem. Próbował natychmiast pokryć go popisem skromności.

– Zbyt szczodrzy jesteście w pochwałach mej niegodnej osoby. To cechy w swych dzielnicowych rejestrach spisują skrzętnie wszelkie interesy swych członków. Na różnych polach. Choć prawdą jest, że w mym biurze sumuje się to wszystko w pewien sposób... aby dopomóc skarbowi miasta – dodał, mrugnąwszy powiekami. – By ci handlarze nie myśleli, że uda im się wymigać od cła albo uniknąć podatków.

Dante rozejrzał się dokoła. Pokój sekretarza umeblowany był skromnie. Nieliczne sprzęty przytargano Bóg wie skąd. Nawet jego biurko wyglądało na przerobioną kościelną ławkę, a dwa krzesła, każde od innego kompletu, wcale nie prezentowały się lepiej. A jednak w tych licho wyglądających pokojach zamknięte było coś na kształt skrupulatnej zbiorowej świadomości miasta.

– *Messer* Duccio, co wiecie o pewnym uczonym, Arrigu da Jesi, który od jakiegoś czasu przebywa we Florencji?

Człowieczek zadarł brodę, jakby jego uwagę zaprzątnęło niespodzianie coś na suficie. Zamknął oczy i zagryzł wargi, powtarzając półgłosem to imię. Dantemu zdawało się, że jego wewnętrzne oko przegląda właśnie tajemne archiwum ukryte w zakamarkach pamięci.

– Arrigo... da Jesi. Oczywiście. Filozof – odezwał się po chwili. – Przybył do miasta z ziem Francji zupełnie niedawno. Nie przywiózł z sobą zbyt wiele, nie zapłacił w związku z tym żadnego cła, jedynie niewielką opłatę za księgi i papier do pisania, które miał przy sobie. Poprosił o gościnę w Santa Maria Novella, u dominikanów. W zamian od czasu do czasu naucza w ich szkole.

– Pewni jesteście, że nie miał ze sobą nic więcej? Żadnych cennych przedmiotów?

Duccio ponownie przymknął powieki.

– Nie miał. Ale wiózł rzecz niezwyczajną, teraz to sobie przypominam. Celnicy nie mieli pojęcia, jak oszacować opłatę, i zwrócili się do mnie. Skrzynię z obręczą w środku. I niewielkimi kawałkami szkła.

– Co takiego? – wykrzyknął Dante.

– Zgadza się, drewniana obręcz. Tak przynajmniej opisał mi ową rzecz dowódca posterunku w swoim raporcie. Co ja mówię, chodziło o coś więcej... poczekajcie! – krzyknął człowieczek, uderzając się ręką w czoło.

Na biurku zebrała się wysoka sterta arkuszy. Jął pośpiesznie wertować papiery, aż po chwili zatrzymał się na jednym z nich.

– Oto i on, widzicie? – wykrzyknął triumfalnie. – Nic w tym pokoju nie ginie! To raport z opisem tego przedmiotu – dodał, wręczając poecie dokument.

Oczom poety ukazały się naszkicowane niewprawnie inkaustem dwa ułożone koncentrycznie ośmiokąty.

– Widzicie? Przypomina obręcz, jak wam mówiłem.

– A co powiedział Arrigo celnikom?

– Nic takiego. Że to instrument potrzebny mu zwyczajnie do jego studiów.

Dante zamyślił się, wpatrując się wciąż w rysunek.

– Rzeczywiście, to dziwne – usłyszał niespodziewanie głos Duccia.

– Co takiego? – mruknął, ocknąwszy się.

– Że Arrigo zatrzymał się u dominikanów.

– To dziwne?

– Nawet bardzo, biorąc pod uwagę sposób rozumowania kapturów. Arrigo za młodu był nowicjuszem u franciszkanów, w czasach brata Eliasza, następcy Franciszka. A wiedząc, jak się kochają członkowie obu zakonów... Kto wie, dlaczego nie udał się do Santa Croce...

– Otóż to. Dlaczego?

Południe

W krużgankach klasztoru przylegającego do kościoła Santa Maria Novella zobaczyć można było licznych zakonników oddających się najprzeróżniejszym zajęciom. Dante szybko dotarł do północnego skrzydła, gdzie znajdowało się wejście do ciasnych sal, w których odbywały się wykłady.

On również przychodził tutaj za młodu i dobrze pamiętał stanowczość, z jaką mistrzowie wpajali mu niezachwianą pewność prawd wiary. I c h wiary. Biel i czerń płaszczy, które mijał po drodze, były odzwierciedleniem bezwzględnej precyzji, z jaką zakon oddzielał prawdę od fałszu. Do tej pory, gdy przemierzał te korytarze, gdy czuł za plecami obecność braci, towarzyszył mu nieustannie lekki dreszcz niepokoju. Owo uczucie nie opuszcza mnie i dzisiaj, pomyślał z pewnym zniecierpliwieniem, podczas gdy potrząsając ramionami, próbował się pozbyć nieprzyjemnego mrowienia.

Przecież nie był już niepewnym uczniakiem mierzącym się z tajemnicą Boga, lecz priorem, któremu oddano klucze do miasta. Podniósł wzrok, którym dotąd wpatrywał się w ziemię, bezwiednie dostosowując się do obyczajów zakonnych braci, i wszedł do ostatniej celi, skąd dochodził znajomy głos.

Dwie ławy, na których zasiadało z pół tuzina mężów, w większości nowicjuszy z tonsurą, znajdowały się naprzeciw surowej w formie katedry ustawionej na postumencie z trzema stopniami. Zasiadający na tym podwyższeniu Arrigo odczytywał tekst ze wspaniałego zdobionego miniaturami kodeksu wspartego na pulpicie. Filozof recytował głośno i powoli, oddzielając od siebie słowa, jakby w każdym z nich, a nie w zdaniach, w które się składały, krył się poszukiwany przezeń sens.

Dante od razu rozpoznał tekst służący jako temat wykładu. Była to Księga Genezis, opowieść o pierwszych dniach stworzenia. Usadowił się na skraju stojącej najbliżej ławy. Wtedy właśnie dostrzegł pośród słuchaczy wątłą sylwetkę Bernarda pochylonego nad składaną woskowaną tabliczką i wprawnym ruchem kreślącego notatki. Niespodziewanie Bernardo podniósł oczy, napotykając jego spojrzenie. Natychmiast złożył tabliczkę i wykonał pośpieszny gest pozdrowienia.

Arrigo tymczasem najwyraźniej zbliżał się do konkluzji. Cytował dzieła niektórych Ojców Kościoła i na dłużej zatrzymał się nad pewną uwagą Laktancjusza. Potem zalecił słuchaczom, by przygotowali na ten temat dysputę, którą przedstawią kolejnym razem. A gdy niewielkie audytorium podnosiło się już z miejsc, by mu się na koniec pokłonić, przemówił ponownie, polecając im rozważyć ostatnią kwestię.

– Chciałbym ponadto, byście spróbowali wyjaśnić, dlaczego Bóg stworzył światło pierwszego dnia, a gwiazdy i inne ciała jaśniejące dopiero dnia czwartego – rzekł spokojnym tonem.

Dante podszedł do stóp katedry, przepychając się między scholarami, którzy rzędem kierowali się właśnie do wyjścia.

Arrigo zamknął księgę. Uniósł głowę i natychmiast go rozpoznał.

– *Messer* Alighieri! I wy, Bernardzie... Rad jestem wielce, że znaleźliście czas, aby wysłuchać mej niegodnej rozprawy. Lecz pójdźcie za mną, opuśćmy to duszne miejsce. Na powietrzu, w chłodnym cieniu krużganków, dalsza rozmowa z pewnością toczyć się będzie swobodniej.

Wyprowadził ich na zewnątrz. Mur, ozdobiony rzędem cienkich podwójnych kolumn, otaczał ogród w pełni rozkwitu, podzielony na równe części, w którym mnisi hodowali lecznicze zioła na potrzeby klasztornej apteki. Rosnące w rogu wielkie drzewo cytrynowe wyciągało gałęzie w stronę ocienionej kolumnady, ponad niewielką bulgoczącą fontanną.

Arrigo pochylił się nad nią, pijąc chciwie wielkimi haustami.

Dante wykorzystał ten czas, by porozmawiać z historykiem.

– Nie spodziewałem się, że zastanę was na wykładzie traktującym o początkach stworzenia. Sądziłem, że pasjonuje was raczej kształt naszych czasów.

– Kształt naszych czasów, jak to raczyliście ująć, nie jest niczym innym jak konsekwencją postaci swoich narodzin: podobnie jak każde żywe stworzenie, osiągając wiek dorosły, nie jest niczym innym jak przewidywalnym rozwinięciem własnej dziecinnej postaci. Z tego też powodu i zamierzchłe czasy Genezis są moją pasją – odparł Bernardo wymijająco.

– Lekcja wielkiego Arystotelesa pobrzmiewa w tych słowach – rzekł na to Dante. – Chylę przed wami czoło. Choć przecież samo Pismo uczy nas, że nie wszystko, co zostało stworzone, trwa w czasie.

Arrigo skończył pić i osuszył wargi wierzchem dłoni.

– Zatem wy także, *messer* Durante, zgadzacie się z tezą tych, co utrzymują, że stworzenie świata nie zamknęło się w pierwszych sześciu dniach jego istnienia, lecz że Bóg oddawał się mu również w późniejszych epokach, niejednokrotnie ulepszając swe dzieła?

– Tak mówią pisma: Bóg przydawał światu kolejnych stworzeń. A wy, Bernardo, co o tym myślicie? – przynaglił go Dante.

Dziejopis wzruszył ramionami.

– Ja chylę czoło przed waszą biegłością w teologii – odpowiedział sucho, spoglądając ukradkiem na Arriga. Wydawał się zmieszany. Dante wyczuł, że przyszedł, by porozmawiać z filozofem w cztery oczy, a on swoim przybyciem zniweczył jego plany.

Arrigo również musiał coś zauważyć. Uśmiechnął się uspokajająco i położył historykowi dłoń na ramieniu.

– No już, Bernardo, prior jest uczonym, jak my, i to znakomitszym od nas. Był niegdyś mym uczniem, lecz dziś to ja z jego wiedzy powinienem czerpać naukę. Nie wahajcie się mówić, jeśli istnieje jakowaś wątpliwość, w której rozwiązaniu mógłbym wam służyć pomocą.

Bernardo, przygryzając wargi, nerwowo biegał wzrokiem pomiędzy nimi. W końcu się ośmielił.

– Wiecie o dziele, któremu poświęcam swe dni. Jest w ostatnich latach życia cesarza pewna sprawa, na którą wy moglibyście rzucić nieco więcej światła. Znajomość Fryderyka z Eliaszem z Cortony.

Arrigo przymknął na moment powieki, jakby dźwięk owego imienia zaognił naraz ból w jakiejś niezabliźnionej ranie. Lecz już po chwili na jego oblicze powrócił zwykły dlań spokój.

– Cesarz wysłał go na Wschód roku Pańskiego tysiąc dwieście czterdziestego pierwszego – ciągnął Bernardo. – Wiecie z jakiej przyczyny?

– Z misją dyplomatyczną. Miał załagodzić spór między Konstantynopolem a Watatzesem, cesarzem Nikei – odpowiedział Arrigo po chwili zastanowienia. Zdawał się zaskoczony tym pytaniem. Dante miał wrażenie, że z jakiegoś powodu chciał uniknąć na nie odpowiedzi.

– To powszechnie wiadome, tak to odnotowują wszystkie kroniki. Zastanawiam się jednak, czy jego misja nie miała na celu czegoś jeszcze.

– Byłem podówczas zwykłym nowicjuszem. Kiedy wstąpiłem do klasztoru, od podróży Eliasza upłynęło sporo czasu.

– I doprawdy nic nie słyszeliście? Żadnej wzmianki, poszeptywania? – nalegał Bernardo.

– Nie komentowano tego w mej obecności. Lecz, jak wam rzekłem, byłem jedynie nowicjuszem przeznaczonym do najlichszych zadań. Współbracia nie dopuszczali mnie, rzecz jasna, do swoich sekretów... zakładając, że w ogóle miewali takowe.

Bernardo w zamyśleniu opuścił głowę. Wydawał się mało przekonany. Ponownie zwrócił wzrok na Arriga. Filozof pewnie wytrzymał jego spojrzenie.

– Aha – mruknął. – Może rzeczywiście jest tak, jak mówicie – rzekł po chwili, już głośniej. – Dobrze zatem, najwyższy czas, bym powrócił do swojej pracy. – Oddalił się, wymieniwszy uprzejmości.

Dante i Arrigo odprowadzali go wzrokiem, dopóki całkiem nie zniknął.

– Spór między Konstantynopolem a Watatzesem, cesarzem Nikei? – powtórzył Dante po krótkiej przerwie.

Arrigo uśmiechnął się blado.

– Tak. Niech was to nie dziwi, *messer* Alighieri. To były niespokojne lata, opanowane przez demona wielokrotności. Wiele królestw, wielu cesarzy, wielu bogów.

Dante zacisnął usta.

– Bóg jest jeden, Arrigo.

Tamten wybuchnął śmiechem.

– Widzę, że nic nie jest w stanie odwieść was od waszych przekonań.

– Od tego z pewnością. Zresztą zaciekawiła mnie kwestia, którą kazaliście rozważyć waszym uczniom: czy światło w swej istocie różni się od ciał jaśniejących? Jakiej odpowiedzi po nich oczekujecie?

Arrigo przesunął stopą napotkany na drodze kamyk. Potem wskazał palcem w górę. Słońce nad ich głowami prażyło niczym rozgrzany do czerwoności piec.

– To oczywiste, że istnieje między nimi bezpośredni związek i że tutaj Pismo się myli. Kiedy Słońce osuwa się za horyzont, światło i ciepło znikają wraz z nim. Jestem przekonany, że to dzięki płomieniom wytwarza ono wiązkę promieni i że nie ma światła bez spalania.

– Zważcie na naturę ciał niebieskich – odparł prior. – Księżyc również rozsiewa swój blask i takoż gwiazdy w bezchmurne noce. Od nich jednak nie bije żadne ciepło. To pewny znak, że istnieje światło bez spalania. A zatem światło jest akcydensem natury, niezależnym od ognia, i mogło go poprzedzić w porządku stworzenia.

– To mogłaby być prawda, gdyby Księżyc i gwiazdy świeciły własnym światłem. Lecz nie są one niczym innym jak nieruchomymi lustrami. Ich świetliste ciała odbijają jedynie słoneczne światło, kierując je ku nam na powrót z niezmierzonej otchłani kosmosu. *Lucis imago repercussa*, odbicie światła w zwierciadle.

– *Non potest**.

– Dlaczego?

– Dlatego że pojawiają się one wówczas, gdy Słońce zachodzi za horyzont, opuszczając się ku antypodom. Skąd miałoby pochodzić owo światło, skoro ze Słońcem rozdziela je masa Ziemi?

Arrigo nie umiał się powstrzymać, by nie spojrzeć nań z politowaniem.

– *Messer* Alighieri, przecież istnieje bardzo proste rozwiązanie. Przemyślcie je, a doprowadzi was ono do tych samych co mnie wniosków.

Dante poczerwieniał. W owej chwili nie potrafił wpaść na rzeczone racjonalne wytłumaczenie, które tamten uznawał za oczywiste. Postanowił zmienić temat.

– Czy to pod okiem Eliasza z Cortony ćwiczyliście się w waszej przenikliwości? – spróbował zażartować.

– Pod jego okiem i pod okiem innych. Od niego nauczyłem się nie tyle chłodnego rozumowania, ile zapału w zgłębianiu wiedzy.

– Mówi się, że brat Eliasz był bardzo blisko cesarza Fryderyka – ciągnął Dante. Arrigo przytaknął w milczeniu. – Do

---

* Nie można (łac.).

tego stopnia, że służył mu pomocą również w planowaniu jego siedzib – nie poddawał się poeta. – Podobno spod jego ręki wyszedł projekt niezwykłego zamku o zachwycających proporcjach, Castel del Monte, dzieła, którego sens po dziś dzień umyka nawet najbieglejszym w tej sztuce.

– Może sztuka budowania nie najlepiej poddaje się zgłębianiu domniemanych sensów.

– Jaka zatem się mu poddaje? Lub jaka nauka?

– Sztuka, co wznosi swe pomniki z ludzkiej wiedzy raczej niźli z kamienia.

– Alchemia? Ją macie na myśli? To ma być ów skarb Fryderyka? Ten, którego wszyscy szukają?

– Skarb Fryderyka... – wyszeptał filozof. – Tak, istnieje skarb cesarza. Lecz można doń dotrzeć jedynie, jeśli się przekroczyło bramę Królestwa. Zastanówcie się nad tym, *messer* Alighieri. Szukajcie odpowiedzi na moją zagadkę. A co do brata Eliasza...

– Czy rzeczywiście był to umysł tak wielki, jak o nim opowiadają? I mag? – pytał dalej poeta.

Arrigo długo wpatrywał się w niego bez słowa. Potem odpłynął gdzieś wzrokiem.

– Eliasz zaiste był wielki. Lecz nie w mrocznej dziedzinie magii, lecz na świetlistej niwie nauki. Wstąpcie na górę do mojej celi: jest tam coś, co pragnę wam pokazać. Poza tym bracia wspaniałomyślnie użyczyli mi nieco wina ze swej winnicy. Jeden kielich wypłucze kurz z waszego gardła, a może i gorycz z waszej duszy.

Cela Arriga urządzona była z tą samą prostotą co cela poety. Lecz w przeciwieństwie do celi Dantego, pełna była cennych kodeksów. Dante naliczył chyba z pięćdziesiąt woluminów, stojących w rzędach na dębowym regale, na biurku albo ułożonych na podłodze w stosy – małe wieże mądrości.

Gdy tylko Dante przekroczył próg, opętany niepohamowaną żądzą, rzucił się, by je przeglądnąć. Przeczytał pośpiesznie kilka frontyspisów. I nagle odłożył ostatnią księgę, którą pochwycił w ręce. Czerwieniąc się, zwrócił się do swego towarzysza z prośbą o wybaczenie. Czyż szperanie w księgach człowieka nie było niczym szperanie w jego duszy?

Arrigo zatrzymał się w progu. Zrobił na nim wrażenie ów zapał.

– Nie przepraszajcie. Zmienne koleje losu sprawiły, że dana mi była szansa zgromadzenia niewielkiej kolekcji pism starożytnych. Czerpcie z niej do woli niczym z otwartego zdroju.

Dante pochylił głowę na znak milczącej wdzięczności i ponownie zagłębił się w tym morzu wiedzy.

– Są tacy, którzy mogliby zabić, by posiąść taki zbiór – wyszeptał, podnosząc z podłogi iluminowany kodeks.

– Zabija się zawsze po to, aby móc żyć. A dla mędrca słowo jest samą esencją życia.

– Zdaje się, że przyznajecie namiętnościom sporo miejsca w swych rozważaniach, *messer* Arrigo.

– A co jeśli ktoś zabija, nie ulegając namiętności zmysłów, niegodziwości ducha czy otępieniu umysłu, lecz pewnym będąc, iż czyni w ten sposób nadrzędne dobro, gdyż usuwa zasadzki z dróg cnoty?

– Nikt nie ma prawa pozbawiać życia bliźniego, chyba że w obronie własnego życia i dóbr przed napaścią. Cnota to wspólne dobro i jako takiego należy jej strzec. Lud jedynie poprzez swe sądy ma prawo karać tych, co na nią nastają.

– Nawet jeśli nadrzędną przyczyną zbrodni byłaby miłość? Tyle miejsca poświęciliście owej chorobie w swych pismach. To właśnie z miłości poczęły się wielkie zbrodnie.

– Zbrodni nie wolno zaliczać w poczet naturalnego porządku rzeczy – zawyrokował Dante zdecydowanym tonem.

Arrigo pochylił się przed stojącym w rogu sekretarzykiem i otworzył drzwiczki. Wyciągnął zeń gliniany dzban wypełniony bursztynowym płynem. Dante z roztargnieniem obserwował jego ruchy. Naraz jego uwagę przyciągnął przedmiot spoczywający na jednej z półek, który w promieniach słońca, wpadających przez okno, zalśnił oślepiającym blaskiem.

Filozof zauważył jego reakcję. Na jego obliczu malowało się dumne zadowolenie.

– Wiedziałem, że to was zainteresuje – powiedział, na powrót pochylając się przed sekretarzykiem i dając mu znak, by uczynił to samo.

Na półce stała przedziwna latarnia z mosiądzu, wysoka może na łokieć, w formie ośmiokąta. W jednej ze ścianek widniało maleńkie okienko przeszklone grubą płytką kryształu.

Filozof przesunął palcem po powierzchni przedmiotu, jakby przypominał sobie jego kształt.

– Ostatnie dzieło mojego mistrza Eliasza z Cortony – rzekł głosem pełnym tkliwości.

– Latarnia?

Arrigo przytaknął.

– Tak, lecz niezwykła. Brat Eliasz twierdził, że jej światło jest w stanie pokonać morze, dotrzeć aż do niewiernych w Palestynie.

Z boku dziwnego przedmiotu znajdowały się malusieńkie drzwiczki zamykane na nieduży zaczep. Dante odblokował je i zajrzał do środka. Wewnątrz znalazł jedynie niewielki palnik, za którym umieszczono ekran w kształcie elipsy, mający zapewne skupiać wiązkę światła i kierować ją na zewnątrz przez okienko. Zwrócił na Arriga rozczarowane spojrzenie.

– Nie wydaje się bardziej niezwykła od innych latarni – zauważył. – Może z wyjątkiem rozmiarów. Choć na statkach widywałem i większe.

– To nie w wyglądzie tkwi jej niezwykłość. Lecz w źródle jasności. W tym oto.

Znów począł szperać w sekretarzyku i wyciągnął stamtąd zapieczętowaną ampułkę. Przez szkło przebijała biaława sypka substancja. Trzymając pojemnik ostrożnie w palcach, zbliżył go do twarzy poety, aby ten mógł mu się lepiej przyjrzeć.

– Ostatnie lata życia Eliasz poświęcił zgłębianiu tajników alchemii. Ów proszek to najdonioślejsze z jego odkryć. Nie chciał jednak zdradzić mi składu substancji, podkreślając jedynie, jak bardzo jest niebezpieczna.

– W jaki sposób działa?

– Należy umieścić ampułkę nad palnikiem i ją ogrzać. W mgnieniu oka proszek się zapala i rozbłyska niesamowitym światłem, białym i jednolitym niczym światło słoneczne.

Dante bezwiednie sięgnął po fiolkę, ale Arrigo cofnął rękę gwałtownym ruchem.

– Bądźcie ostrożni, priorze. Wystarczy ciepło dłoni, aby wyzwolić reakcję.

– Lecz jeśli tak jest w istocie, czemu Eliasz nie wyjawił swego sekretu cesarzowi? Podobnego wynalazku z powodzeniem mogłyby używać jego armie do walki w ciemnościach.

Arrigo potrząsnął głową.

– Eliasz był człowiekiem pokoju. Poza tym wydestylował jedną jedyną porcję tej substancji. Tylko tę porcję.

– Coś mu przeszkodziło?

Arrigo potrząsnął głową. Dante oczekiwał dalszego ciągu, ale filozof odpłynął najwyraźniej w swych rozmyślaniach. Utkwił wzrok w oddali, jakby przeniósł się naraz w czasy swej młodości i przed oczami na powrót stanęła mu tajemnicza postać Eliasza. Dante obserwował, jak w milczeniu porusza głową.

– Nic mu nie przeszkodziło – odrzekł cicho. – Druga próba nie jest potrzebna. *Omnia in uno**.

Ocknął się niespodziewanie, jakby jego wizja rozwiała się w powietrzu. Ostrożnie odłożył latarnię na miejsce i zamknął drzwiczki sekretarzyka.

– Co sądzicie o tym winie, priorze? Czyż to nie prawdziwy nektar bogów?

Popołudnie, w Pałacu Signorii

Dante zastał na miejscu posłańca w liberii kardynała d'Acquasparty. Człowiek ów musiał nań czekać od dawna, gdyż na jego widok poderwał się raptownie na nogi z widoczną ulgą malującą się na twarzy.

– Jego Eminencja polecił dostarczyć wam to pismo – powiedział oficjalnym tonem, wręczając mu złożony na czworo pergamin obwiązany płócienną wstążką i opatrzony pieczęcią.

Dante złamał lak i prędko przeczytał list. Książę Kościoła domagał się w nim, aby najszybciej jak to możliwe pojawił się w nuncjaturze apostolskiej, gdyż chce wraz z nim poruszyć pewne poufne kwestie.

– Dlaczego nie poprosił o posłuchanie w siedzibie Signorii? – zapytał oschle, składając na powrót pergamin.

– Jego Eminencja uważa, że tak będzie ostrożniej, zważywszy na nastroje w mieście. Jego wizyta w siedzibie władz komuny w sposób nieunikniony zyskałaby wówczas charakter oficjalny, czego wolałby uniknąć. A ponadto...

---

* Wszystko w jednym (łac.).

– A ponadto?

– Sprawa dotyczy was, priorze. Osobiście.

Dante, zamyśliwszy się, przygryzł dolną wargę. Tamten najwidoczniej nie zamierzał mu zdradzić nic więcej. Przez chwilę kusiło go, aby wrzucić posłańca do lochu i poddać tym samym torturom co biednego Fabia, by wydobyć zeń, co się da. Nie wierzył jednak, że ten szczwany lis, kardynał, wtajemniczał go w swoje zamysły. Należało podjąć wyzwanie i udać się do jaskini lwa.

Jakiś kleryk przeprowadził go przez sale rezydencji tworzące długą amfiladę. Przystanął na progu ostatniej z nich, a potem się oddalił.

Dante postąpił w głąb pomieszczenia, gdzie oczekiwał go postawny mężczyzna o aroganckim wyrazie twarzy, który skrywał pod maską kłamliwej dobroduszności. Zasiadał na drewnianym tronie, przybrany we wszelkie insygnia swojej godności. Na jego kolanach spoczywał kardynalski kapelusz z szerokim rondem oplecionym sznurem.

– Zatem ponownie się spotykamy, *messer* Alighieri – odezwał się cicho kardynał swym piskliwym głosem, po czym roześmiał się, wprawiając w ruch fałdy podwójnego podbródka. Wystawił do niego dłoń w rękawiczce, na której odznaczał się wielki pierścień.

Dante zbliżył się jeszcze o krok i zastygł w bezruchu przed tronem. Zamiast przypaść do wyciągniętej ręki, skrzyżował na piersi ramiona.

– Doniesiono mi, że chcieliście mnie widzieć. Dlaczego mnie, w pojedynkę, miast prosić o posłuchanie u całej rady?

Kardynał cofnął dłoń. Na pozór nie obeszło go zachowanie priora. Tylko zasznurowane natychmiast mięsiste wargi i błysk w oku na krótko wyjawiły jego prawdziwe odczucia. Prędko jednak jego oblicze, niknące pod olbrzymim nosem na podobieństwo starożytnej rzymskiej maski, na powrót przybrało wyraz dwornej uprzejmości.

– Gdyż jeśli chce się porozmawiać z człowiekiem, lepiej zwrócić się od razu do jego głowy, niż tracić czas na kończyny czy trzewia. A jeśli słusznie się nam wydaje, to wy jesteście głową tej rady.

– Można wywnioskować, że słudzy Bonifacego poświęcają sporo uwagi mojej niegodnej osobie – wysyczał poeta.

– Słudzy Bonifacego są sługami Kościoła. Pasterzami Bożego ludu. I jako życzliwi pasterze prowadzą trzodę, która im ufa, umocowaną w wierze, i rozprawiają się z wilkami, które czyhają, by dokonać rzezi, aby nasycić w ten sposób swą nieposkromioną żarłoczność. Co zaś się tyczy was... – ciągnął, ponownie unosząc upierścienioną dłoń, tym razem w geście groźby. – Co zaś się tyczy was, już od dawna wasze postępki są źródłem niepokoju Kościoła świętego.

Dante wyprężył pierś, choć na te słowa uczuł przebiegający po plecach dreszcz. Siłą powstrzymał się, by się nie rozejrzeć dokoła. Stanęły mu przed oczami złowrogie czarno-białe habity, które widział w opactwie, śledzące z ukrycia niczym węże wszystko, co się tam działo. Pewien był, że Noffo, główny inkwizytor, jest gdzieś w pobliżu, być może ukryty w sąsiedniej sali.

– Mówcie zatem, czego ode mnie chcecie.

Na twarzy kardynała rozlało się zadowolenie.

– Żebyście wyjaśnili mi, jakie są wasze polityczne sympatie.

– A jakież może to mieć dla was znaczenie?

Miast odpowiedzieć, hierarcha sięgnął ręką do poduszki leżącej obok tronu i podniósł stamtąd niewielki plik arkuszy.

Obrzucił wzrokiem pierwszy z nich, po czym spojrzał znów na Dantego, jakby znał doskonale ich treść.

– Mienicie się miłośnikiem historii, nieprawdaż? – zapytał. Mówił jednak dalej, nie czekając na odpowiedź. – I zastanawiacie się, kogo z duchów przeszłości uczynić bohaterem swych pism, jak ów Bernardo, z którym, jak się zdaje, jakiś czas temu zaczęliście przestawać. Człowiek, który przetrząsa osady wieków, po to jedynie aby wywołać zgorszenie.

– Podążanie tropem minionych wypadków i skrupulatna relacja z dziejów domu panującego, który wytyczył bieg całego stulecia, jest trudem wielce szlachetnym. Dlaczegóż to odmawiacie mu waszej przychylności? – rzucił Dante przez zaciśnięte zęby.

D'Acquasparta wykonał nieokreślony gest i jął dalej przewracać karty.

– Niech wam będzie. Nie chcę jednak rozmawiać o przeszłości tej nieszczęsnej dynastii, ale o waszej, *messer* Alighieri.

– Mojej? – Dantemu nie udało się ukryć zdumienia. – Nie przypuszczałem, że godna jest ona czyjejkolwiek uwagi.

– A jednak jest. Wasze dzieje uszczęśliwiłyby zapewne starożytnych pisarzy, lecz w synach dobra rodzą niepokój.

– A to dlaczego? – zapytał poeta, instynktownie wzmagając czujność.

– Bo coś w nich nie pasuje. A tam gdzie coś nie pasuje, powstaje niepewność. Z niepewności kiełkuje niewiara. A niewiara jest nieprzyjaciółką zbawienia, bramą, przez którą szatan wślizguje się w ludzkie domostwa.

Kardynał przerwał, ważąc w dłoniach swój plik i potrząsając ciężką głową. Po chwili podjął na nowo:

– Zdawać by się mogło, że są w was dwie różne osoby, *messer* Alighieri. Wpierw młodzieniec kochający uciechy życia, poeta słodyczy, promienny i zmysłowy, bez reszty zatopiony w śnie o niemożliwej miłości. Ja również czytywałem te wasze rymy do Beatrycze, kimkolwiek ona była. Bo nie chcecie chyba, abym uwierzył, że owa dama, która tak wami wstrząsnęła, to jakaś... sprawdźmy... – przewertował kilka stron. – Otóż to, Bice dei Portinari, biedulka wydana za starca Bardiego. Zaiste poruszające to rymy, wzór dla wszystkich duchów miłujących. I rzeczywiście...

Dante zadrżał. Kardynał przerwał po raz kolejny i jął przerzucać arkusze, jakby czegoś w nich szukał.

– I rzeczywiście – odezwał się po chwili – wiersze wasze stają się modne, a inni natchnieni młodzieńcy przejmują wasz styl, opiewają swoje miłości, tak podobne do waszej. A wy sami nadajecie im miano. Wyznawcy Miłości, nieprawdaż? – hierarcha znów przerwał, jakby spodziewał się potwierdzenia tych słów.

Dante jednak nawet się nie poruszył.

– Wyznawcy Miłości... Zdaje się, że na czele stanął Guido Cavalcanti, wasz przyjaciel. A może były przyjaciel? Słyszałem, że skazaliście go na banicję, i zachodzę w głowę dlaczego. Wśród nich byli też inni, same wielce oryginalne postaci. Takie jak Francesco d'Ascoli, astrolog. Heretyk, ślepy przewodnik do siebie podobnych. Albo ów Cecco Angiolieri, który właśnie przybył do waszego miasta, prosto z sienieńskich lochów.

– Mówiliście o dwóch osobach, które jednocześnie we mnie pomieszkują...

– Ach tak, macie słuszność. Ponieważ, niespodziewanie, ów pięknoduchy młodzieniec kilka lat temu wyrusza na studia do Paryża. Lecz miast powrócić ubogacony wiedzą, potężny nauką, on nagle znika! I w jego miejsce zjawiacie się wy, *messer* Alighieri, człowiek, którym jesteście teraz. Inny.

– Inny?

– Inny, który wbrew swym obyczajom i uprzedzeniu do prząśności tłumu, wstępuje na wyboistą ścieżkę. Zaczyna czarować prosty lud swoim wytwornym językiem na wiecach w zaułkach ulic, posłuje do nic nieznaczących zgromadzeń, trwoni swój geniusz na deliberacje, gdzie wytyczyć drogę lub jaki podatek nałożyć. I poddaje się tej fascynacji nieśmiertelnością, która opętała go do tego stopnia, że pospolituje się z kupcami i sklepikarzami, upadając coraz niżej w drodze ku nicości. Uczyniła was ona zerem, którym jesteście obecnie. Dlaczego, *messer* Alighieri?

– Może z tej przyczyny, że w naturę męża sprawiedliwego wpisane jest powołanie do dobrych czynów, jak uczą nas nasi wielcy przodkowie – odparł Dante lodowatym tonem.

– *Verum**. Lecz jacyż to giganci ducha są dla was przykładem albo zachętą? Rzecz jasna, poza waszym mistrzem obywatelskiej cnoty, owym Brunettem Latinim, znanym sodomitą, który zmarł w ostatniej chwili, by uniknąć kary, na jaką zasłużył. On także zachłystywał się nauką z paryskich zdrojów, nawet napisał w mowie Francuzów swe dzieło.

– Wielu umiłowało sobie mą ziemię i zasługuje na naśladowanie. Na sam początek Farinata degli Uberti, Mosca dei Lamberti i Tegghiaio Aldobrandi.

D'Acquasparta przymknął powieki, zmieniając oczy w wąskie szparki.

– To oni są waszym natchnieniem? Gibeliński przywódca, bezlitosny w swym gniewie, bezrozumny fanatyk, który złą radą otworzył drogę braterskim rzeziom, i na koniec sodomita, kolejny. Najwyraźniej darzycie tę hołotę osobliwą sympatią.

---

* Prawda (łac.).

Dante poczerwieniał na twarzy i z groźną miną zbliżył się do kardynała. Ów zdawał się nic sobie nie robić z kotłującej się w priorze wściekłości.

Znów potrząsnął mu przed oczami swoim raportem.

– Wiecie co, *messer* Alighieri? Ludzie z mej kancelarii, którzy zajmowali się waszym przypadkiem, mają pewną własną teorię. Wierzcie bądź nie, są przekonani, że wszystko ma związek ze śmiercią waszego ojca. Prowadził interesy, powiedzmy, nie zawsze kryształowe, lecz w każdym razie, dopóki był przy życiu, umiał wam zapewnić byt znakomity i dostatni, który opromieniliście waszymi pieśniami. Gdy jednak Pan wezwał go do światłości, wy stanęliście przed koniecznością zarobienia na chleb.

Kardynał podniósł się z wysiłkiem. Sapał, próbując uwolnić potężne cielsko, które ugrzęzło między podłokietnikami tronu. Następnie podszedł do okna i zachęcił swego gościa, by spojrzał przez nie wraz z nim.

– Widzicie ów ferwor budowania, który opętał wasze miasto? Ile nowych domów, ulic, nowo otwartych sklepów? A każdy z nich oznacza pozwolenie, licencję, podatek. Może nie jest to miasto ze złota, jak niebieskie Jeruzalem czy Republika waszych filozofów, lecz przynajmniej wzniesione na fundamencie z brzęczącego srebra, o tak... Wiem, że zostaliście zarządcą ulic.

– To prawda. I co z tego?

– Nadzorowaliście budowę nowej drogi w stronę pól Santa Croce – ciągnął kardynał, ponownie wskazując na plik arkuszy. Przymknął oczy, jakby nie potrzebował pomocy tekstu.

– Był to krok konieczny, aby ułatwić dojazd do wschodnich dzielnic.

– Och, święta prawda. Ale przypadkiem właśnie tam znajdował się jeden z waszych gruntów, który jednym pociągnięciem pióra zmienił się z nieuprawnych chaszczy w teren pod zabudowę, tak pożądany przez was, Florentyńczyków. Przypadek, rzecz jasna. Jednak przypadek, *messer* Alighieri, sprzyja często zuchwałym, jak uczą ci wszyscy poganie, których autorytetem podpieracie swe sądy.

Twarz Dantego przybrała barwę szkarłatu. Narastała w nim głucha wściekłość. Ów rozdęty sadłem łotr był jak kloaka, w której osiadały wszelkie oszczerstwa krążące po tym przeklętym mieście.

D'Acquasparta znów zamilkł i wrócił na swój fotel, jakby krótka wycieczka do okna wyssała z niego wszystkie siły. Osunął się nań całym swym ciężarem.

– Choć ja, *messer* Alighieri, nie zgadzam się z mymi kancelistami... co do jednego. Obserwowałem was i wyczytałem swym nieomylnym okiem, że spokój duszy przynależny jest tym, co żyją uczciwie. Nie wierzę, by wasza publiczna działalność wzięła się z pospolitej chęci wzbogacenia się na profitach uszczkniętych przy okazji pełnionych przez was urzędów. Nie. Byłoby tak, gdyby pomieszkiwał w was duch przekupny albo skażony nienasyconym apetytem, albo pożądający publicznego uznania. Gdyby tak było, wystarczyłaby garstka florenów, żeby was kupić, tyle ile potrzeba na spłacenie waszych długów i waszych dziwek. W was tkwią jednak dużo głębsze pokłady niegodziwości.

– O czym wy mówicie?

– Przekonani jesteśmy, że wasze wejście do polityki jest częścią przemyślanego planu, który już dawno począł się w głowach Wyznawców. Miał on wprowadzić wiernych im ludzi na szczyty władzy w gwelfickich miastach, aby tam potajemnie przyczynili się do osiągnięcia ich prawdziwego celu wyzierającego spod wierszy i miłosnych lamentów. Chodzi o to, by wydrzeć Italię sprawiedliwemu panowaniu Kościoła i spętaną w kajdany, oddać pod władzę cesarza. Lecz Kościół – ciągnął kardynał, zerwawszy się ponownie z miejsca, tym razem z niespodziewanym impetem – po wielekroć oswobadzał się już z wężowych splotów, które miały go zadusić, odkąd spadkobiercy Karola Wielkiego nie dochowali paktu i sięgnęli po cesarską koronę. Zawsze miał do niej prawo. I będzie je miał niezależnie od mizernych wysiłków takich knypków jak wy. Niepotrzebnie sprowadziliście do Florencji jeźdźców Apokalipsy!

Kardynał pogroził mu palcem. Dyszał z uniesienia, trząsł mu się podwójny podbródek. Kilkakrotnie wciągnął do płuc powietrze przez otwarte usta, po czym mówił dalej:

– Poniesiecie klęskę, to pewne! I razem z wami obróci się w perzynę owo przeklęte gibelińskie plemię, gotowe zdradzić każdego, poczynając od samego korzenia zepsucia. Ten tak podziwiany przez was Fryderyk został zamordowany przez swoich, powodowanych chciwością.

– O czym wy mówicie?

– Antychryst został zamordowany przez swego bękarta Manfreda, który pragnął zawładnąć ziemiami i koroną, po tym jak papież Innocenty obiecał, że uczyni go królem Sycylii.

– Łżecie! – wykrzyknął prior z furią. – Król Manfred był mężem łagodnym i szlachetnym! To tylko oszczerstwo wymyślone przez waszych sługusów, które odmalowuje go jako ojcobójcę, ale to słowa na wodzie pisane, wytwór waszego knowania!

– A cóż wy możecie wiedzieć o rzeczach, które zdarzyły się przed waszym urodzeniem, gdy jako nikła możliwość błąkaliście się po nieodgadnionym umyśle Boga? Co wy wiecie o tym, co przez stulecia powodowało świętym Kościołem? Fryderyk umierał w gwałtowności i szale, porwany przez tę samą diabelską nawałnicę, z której się wyłonił, gdy ta dziwka z Altavilli porodziła go w mieście Jesi.

Dante rzucił mu spojrzenie pełne wzgardy.

– Jeśli doprawdy w to wierzycie, powinienem czuć się zaszczycony. Taki malutki człowieczek jak ja w samym sercu tak dalekosiężnego planu.

– Och, nie urastajcie zbytnio w pychę! Wiemy dobrze, że w oczekiwaniu, aż wypełni się wielki gibeliński sen, o wiele niżej wzlatują wasze zamysły. Jesteście na tropie złota Fryderyka i bardziej zależy wam na nim niż na jego powrocie. Zdaje się, że ten wąż ukrył gdzieś złote jajo, i są tacy, co sądzą, że wiedzą gdzie.

– Chcielibyście być jednym z nich!

D'Acquasparta wyprężył się.

– Kościół ma prawo domagać się tego złota i użyć go do wypełnienia misji, którą Bóg sam mu powierzył: do zjednoczenia całej Italii pod świętym pastorałem Bonifacego. Oddajcie nam skarb, a błogosławione wody przebaczenia obmyją waszą głowę. Kościół każe zarżnąć utuczone cielę, gdyż syn marnotrawny zaginął, a odnalazł się.

– Cielę w zamian za fortunę – taki pakt z pewnością by Bonifacemu odpowiadał.

– Bezbożny! Wy w nic nie wierzycie.

– Wierzę w jedynego Boga, który wszystko porusza, sam będąc nieporuszonym. Który króluje w trzech Osobach, w Trójcy jedyny. Który daje się poznać nie dzięki dowodom, lecz poprzez wiarę i oświecenie.

Tamten zaniósł się sarkastycznym śmiechem.

– Każdy pataren, każdy albigens mógłby się podpisać pod waszymi słowami. Może to prawda, co się o was mówi.

– Co się mówi? – zapytał Dante obojętnym tonem.

– Że w Paryżu czerpaliście swą wiedzę z najdziwniejszych źródeł. Również od mahometan, takich jak Siger.

– Siger z Brabantu nie był mahometaninem.

– Był jednak wielbicielem Awerroesa, a to nam wystarcza.

Dante podszedł bliżej i nachylił się nad kardynałem, jakby chciał pocałować go w policzek. Usta poety musnęły jego ucho.

– Lepsza światłość pogan niż pomroka waszej głupoty – wyszeptał.

D'Acquasparta, posiniawszy na twarzy, odskoczył w tył.

– Pożałujecie swej pychy. Wiemy o wszystkim, o wszystkim! Wy, przyjaciel antychrysta! Lecz nawet czterech jeźdźców, którzy zjawiają się wraz z nim, nie uchroni was od klęski, gdy nadejdzie pora. I to my zdecydujemy, kiedy to nastąpi!

Dante wzruszył ramionami.

– Niech się dzieje wola Boga potężnego i miłosiernego.

Dopiero na schodach uświadomił sobie, iż posłużył się pogańską formułą.

Poeta skręcił w stronę nabrzeża Arno, idąc wzdłuż warsztatów garbarzy. Starał się osłonić przed popołudniowym słońcem, owijając twarz woalem czapki. Machał ręką przed nosem, aby odpędzić fetor dobywający się z kadzi, w których macerowały się skóry. Był to gest bezużyteczny, lecz powtarzał go nadal bezwiednie, zagłębiając się w ową ciepławą, lepką falę, która zalewała całą okolicę.

Z głową ciężką od brzęczenia much, nękających całą dzielnicę, oddalał się niepostrzeżenie od właściwej drogi do San Piero, szukając wytchnienia w cieniu niewysokich ogródków za kościołem Santi Apostoli.

Wyłonił się z gęstwiny uliczek w dole stromego podejścia prowadzącego na Ponte Vecchio. W miejscu tym, co niezwykłe, nie było nikogo, jakby jakiś czar zatrzymał z dala zgiełkliwą krzątaninę tłumu, który co dzień przewalał się nad jego przęsłami. Ów chorobliwy bezruch zakłócał tylko cień szybko przemykającej myszy lub bezdomnego psa.

W idealnej ciszy rozlegał się jedynie krzyk mewy, która musiała się tu zapuścić znad morza. Dante mógł wyraźnie usłyszeć szum ostatków wód Arno, przelewających się leniwie środkiem koryta. Przez moment gotów był uwierzyć, że to jakiś słoneczny demon usunął stąd wszelki ślad życia. Wtem lekki podmuch wiatru przywiódł do jego uszu dźwięk ludzkich głosów.

Ktoś stał na środku mostu, pod osłoną skromnego portyku jakiegoś kiosku. Dwaj mężczyźni rozmawiający z sobą półgłosem. Arrigo i Monerre.

Szedł w ich stronę, mijając rząd drewnianych sklepików, zamkniętych po zakończonym dniu pracy. Tamci dwaj zdawali się go nie zauważać. Nie przerywali swej tajemniczej rozmowy w cztery oczy, co chwila jednak spoglądając w kierunku przeciwległego krańca mostu. Jakby spodziewali się jeszcze kogoś. Wyczuwało się w nich zagadkowe napięcie.

Prior ujrzał, jak Arrigo zaciska pięści, jakby usłyszał coś, co go zraniło. Mimo to nie zatrzymał się, starając się iść bezszelestnie. Dzieląca ich odległość zmniejszyła się do kilku kroków, wciąż jednak tamci dwaj nie dawali znaku, że spostrzegli jego obecność. On natomiast zauważył cień trzeciego mężczyzny, nadchodzącego od strony przeciwnego przyczółka mostu. Kroczył w milczeniu, omiatając bruk brzegiem szaty. Wysoki, stąpający nieco chwiejnym krokiem medyk Marcello wspiął się na górę i błyskawicznie się do nich przybliżał.

Cała trójka przywitała się na środku mostu bez widocznego zaskoczenia, jakby wcześniej wyznaczyła tu sobie sekretne spotkanie. Po chwili dołączył do nich również Dante. Przyszły mu na myśl gniewne słowa kardynała: może w istocie czterech jeźdźców Apokalipsy przybyło do Florencji.

Wymienili spojrzenia, po czym Monerre przemówił pierwszy.

– To ciekawe, że spotykamy się na środku mostu, w miejscu gdzie, jak wyobrażali sobie starożytni, dokonuje się zwrot przeznaczenia.

– Może dlatego że na moście losowi łatwiej jest dopaść człowieka. Droga robi się tu wąska, a ucieczka trudniejsza – oświadczył Marcello.

– Mówi się też, że to tutaj diabeł zasadza się na przechodniów i swymi sztuczkami wciąga ich w zasadzkę – mruknął Dante, nie mogąc oprzeć się wrażeniu, że jest coś dziwnego w owym spotkaniu.

– Z pewnością jednak żaden z nas nie przybył tu, aby odegrać rolę tak nikczemną, *messer* Alighieri – wtrącił Monerre dobrodusznie.

Poeta chciał odpowiedzieć, ale się powstrzymał. Tamten na powrót zaczął się wpatrywać w coś przy krańcu balustrady. Dopiero teraz ze swej pozycji Dante mógł dostrzec, co zaprzątało wcześniej ich uwagę. Relikt rzymskiej rzeźby osadzony w murarce mostu. Głowa brodacza o rysach tak straszliwych jak u onych diabląt rzeźbionych jako gargulce przy dachach katedr: dwie odwrócone twarze, na których czas i ludzka niepamięć odcisnęły swe głębokie piętno.

– Wystraszyła was głowa boga Janusa, *messer* Monerre? – zapytał poeta. – Pamiątka antycznych zabobonów z czasów bożków zwodniczych i fałszywych.

Tuluzańczyk obrócił się do poety i spojrzał nań swoim jedynym okiem. Przez chwilę zdawało się, że nosi się z jakąś ripostą, lecz ostatecznie powrócił do spoglądania na rzeźbę.

– Naszego przyjaciela zachwyca najwyraźniej wszystko, co podwójne – zauważył Arrigo. – Być może dlatego iż natura

upośledziła go w zdolności widzenia i żywa w nim jest tęskno-
ta za kompletnością, jaką tylko para dać może.

Marcello się nie odzywał. Utkwił oczy w dali za balustra-
dą, w potężnym młynie nieopodal kolejnego mostu. Na jego
kole Brandano dokonał żywota. Naraz się ocknął, zwracając
się do poety.

– Lecz może to raczej w samej postaci mostu skrywa się
jego nikczemna natura, a nie w tych, którzy przezeń przecho-
dzą. Co o tym sądzicie, priorze?

– Dziwne są wasze słowa. Kryją z pewnością zagadkę,
z którą rozum mój jednakoż nie potrafi się zmierzyć.

– Chyba ja mogę wam służyć pomocą, *messer* Alighieri
– rzekł Arrigo. – Jeśli dobrze zrozumiałem, *messer* Marcello
ma na myśli zadanie owych konstrukcji. W tym sensie prawdą jest, że tli się w nich iskierka dawnej pychy, która spraw-
ła, że utraciliśmy Eden. Jako że każdy most, pokonując przeszkodę, którą Bóg ustawił na naszej drodze, jest sprzeniewie-
rzeniem się jego zamysłom.

– Ach, rozumiem. Wielce subtelny wniosek. Lecz, obawiam
się, nie do przyjęcia. Zakłada bowiem, że Boży plan stworzenia
zrodził się w formie skończonej i ostatecznej. Nie dopuszcza zatem żadnych ludzkich ulepszeń. To z kolei niezgodne z Pismem,
gdzie napisano, iż Bóg uczynił człowieka panem stworzenia,
poddał je jego woli. Jeśli nie mógłby nagiąć do swej woli nawet
wodnej strugi, niewiele warta byłaby ta jego zwierzchność.

Stary medyk potrząsnął głową.

– Czyż to jednak nie w Piśmie napisano: „Z drzewa poznania dobra i zła nie wolno ci jeść"? Nie wszystko zatem pod-
dano naszej zwierzchności.

Arrigo wybuchnął śmiechem.

– Lecz z każdego drzewa poza nim wolno nam zrywać
owoce. A nawet, jeśli taka potrzeba, porąbać je na opał! Czyż

raczej, *messer* Alighieri, nie bardziej uprawniony wydaje się wam pomysł Heraklita, że dni nasze są niczym pył czasu rozproszony w kosmosie jak atomy Lukrecjusza?

– Wierzę w nadrzędny porządek rzeczy. Jeśli świat zrodzony byłby z przypadku, jaki sens miałaby zapowiedź pośmiertnej kary albo nagrody? Czy również zrządzeniem przypadku Syn Boży narodziłby się z kobiety i umarł na krzyżu dzięki sprzyjającej kombinacji atomów?

Marcello energicznie pokiwał głową na znak, że się z tym zgadza.

Jednak Arrigo ze spokojem nalegał.

– Czy jednak nie dostrzegacie w owej przypadkowości śladu kosmicznego piękna?

– Być może, *messer* Arrigo – odparł Marcello. – Lecz owa masa kombinacji, jakkolwiek nieogarniona, nie może nie mieć końca. W dalekiej Persji, nim podbił ją miecz Mahometa, wierzono, że cały wszechświat trwa i zużywa się w ciągu dwustu sześćdziesięciu wieków podług naszej miary. Potem wszystko odradza się na nowo w swym cyklu łączenia się, który tylko na pozór wydaje się nieskończony.

– Dwadzieścia sześć tysięcy lat? Ta otchłań czasu to zaledwie mgnienie Boskiej powieki – nie zgodził się Dante. – Po co jego nieskończona potęga miałaby wiecznie odradzać te same stworzenia? Po co jego niezmierzone królestwo co pewien czas obracałoby się w nicość? I znowu, za każdym razem sześć dni stworzenia, i za każdym razem stwarzanie światłości, jej przenikanie w głąb mroku?

– Dlaczegóż by nie, *messer* Alighieri? – odpowiedział Marcello. – Wszystko powróci do nicości i na nowo przybierze swą postać we wzniosłym dziele odradzania się świata. Odwieczny porządek zostanie odbudowany.

– To czyste szaleństwo, *messer* Marcello – wykrzyknął Arrigo. – Czy i te uprzykrzone muchy są częścią waszego wzniosłego planu? One też będą się odradzać w nieskończoność? A florenckie muły i osły oraz ich łajno, w którym tonie całe miasto?

– To oczywiste! Sami zobaczycie! – krzyknął starzec.

Dante słuchał z uwagą.

– Zatem wszystko powróci? – mruknął. – Także mord na Guidzie Bigarellim? Nic nie będzie w stanie mu zapobiec, Marcello? Żaden wyrzut sumienia, żadna skrucha? Wasza doktryna niewoli człowieka do złego.

Ciszę, która zapadła, przerwał Monerre.

– Być może również zbrodnia wpisana jest w ów porządek. Logika chce, by uznać ją za część planu.

– A jeśli zbrodnia jest częścią wyższego, odwiecznego planu, na cóż zdają się wasze wysiłki, by pochwycić jej sprawcę, priorze? – rzekł przypochlebnie Arrigo.

– Aby wymierzyć sprawiedliwość. Zbliżyć ziemię do utraconego raju. Dać jej choć iskrę Bożego światła – odrzekł poeta.

– Nie chciałbym się zetknąć z tym światłem, *messere* – odezwał się Monerre z ironią. – Moje jedyne oko już i tak niechętnie przebywa w zbyt mocnym blasku. Bardziej mu odpowiada półmrok gwiezdnej poświaty.

Dante nie odpowiedział. Upewnił się jedynie, że słowa owe skrywają jakiś głębszy sens. Nie, z pewnością ci ludzie nie spotkali się tu przypadkiem, choć starali się, by tak to wyglądało. Może swoim przybyciem zniweczył jakowyś potajemny pakt. Lub przygotowanie intrygi. Lub zawiązanie spisku.

A może ich sekretna rozmowa toczyła się w najlepsze w jego obecności, pod płaszczykiem filozoficznej dysputy, a ci trzej w najlepsze stroili sobie z niego żarty. Przez moment chciał się ujawnić ze swym podejrzeniem i zapytać wprost o przyczynę spotkania. Razem mieli jednak przewagę: jeżeli słuszne były jego domysły, przyciśnięci do muru, przyjdą sobie z pomocą, próżnym czyniąc wszelki jego trud w dotarciu do prawdy. Miast tego powinien się zaczaić i po kolei wyłapać ich w swą sieć.

– Nic nie powstrzyma mnie przed ukaraniem zabójcy! – wykrzyknął na koniec. – Zobaczycie – dodał, unosząc palec. Cofnął się o krok, po czym odwrócił się zdecydowanym ruchem i odszedł bez słowa.

Za plecami czuł milczenie winowajców. A może raczej drwinę, pomyślał ze złością, oddalając się.

W Pałacu Signorii

Ciężko dysząc, Komendant przystanął u szczytu schodów, aby zaczerpnąć tchu. Po czym zdecydowanym krokiem podszedł do priora.

– Mam nowe wieści, i to ważne. Moi ludzie zdobyli pewne informacje, gdy nadzorowali stragany na targu.

Gdy próbowali wyłudzić pieniądze w zamian za przymykanie oczu na wszelkie kradzieże i oszustwa, które dzieją się tam na oczach wszystkich, pomyślał Dante.

– Mówcie, o co chodzi.

– W mieście przebywa pewna persona. Niebezpieczny gibelin. Przybył zapewne z północy, by skrzyknąć tu swoich kamratów i knuć na szkodę naszej komuny. Czekam, aż doniosą mi, gdzie się ukrywa, i pochwycę go wraz z jego wspólnikami. To, co widzieliście w Stinche, jest niczym przy tym, co będzie się działo, kiedy go dopadnę.

– I kto miałby być tym niebezpiecznym demonem? – zapytał poeta, zaplatając ręce na piersi.

– Cudzoziemiec, chyba z ziem Francji. Domyślam się, o kogo chodzi. Sądzę, że chcielibyście być przy jego pojmaniu. Właśnie...

Dante uniósł dłoń zdecydowanym gestem.

– To, co widziałem w Stinche, nakazuje mi zalecić wam i waszym wyrwinogom większą rozwagę. Florencja to ziemia wolności, gdzie żaden człowiek, który się tutaj narodził bądź przybył z daleka, nie może zostać uwięziony bez pewnych dowodów winy. By wtrącić kogoś do lochu, potrzeba czegoś więcej niż garść plotek zebranych na targu.

Dowódca posiniał na twarzy.

– Przecież to jest gibelin – zaoponował łamiącym się głosem.

– Wstrzymajcie się z tym, to rozkaz. I donoście mi o wszystkim. To ja powiem wam, czy i kiedy zacząć działać.

To rzekłszy, Dante obrócił się na pięcie i skierował się ku drzwiom, odprowadzany pełnym jadu spojrzeniem Komendanta.

Niedługo potem, w pałacu nuncjusza

Komendant wszedł na pokoje kardynała, niemal czołgając się na kolanach. Kiedy dotarł do zwałów cielska d'Acquasparty, przypadł do jego ręki i jął z zapałem całować pierścień, jakby zamierzał go zjeść. Kardynał wyniośle wyrwał mu rękę i zniecierpliwiony, nakreślił na jego czole znak błogosławieństwa.

– Nalegaliście, żeby się ze mną zobaczyć. Dobrze więc, co mogę dla was uczynić?

Mężczyzna pochylił się ponownie. Odchrząknął.

– Potrzebuję waszej rady, Wasza Eminencjo, co do tego, jak powinienem wypełniać mój urząd, tak by uczynki moje miłe były zawsze Kościołowi.

Książę Kościoła skinął głową na znak zgody.

– Moi ludzie wpadli na trop przywódcy gibelinów, który ukrywa się we Florencji. Lecz zdaje się, że władze komuny nie śpieszą się z tym, by mu przeszkodzić w jego szkodliwej misji. Rozkazano mi czekać, kiedy o krok jestem od odkrycia jego kryjówki. Wy mi poradźcie, co powinienem czynić.

– Dante Alighieri – wysyczał kardynał, przymykając oczy, które zmieniły się w dwie wąziutkie szczeliny. – To znowu on.

Komendant przytaknął.

– Miłość, jaką żywi papież Bonifacy do miast, które pozostają mu wierne, zabrania mi mieszać się w sprawy komuny – wyjaśnił d'Acquasparta. – Postąpiłbym zatem niegodnie, doradzając wam nieposłuszeństwo wobec rozkazu władz Florencji. Choć rozkaz ów pozwala umknąć jadowitemu wężowi. Choć rozkaz ów lekceważy wszelkie reguły przezorności i bezpieczeństwa. I choć nikt nie mógłby was skarcić, gdybyście go nie usłuchali.

– Ale, Eminencjo... Powinienem mieć poręczenie przynajmniej trzech innych priorów...

– Dostaniecie je. Możecie się zawsze powołać na wyższą konieczność. Nie można odmówić człowiekowi w niebezpieczeństwie prawa do obrony: *nemo ad impossibilia tenetur**. A i my z całej siły będziemy was wspierać.

Kardynał klasnął energicznie w dłonie. Po chwili zza kotary wychyliła się posępna sylwetka głównego inkwizytora.

---

* Nikt nie obstaje przy niemożliwym (łac.).

Noffo Dei, miast podejść wprost do nich, przeszedł długi odcinek, trzymając się ściany, jakby chciał uniknąć słonecznego światła wpadającego przez okiennice. Następnie, z dłońmi ukrytymi w rękawach czarno-białego habitu, skłonił się przed namiestnikiem Bonifacego.

– Ten dzielny człowiek przybył tu, by nas zapewnić o swym oddaniu. Zdaje się, że udało mu się pochwycić nić intrygi, która tak nas zasmuca. Pomóżcie mu, zdradzając, co wiecie o innych przywódcach spisku. Kto wie, może uda mu się z nim rozprawić.

Noffo skłonił się i dał znak Komendantowi, by udał się za nim.

– Słuchajcie uważnie tego, co on wam powie – polecił jeszcze kardynał, gdy dowódca straży wycofywał się rakiem sprzed tronu.

Po zmroku

Skąd takie zaciekawienie rzeźbą Janusa?

Pokoje w gospodzie Pod Aniołem wydawały się zupełnie puste. Dante zapytał Manetta o Francuza. Przez całe popołudnie myślał nad tym, co usłyszał w czasie rozmowy na moście. Coś zasiało w nim wątpliwości. Teraz złorzeczył sobie, że nie drążył tej sprawy, tylko oddalił się rozgniewany rzuconym mu wyzwaniem jak jakiś tępy kmiotek.

– Nie ma go już tutaj, priorze – odpowiedział oberżysta. – Chyba przeniósł się do innej gospody – dodał tonem, w którym czuć było urażoną dumę.

Dante swoim zwyczajem skubał wargę.

– Nic nie powiedział na odchodnym?

– Nie. Być może moje lokum jest zbyt skromne dla wyrafinowanych cudzoziemców, a ja sam nie jestem godzien ich zaufania. Oddalił się w towarzystwie dwóch nieznajomych.

– Cudzoziemców?

– Nic nie mówili. Lecz przysiągłbym, że tak.

Dante pożegnał oberżystę. I co teraz? Zaniepokoił się. Czuł instynktownie, że Francuz, ze swym zagadkowym zachowaniem i afektowaną uprzejmością kawalera zza Alp, jest zapewne najgłębiej wmieszany w intrygę. Jeżeli rzeczywiście zniknął, znaczyłoby to, że i zbrodnie na zawsze spowije cień tajemnicy.

Wolnym krokiem, ze wzrokiem utkwionym w ziemi, dowlókł się do zaułka na tyłach Santa Maria Maggiore. Jego uwagę przyciągnął nagle majaczący z przodu podwójny cień. Kilka kroków przed nim ramię w ramię szło dwóch mężczyzn.

Sądząc po odzieniu, przybyli z daleka, lecz wydawali mu się znajomi. Zaciekawiony, ruszył ich tropem. Tymczasem gorączkowo szukał w pamięci przyczyny przekonania, że skądś ich zna.

Naraz wszystko stało się jasne. Byli to dwaj mężczyźni z karczmy Ceccherina, ci, co siedzieli na uboczu, wyraźnie nie pasując do klimatu zepsucia, którym oddychało się w tamtym miejscu. To oni dopomogli mu w ucieczce.

Przyśpieszył kroku i dogonił ich w pobliżu starej rzymskiej studni.

– Witajcie, *messeri* – pozdrowił ich, zastępując im drogę.

Tamci dwaj zatrzymali się zaskoczeni.

– My się znamy? – zapytał wyższy z nich po chwili zakłopotania.

– Nie wydaje mi się, byśmy się kiedykolwiek spotkali – zgodził się z nim drugi, rozglądając się ukradkiem dokoła, jakby chciał się upewnić, że poeta nikogo za sobą nie prowadzi.

– Nie obawiajcie się, jestem sam. Pragnę was o coś poprosić.

Cudzoziemcy spoglądali na siebie w milczeniu, wciąż nieufni.

– Pewien jestem, że mamy wspólnego przyjaciela. Może nawet kilku przyjaciół. To *messer* Monerre.

Tamci dwaj nadal milczeli nieporuszeni, jakby to nazwisko nic im nie mówiło.

– Jestem przekonany, że wiecie, o kim mówię. Przekażcie mu, że muszę się z nim spotkać i że będę go oczekiwał jutro wieczorem, godzinę po komplecie, za apsydą baptysterium.

Mężczyźni nie odezwali się ni słowem. Wciąż wpatrywali się w niego obojętnym wzrokiem. Krótko skinęli głową i ruszyli dalej, znikając za rogiem.

Prior odprowadzał ich wzrokiem. Rozmyślał o tym, jak łatwo jest zniknąć w jego mieście. Jak gdyby mury domów wzniesione zostały podle rysunku szatana, a ulicami naprawdę przemykały owe dżiny, które Monerre miał widzieć na Wschodzie.

Noc 13 sierpnia w Pałacu Signorii

Dręczył go niepokój. Pożądanie, które rozlewało się w nim leniwie, obudziło wyrzuty sumienia. Prześladowała go krucha twarz Amary wyłaniająca się z cienia niczym daleki krąg księżyca.

Błąkał się po celi, pieszcząc w myślach ciało kobiety, które ujrzał na wozie w całej wspaniałości. Odczuwał podniecenie, którego nie potrafił ubrać w słowa, choć po wielekroć próbował przekuć je w poezję. Z całej siły uderzył dłonią w stół.

Gwałtowny ból w palcach sprowadził go na ziemię, rozpraszając owe miłosne fantazje.

Wstydził się swej żądzy. Lecz w sumie dlaczego? Namiętność cielesna jest świadectwem wzniosłych uczuć, gdyż jedynie serce uszlachetnione wiedzą oraz cnotą jest w stanie poczuć jej ukłucie, zmienić nikczemną przypadłość ciała w duchową ekstazę... a on zostawił ją na pastwę tego łajdaka Cecca Angolieriego i jego sprośnych wygłupów.

Może w tej chwili ręce Sieneńczyka sunęły po jej ciele, skorzystawszy z mroków nocy i odosobnienia. Miał pozwolić, by w jego mieście jakieś dziewczę być może niewolono siłą, a żaden szlachetny mąż nie przyszedł mu z pomocą?

Złożył nagle woskowaną tabliczkę i poderwał się na nogi.

Ulice miasta były zupełnie puste. Znał dobrze trasę nocnego patrolu, którą wytyczono po to jedynie, by strzec domostw wielkich rodów. Bez większego trudu udawało mu się zmylić miarowy krok straży, pobrzmiewający ostrzegawczo w oddali.

W pobliżu opactwa po raz ostatni wytężył wzrok, by upewnić się, że po drodze na nikogo nie się natknie. Kiedy zbliżał się już do rogu budowli, zdawało mu się, że słyszy metaliczny brzęk, a potem szelest prędkich kroków oddalającej się w pośpiechu osoby. Odczekał chwilę, lecz odpowiedziała mu głucha cisza.

Pchnął niewielkie drzwi. Nawa pogrążona była w zupełnych ciemnościach, jeśli nie liczyć bladej poświaty księżyca okalającej biegnące w górze okna. Dotarł do drzwi zakrystii i wszedł do środka.

W pierwszym pomieszczeniu nie było nikogo. Wspiął się szybko po schodach i wszedł na korytarz prowadzący do niegdysiejszych cel. Tutaj też, inaczej niż się tego spodziewał, nie zastał żywej duszy. Kobieta i Cecco najwyraźniej zniknęli. Może uciekli.

Owładnęły nim mieszane uczucia. Myśl, że są gdzieś daleko, uspokajała go. Znaczyło to, że plan wykpienia Florencji został definitywnie zarzucony. Ciążący mu na sumieniu wyrzut, że nie zdemaskował intrygi, stał się mniej dotkliwy. Lecz jednocześnie ubywało w nim nadziei, że uda się odkryć zabójcę. Teraz, gdy Brandano nie żył, a jego wspólniczka uciekła, zerwała się kolejna nić w owej sieci utkanej z poszlak i widm.

Za tymi rozmyślaniami krył się gryzący zawód: nie zobaczy już tej niewiasty, na zawsze mu się wymknęła.

Wtedy dostrzegł blask, który dochodził z wąskiego przejścia prowadzącego na schody wieży. Serce podeszło mu do gardła. Rzucił się biegiem do góry po wąskich kręconych stopniach. Pokonawszy ostatni odcinek schodów, przystanął zasapany pod surowym łukiem wejścia do celi urządzonej w dzwonnicy. Z belek stropu zwisały jeszcze zaczepy starych dzwonów. Pod nimi ktoś rozłożył kilka poduszek. W doskonałej ciszy nocy dawał się słyszeć oddech osoby wyciągniętej na tym naprędce sporządzonym łożu, przykrytej obłokiem organdyny. Jej kształty... W tej właśnie chwili kobieta, głębiej wciągnąwszy powietrze, poruszyła się we śnie i przewróciła na bok, obracając się doń plecami.

Zachwycający łuk bioder pojawił się przed nim w całej swej urodzie. Dziewczyna zdawała się pogrążona w jakimś sennym marzeniu. Skrzyżowane na łonie ręce muskały je ledwie dostrzegalnym gestem. Jakby broniła do niego dostępu.

Psyche wyczekująca dotyku Erosa, pomyślał w podnieceniu Dante. Amara znów obróciła się we śnie, wyciągając nogi zmysłowym ruchem. Po raz pierwszy ukazał się jego oczom cały splendor jej członków, którego dotąd domyślał się jedynie pod szatą.

Podszedł cicho, zatrzymując się tuż obok łoża. Falujące światło płomienia zdawało się ożywiać przezroczystą tkaninę. Drżąc, wyciągnął rękę i odsłonił powoli ciało Amary. Zalśniło przed nim bielą niczym posąg z kości słoniowej.

Czuł palący od środka żar i przyspieszony gwałtownie oddech. Kobieta poruszyła się ponownie, odkrywając niedostępną dotąd wklęsłość pachwin. Nagłe drżenie powiek świadczyło, że jej sen się przerwał. Oczy jak z jasnego szkła rozbłysły parokroć. Na widok pochylonego nad nią mężczyzny, na krótko zagościły w nich onieśmielenie i strach. Potem na jej ustach pojawił się uśmiech, zagadkowy i odległy, podobny do tych, które Dante widywał u posągów antycznych bogiń.

Wpatrywała się w niego przez chwilę, po czym powoli wyciągnęła do niego ramiona. Prior osunął się przed nią na kolana. Poczuł, jak jej ręce gładzą delikatnie jego głowę i przyciskają ją do rozchylonych warg.

Jej usta pachniały snem i miodem. Dante poddał się pocałunkowi z rozkoszą, jakby chciał nim zgasić ów uśmiech, który wciąż majaczył mu przed oczami. Wdychając jej oddech, począł rozplątywać pasy cienkiej materii zakrywającej biust. Oswobodzone piersi, uniesione pożądaniem, wyprężyły się słodko ku niemu.

Gdy jął odwijać warstwy krępujące podbrzusze, Amara zatrzymała jego dłoń, ściskając ją z nadspodziewaną siłą. Po czym podniosła się z wolna na nogi, nie przestając odsuwać go od siebie koniuszkami palców. Postąpił krok do przodu i spróbował objąć wymykającą mu się istotę, lecz ona znów unieruchomiła mu rękę w żelaznym uścisku i uciekła w kąt celi, w pobliże palącej się świecy.

W końcu powolnym, niemal tanecznym ruchem, sama rozwinęła pozostałą tkaninę skrywającą łono. Dante zasłonił ręką usta, które rozwarły mu się ze zdziwienia.

Stało przed nim stworzenie o boskich kształtach, monstrum opisane przez Owidiusza, kobieta i mężczyzna zarazem. Przecudnej urody hermafrodyta albinos, żywcem wyjęty z kart *Metamorfoz*.

Poetę ogarnęło dziwne uczucie: lęk i jednocześnie pożądanie. Wycofał się do drzwi, lecz przystanął w progu. Stworzenie wyciągało doń ramiona, odsłaniając wspaniałą bladość swego ciała. Wielki nieopierzony ptak. Tak muszą wyglądać anioły, które na wysokości niebios wyśpiewują pochwalne hymny, pomyślał.

Stworzenie poruszyło się ponownie w zapraszającym geście. Później przypadło do niego i jęło pieścić jego twarz dłonią białą i zimną jak śnieg. Na przemian ogarniały go namiętność i wstręt. Miękkość dotyku i słodycz spojrzenia były wyrazem miłosnego oddania kobiety. Lecz gdy Amara przysunęła się jeszcze bliżej, spostrzegł z obrzydzeniem, że podniecenie ogarnia również męskość tej istoty.

Dante nie mógł się poruszyć. Rozdarty był podwójną żądzą, jak owo stworzenie, które rozpościerało przed nim swoje ramiona. Opanowawszy się siłą woli, wziął przykrycie z organdyny, które leżało porzucone na łożu, i z czułością owinął nim alabastrowe ciało. Z trudem przezwyciężył pragnienie, by je przycisnąć do piersi, a potem posiąść. Teraz, gdy jej nagość zniknęła, a wraz z nią jej dwojaka natura, Amara stała się na powrót kobietą za sprawą tych samych czarów, które chwilę wcześniej uczyniły ją mężczyzną.

Wciąż oszołomiony Dante wypadł z celi. Rzucił się w dół, nie oglądając za siebie. Na schodach natknął się na Cecca, który stał na jednym z pierwszych stopni ze skrzyżowanymi ramionami. Poeta minął go bez słowa, nie bacząc na złośliwe spojrzenie, rzucone mu przez tamtego.

Był przekonany, że Sieneńczyk wiedział o wszystkim i zakpił sobie z niego. Przyjdzie jeszcze czas na wyrównanie rachunków, obiecał sobie w duchu, połykając przekleństwa, które cisnęły mu się na usta.

W tej chwili inne myśli zaprzątały jego uwagę. Lęk i bezsilna złość zaczynały panować nad pożądaniem, a jego uszy na powrót otworzyły się na głos rozumu. Amara była mężczyzną... także. A jeśli to ona w swej męskości była tym, który miał nadejść, dziedzicem Fryderyka mającym odbudować jego królestwo? Bernardo nie umiał bądź nie chciał powiedzieć, jakiej płci był ów potomek. Może dlatego że nie wiedział, czy Blanka Lancia dała cesarzowi syna czy córkę? A może dlatego że w jedynym cesarskim potomku łączyły się natury obydwu płci i nowy cesarz miałby ponieść na tron własną dwoistość.

Potrząsnął głową, oddalając od siebie ów niedorzeczny domysł. Amara nie wyglądała na więcej niż dwadzieścia lat. Aby mogła być poczęta z nasienia cesarza, musiałaby ich mieć ponad pięćdziesiąt. Jednak nawet tego nie był już pewien. Czyż jego mistrzowie, wielcy pisarze antyku, nie donosili o niesłychanych stworzeniach obdarzonych darem nieśmiertelności?

Wybiegł na ulicę niczym zraniony zwierz szukający swej jamy.

W Pałacu Signorii

Dante zmiął nerwowo kartkę, na której zapisał ledwie parę linijek. Spojrzał na nieduży plik papieru leżący na biurku: wkrótce się wyczerpie, a on nie miał pojęcia, jak zdobyć następny. Zmuszony będzie powrócić do korzystania ze stronic księgi swojej pamięci.

Tył oka przeszył mu nagle ognisty szpon gwałtownego bólu. Zacisnął powieki z całej siły, czekając, aż opadnie mgławica piekących iskier.

Przycisnął pięści do oczu. Zdawało mu się, że za drzwiami coś się poruszyło i czyjaś dłoń sięgnęła do zasuwki, lecz nie znalazł siły, by się odwrócić. Kiedy to w końcu zrobił, ujrzał nieznajomą, która weszła do środka i czekała bez ruchu, oparta o sekretarzyk.

– Pietra... to ty? – wyszeptał, rozpoznając szczupłą sylwetkę dziewczyny. Płomyk na jego biurku ledwie wydobywał ją z mroku. – Jak tutaj weszłaś?

– Dla dziewcząt Lagii drzwi zawsze stoją otworem. Mam znajomych również wśród twych straży – odpowiedziała ze swoim śmiechem prostaczki.

Dante podniósł się z wysiłkiem i podszedł do dziewczyny. Wyciągnął dłoń, by dotknąć jej policzka, lecz ta umknęła pieszczocie, odchylając głowę w przeciwną stronę.

– Nie dotykaj mnie. Nie zapłaciłeś.

Poeta opuścił rękę. Dziewczyna wpatrywała się w niego zielonymi, głęboko osadzonymi oczami. Jej twarz okalała burza ciemnych loków opadających na ramiona. Zdawało mu się, że w chwiejnym płomieniu świecy jej oczy lekko fosforyzują. Słodkie widmo Amary przez moment nałożyło się na te ostre rysy, przysłaniając je.

Pietra śledziła z uwagą jego udręczone gorączką oblicze. Wtem zaniosła się swym pospolitym śmiechem.

– Zatem próbowałeś z tamtą kobietą? Z nią także? – Roześmiała się znowu, wyraźnie zeń szydząc. – I podobało ci się? Mów!

– Odejdź – wyszeptał Dante z obrzydzeniem.

– Nie miałbyś ochoty na prawdziwą kobietę, żeby zapomnieć o tamtej?

Krótki prosty nos, mocny u podstawy, i wąskie usta nadawały jej twarzy lisi wygląd. Miała na sobie lekką tunikę, która spowijała szczupłe ciało o wąskich biodrach i gładkich plecach nastoletniej dziewczyny. Opierała się o ścianę, wygięta w łuk. Drobne uniesione piersi rysowały się wyraźnie pod płócienną szatą.

– Nie dotykaj mnie – powtórzyła, wyciągając przed siebie dłoń, jakby chciała wyznaczyć między nimi granicę. Rozejrzała się po celi. Jej wzrok padł na rozrzucone stronice.

– Znowu słowa. Tylko tyle potrafisz. Wymyślać słowa.

– To z nich mężczyzna, który jest sam, czerpie pociechę. Ze swych słów.

– Ty pragniesz być sam, bo boisz się, że cię ktoś porzuci – odparła Pietra z pogardą. Dante chciał odpowiedzieć, lecz nie dała mu dojść do słowa. – Słowa, sam. – Złapała jeden z arkuszy i ze złością cisnęła go na ziemię. – Tyle nieprzydatnych słów.

Ognista obręcz ponownie zacisnęła się wokół czoła poety. Zachwiał się i osunął na łoże.

Pietra śledziła jego ruchy.

– Znowu ta twoja choroba? – spytała chłodno.

Nie odpowiedział. Dziewczyna podeszła do niego. Piersią dotykała teraz jego czoła. Potem przesunęła mu ręką po głowie i przycisnęła ją do siebie, muskając palcami ścięgna karku. Dante poczuł w nozdrzach zapach jej skóry, mieszankę tanich pachnideł z Oltrarno, i cierpką ukrytą woń wydzielającą się delikatnie z podbrzusza. Zamknął oczy i zapadł się w nią niczym dziecko w ramiona matki. Czuł, jak łzy zalewają mu oczy, jak łkanie wstrząsa mu piersią. A potem, jak olbrzymieje w nim jakieś ciepło.

Uniósł głowę. Pietra zaprzestała swych pieszczot i rozchyliła wargi nad jego ustami. Wpił się w nie w niekończącym się pocałunku, podczas gdy jego dłonie sunęły wzdłuż nóg dziewczyny, zadzierając jej tunikę aż po piersi. Całował jędrną skórę upstrzoną bladymi piegami, po czym przyciągnął Pietrę do siebie. Rzucił ją na łoże, zrywając z niej szaty, i zanurzył się w jej ciele niczym w oceanie mroku.

Leżał nieruchomo przez jakiś czas, nie umiał powiedzieć jak długo. Dziewczyna, wyciągnięta u jego boku, wsparta na łokciu, przyglądała mu się z zagadkową miną.

– Pietra... ja...

– Nic nie mów – przerwała mu prostytutka, kładąc mu palec na ustach. – Nie niszcz wszystkiego, jak zawsze, tymi twoimi słowami. Nic już do mnie nie mów – wyszeptała i znów go pocałowała. Tym razem jej usta były zimne. Wydało się mu, że to rutyna, reguła jej profesji, pocałunek na pożegnanie.

– Po co tu przyszłaś? – zapytał półgłosem.

Nie odpowiedziała. Wzruszyła tylko ramionami.

– Kto wie. Może miałam ochotę cię zobaczyć.

Zaczęła się ubierać w pośpiechu. W myślach dręczyło ją coś jeszcze. Na progu odwróciła się po raz ostatni.

– Jesteś w niebezpieczeństwie. Ty i inni, z którymi się zadajesz – rzekła.

– O czym ty mówisz?

– Wiesz o czym. Lagia opowiedziała wszystko inkwizycji. Rozmawiali o tobie.

– Co wiesz?

– Udało mi się usłyszeć tylko kilka zdań. Ale ty musisz uciekać – powiedziała jeszcze dziewczyna z nagłym błyskiem czułości w oczach. – Mówili, że twój plan wyszedł na jaw. Rozmawiali o jakimś „przeklętym bękarcie".

Dante dopadł jej i złapał za ramię.

– Jesteś pewna? Tak właśnie mówili?

Ona wysunęła się tylko z uścisku i popędziła w głąb krużganka.

W samotności prior począł gorączkowo rozmyślać. Zatem d'Acquasparta wiedział o spisku mającym przywrócić na tron cesarskiego dziedzica. Czy jednak znał również imię przeklętego bękarta? Raczej nie, skoro od niego chciał wydrzeć wyznanie: był najwidoczniej przekonany, że Dante zna ów sekret. Może w zakamarkach jego rozumu tkwiły już wszystkie elementy zagadki i tylko on jeszcze nie zdawał sobie z tego sprawy? Los naprawdę sobie z niego zakpił!

8

Po południu 13 sierpnia

Musiał zapaść w sen niepostrzeżenie, z wyczerpania. I choć miał wrażenie, że zamknął powieki tylko na moment, osunął się w brzęczącą plątaninę dźwięków i obrazów, które zdawały się unosić znad drewnianej podłogi. Wydawało mu się, że u jego stóp rozwarły się starożytne groby pochowanych w kościele zmarłych, a ich duchy przybyły aż tutaj, by mu się przyjrzeć i skłonić go do działania. Kiedy otworzył oczy, cela tonęła w słońcu. Potoczył wokół zamglonym spojrzeniem i po wysokości słońca spróbował ustalić, która jest godzina. Minęło już zenit i właśnie zaczęło obniżać się ku zachodowi. Podniósł się szybko, starając się uporządkować myśli.

Tymczasem coraz wyraźniej dochodził do niego dźwięk głosów. Na krużgankach panowało jakieś poruszenie. Podszedł do drzwi i otworzył je na oścież.

Jeden z ludzi Komendanta stanął w nich zdyszany.

– Prędko, priorze! Jest kolejny trup!

– Gdzie? – spytał z niepokojem Dante, wybiegając natychmiast.

– Koło Santa Croce. W domu mistrza Alberta, Lombardczyka.

– Co się stało?

– Człowiek, mistrz... Został zamordowany w swoim warsztacie, chodźcie!

Prior rzucił się pędem przed siebie z wściekłością, od której krew burzyła mu się w żyłach. Ludzie Komendanta, którzy mieli służyć mu za eskortę i torować drogę przez tłum, utknęli po drodze przez swe długie lance. Do drzwi warsztatu dotarł już sam. Mężczyzna leżał we krwi na podłodze, nieopodal swych narzędzi równo złożonych na ławie. Jeśli Dante dobrze zapamiętał, leżały nietknięte. Nikt też najwidoczniej nie próbował się dostać do zamkniętych szaf i skrzyń, jakby morderca nie przywiązywał żadnej wagi do ich zawartości. Ten, kto zabił, raczej nie zabrał stąd niczego.

– Gdzie jest Amid, jego sługa? – zapytał Komendanta stojącego przy drzwiach.

– Zbiegł po tym, jak zamordował swego pana. Wysłałem za nim w pogoń całą kompanię straży. Nie ucieknie daleko – odparł dumnie dowódca. – Już to sprawdziliśmy, nic nie zginęło. Na górze, w izbie sypialnej, stoi okuta skrzynia pełna florenów. Dosięgła go nie ręka złodzieja, lecz pożądająca zemsty dłoń jego sługi.

Dante zrobił zawiedzioną minę. Jeśli ludzie Komendanta dostaną w swe łapy tego Bogu ducha winnego nieboraka, nic nie będzie w stanie go ocalić, pomyślał z goryczą. Nawet jego urząd, który lada chwila wygaśnie. W kącie spostrzegł dywanik modlitewny i leżącą na nim księgę.

Podniósł kodeks i ponownie rozejrzał się dokoła. Ten, kto zabił mistrza dwoma pchnięciami noża w szyję, z pewnością szukał czegoś innego. Dante ucieszył się z powodu swej przezorności, która kazała mu ukryć mechanizm w bezpiecznym miejscu.

Rozmyślał gorączkowo. Mistrz Alberto nie brał udziału w spisku, a przecież jego śmierć złączona była z tajemniczą intrygą, której nici oplotły Florencję, mającą związek z wielkim cesarzem. I na pewno z mechanizmem, który zamordowany odtworzył.

Zabójca nie przeszukał pracowni – znak, że wiedział, iż machiny już tu nie ma. Po co więc zabił? Nasuwała się tylko jedna logiczna odpowiedź: nie chciał dopuścić, by przy życiu pozostał jedyny człowiek, który mógłby zbudować podobną. To tej tajemnicy, bardziej niż życia, chciał pozbawić Alberta.

Zabójca? Jego wzrok padł naraz na rany na ciele mistrza, tak podobne do tych, które uśmierciły pozostałych. Dlaczego zabójca? Wszyscy nieboszczycy zginęli według tego samego schematu: dwa ciosy zadane z bliskiej odległości, jeden z nich śmiertelny. A jeśli w rzeczywistości morderców było dwóch? Dwóch ludzi nawykłych do wspólnej walki i zadawania ciosów, zdolnych przeprowadzić atak z dwóch stron, tak by ofiara nie mogła się bronić. Przywykłych dzielić między siebie czyjąś śmierć, tak jak gotowi byli dzielić wszystko: chleb, konia, kobietę... W głowie nagle zaświtała mu pewna myśl. Chaotyczne odpryski planu zdawały się układać w konkretny kształt: wrócił pamięcią do rozmowy na moście. Do wszystkich tajemniczych uczestników owej tragedii. Nie mogło być inaczej. Rzeźba Janusa na powrót stanęła mu przed oczami.

Jeśli miał rację, może mógł jeszcze przerwać ów łańcuch śmierci. Zerwał się nagle i przemaszerował przed oczami zdezorientowanego Komendanta.

Dotarł do gospody Pod Aniołem. Na dole natknął się na oberżystę, który rozlewał wino z wielkiego glinianego dzbana.

– *Messer* Bernardo jest na górze? – spytał, wbiegając na schody.

– Nie, priorze, wyszedł niedawno. Chyba ktoś na niego czekał przed gospodą.

– Widzieliście kto?

– Nie. *Messer* Bernardo wyglądał na udręczonego chorobą. Zapytał mnie, czy nie pojawił się nikt, kto by go szukał, ja odpowiedziałem, że nie, on więc usiadł i poprosił o coś do picia. Ale widać było, że na kogoś czeka. Co chwila podnosił się i podchodził do drzwi, by wyjrzeć przez nie na zewnątrz. Za ostatnim razem pożegnał się ruchem dłoni i wyszedł. Ale nie widziałem z kim.

Dante pokiwał głową, po czym wspiął się do pokoiku na pierwszym piętrze. Drzwi nie były zaryglowane, jakby Bernardo nie troszczył się zbytnio o swój majątek. Może sądził, że żadnego złodzieja nie skuszą spisywane przezeń księgi lub że w mieście złodziei nikt nie pożąda wiedzy, z goryczą pomyślał Dante.

W środku rzeczywiście nie było niczego, co dałoby się ukraść. Zaledwie skromna skrzynia w nogach łoża, a w niej parę zgrzebnych ubiorów. Bernardo musiał w pośpiechu przerwać pracę nad swym dziełem: *Res gestae Svevorum*. Na biurku leżał otwarty niewielki oprawny kodeks, a obok niego arkusze czerpanego papieru i kałamarz.

Dante jął czytać na głos.

– „Księga niniejsza nosi miano *Cronica federiciana*, w której to pomieszczono opisanie czynów mego władcy, co zadziwił świat..." – Dante oderwał na chwilę wzrok od pergaminu. – „... które ja, Mainardino, biskup, widziałem i których pamiątkę pozostawiam wszystkim sprawiedliwym: spisywać zaczęto w roku od wcielenia Jezusa Chrystusa MCCLV".

Podniósł oczy zdumiony.

– *Cronica...* Mainardina... – wyszeptał. – Wielkiego kronikarza żywota Fryderyka. Zatem istnieje naprawdę. Bernardo nie kłamał.

Gorączkowo wertował stronice, przebiegając prędko lata wielkich czynów i chwały. Niemal cudowne narodziny w mieście Jesi, walka o tron. Triumfalny wjazd do Jerozolimy o stu wieżach, zwycięstwa i klęski, nieposkromiona żądza wiedzy i wspaniała świta. Jego wiersze...

Opuścił je i skupił się na końcowych kartach. Uroczysta proza biskupa odmalowywała schyłek życia cesarza w tonach starożytnej tragedii. Udręka choroby, próżne nadzieje na wyzdrowienie. Burzliwe splatanie się pasji i ambicji wokół śmiertelnego łoża władcy. Naraz ze zdumieniem zauważył zdanie, w którym Mainardino niemal od niechcenia stwierdzał: „...doniesiono Fryderykowi o śmierci jego syneczka, nowicjusza u franciszkanów. I Fryderyk zapłakał".

Zaraz potem biskup wracał do spraw dworu. Dante przerwał lekturę, by móc pomyśleć. Prawie do krwi przygryzał dolną wargę. Czy chodziło tu o syna Blanki Lancii? Jeśli on nie żył, na kim zatem wspierały się nadzieje gibelinów? Cała walka o władzę nad Rzymem zasadzała się na charyzmacie cesarskiej krwi. Powrót rodu antychrysta, którego tak obawiał się kardynał d'Acquasparta, nie byłby więc możliwy?

Z zaciekawieniem począł czytać dalej. Opisy męstwa, cierpienia, chwały, które rozum jego chłonął chciwie jak spragniony wodę. Wreszcie, na zakończenie manuskryptu, Mainardino umieścił scenę otrucia cesarza, który „zginął z ręki człeka niepełnego, a był nim...".

Dante przewrócił kartę, licząc, że odpowiedź znajdzie na odwrocie. Lecz ujrzał białą stronę: górny brzeg pergaminu ostrożnie oddarto, tak by usunąć ostatnie linijki tekstu wraz z imieniem zabójcy. Kto usunął ten fragment? I przede wszystkim dlaczego?

Jeśli był to winny zbrodni lub ktoś, kto chciał go chronić, dlaczego nie pozbył się całej strony albo i nawet całej kroniki? Po co ukrywać imię zabójcy, skoro można było zniszczyć wszelki ślad samej zbrodni?

Mógł to też zrobić Bernardo, pragnąc być może pozostać jedynym strażnikiem tak straszliwego sekretu. Lecz po cóż to, skoro wkrótce zamierzał ogłosić swe dzieło, niszczyć tekst, który miał je uwiarygodnić?

Za wszelką cenę musi odnaleźć historyka. Rozejrzał się jeszcze dokoła w poszukiwaniu odpowiedzi na któreś z dręczących go pytań. Przez krótki czas myślał, że bliski jest rozwiązania zagadki. Lub przynajmniej odkrycia zabójcy i jego potajemnego wspólnika.

Zniknięcie Bernarda zadawało ostateczny cios jego domysłom. Jeśli był on jednym z zabójców, z pewnością był już daleko w drodze. Dopadło go przygnębienie. Poza kodeksem w pokoju nie było cennych przedmiotów, niczego, co zmuszony do ucieczki człowiek zostawiłby z żalem. Jeśli natomiast się mylił, Bernarda dopadnie wkrótce śmiercionośne ostrze, a jego nadzieje na rozwiązanie zagadki rozwieją się na zawsze.

Wyjrzał na schody w nadziei, iż ujrzy na nich sylwetkę wysuszonego chorobą dziejopisa.

W sali na dole ktoś siedział przy wspólnym stole.

Dante zszedł po schodach i bezszelestnie stanął za jego plecami.

Jednak ów mężczyzna sobie wiadomym sposobem musiał go rozpoznać.

– Witajcie, priorze. Przyłączcie się do mnie – usłyszał czyjś szept.

Poeta porzucił wszelką ostrożność. Minął stół i zatrzymał się przed Marcellem. Medyk siedział z zamkniętymi oczami, nieruchomo, z wielkim kajetem przed sobą. W rogu stołu stała klepsydra. Piasek całkiem przesypał się do dolnej ampułki, jakby mężczyzna spędził długie godziny zatopiony w pracy.

– Zdawać by się mogło, że widzicie w ciemnościach jak kot – wykrzyknął zaskoczony Dante.

– Wasz krok jest lekki, a do tego połączony z niepowtarzalnym odgłosem.

Prior przesunął się nieznacznie wzdłuż krawędzi blatu, usiłując dostrzec w słabym świetle świecy, co takiego Marcello pisze.

– Przestańcie kręcić się w kółko i usiądźcie ze mną przy stole. Czy rozsupłaliście już ów węzeł podejrzeń, o którym mówiliście?

– Nie, jeszcze nie.

– A co do zamysłów wielkiego Fryderyka, czyście je poznali? Wiecie, jakie myśli pomieszkiwały w jego głowie, nim zabrała go śmierć?

Dante wbił wzrok w ziemię i przygryzł wargę.

– Nie wiem – wyznał.

– Na Boga, *messer* Durante, ile musiały was kosztować te dwa proste słowa! – wykrzyknął triumfalnie starzec, unosząc naraz powieki. – A jednak wystarczą, by sprowadzić waszą pychę do ludzkich rozmiarów. „Nie wiem"! Każcie je wyryć w spiżu na drzwiach waszego domu!

Dante zacisnął pięści, przezwyciężywszy nagłą chęć, by wstać i się oddalić.

– Można by rzec, że wy znacie je daleko lepiej niż ja – odciął się.

Starzec obrócił klepsydrę. Jego twarz złagodniała, jakby pragnął, by wybaczono mu niedawny sarkazm.

– To lata, które przeżyłem, oraz rzeczy, które widziałem i zbadałem, napawają mnie wiarą w pewność poznania – dodał dobrodusznie.

Dante wzruszył ramionami.

– Pewność poznania! – powtórzył ze złością. Wpatrywał się w piasek, który znów się w klepsydrze przesypywał. – To nic więcej jak złudzenie, podobnie jak czas jest złudzeniem, któremu poddają się nasze zmysły – dodał niepocieszony. –

Spójrzcie na te drobiny. Jak one, ziarenka naszego życia rozsypują się na dni i godziny. Jak my, zanurzeni w tym piachu, możemy cokolwiek poznać?

– Tracicie swą wiarę, priorze?

– Nie... Lecz nigdy wcześniej tak bardzo jak w tych godzinach nie czułem, że poruszam się wśród miraży. Moja gwiazda też chyba zaszła ze swym bezużytecznym światłem – wycedził Dante przez zaciśnięte zęby.

– A jednak to, co pisane jest wam w gwiazdach, nadejdzie. Zwycięstwo, jeśli to ono ma was czekać. Lub klęska, jeśli ją właśnie dyktuje wam niebo.

– Nie wierzę w predestynację. Jeśli upadnę, to za przyczyną słabości mego rozumu bądź cnoty, nie za sprawą zimnej iskry, która błyszczy w oddali.

Marcello zastanawiał się chwilę nad jego ostatnimi słowami. Potem potrząsnął głową i ze złością uderzył pięścią w plik swoich notatek, które rozsypały się po ziemi.

– To nie zimne światło, priorze! – wykrzyknął. – Ale szlachetne echo Boskiego blasku. Owego światła, które powołuje do życia i nadaje imiona. Pierwotniejszego niż głos Adama. Pierwotniejszego niż samo stworzenie. *Fiat lux** to jego najpierwsze dzieło!

Upadłszy na ziemię, kartki kajetu wypadły z oprawy i oczom poety ukazały się strony pokryte obliczeniami i symbolami gwiazd. Jego uwaga rozbudziła się natychmiast.

– Powinniście bardziej uważać na wasze zapiski – napomniał go, pochylając się, by pozbierać rozsypane stronice. – Wspaniałe pomniki starożytnego geniuszu zostałyby dla nas stracone przez lekkomyślność.

---

* Niech się stanie światło (łac.).

– Nic się nie wydarzy, jeśli nie ma się wydarzyć. Nic nie nadejdzie, jeśli pierwszego dnia nie zostało zapisane w księdze przeznaczenia – upierał się Marcello głosem rwącym się od nagłej zadyszki. Wyciągnął ręce, aby odzyskać zawartość kajetu.

Dante poskładał razem zebrane arkusze, próbując ukradkiem odczytać ich treść. Medyk jednak wyrwał mu je z ręki, jakby obawiał się, że je zniszczy. Zdziwiła go gwałtowność starca.

– Naprawdę sądzicie, że nawet w najbardziej przyziemnych sprawach zależni jesteśmy od niewidzialnej siły, wbrew wolności wyboru, którą obdarzył nas Stwórca?

– Wolność wyboru, którą nam dano, niczym się nie różni od wolności danej żołędziowi, który i tak stanie się dębem. To tylko zdradliwa ułomność naszych zmysłów łudzi nas zmiennością rzeczy, która sprawia, że oglądamy wyrywki tego, co w istocie ustanowione jest od wieków.

– Z tego jednak wynikałoby, że i sam ruch jest iluzją – zaoponował Dante. – A przecież otaczają nas dowody na to, że jest inaczej, choćby ruch ciał niebieskich, na których opiera się wasza nauka. Czyż słońce nie wschodzi codziennie, czyż księżyc nie odradza się dokładnie co miesiąc? A jeśli i te ciała trwają w bezruchu, czyż nie porusza się przynajmniej ich światło, które dociera do nas, oddając ich obraz?

– Nie! Światło to nie rozchodzenie się promieni, jak woła poganin Al-Kindi! Jest nieruchome jak gwiazdy uczynione w pierwszym dniu stworzenia!

– A więc w tych gwiazdach człowiek mógłby zobaczyć babilońskie uczty, płonącą Troję i bruzdę w ziemi, która dała początek Rzymowi, stolicę Piotrową i drugie cesarstwo, wielkiego Fryderyka, a w końcu i dzisiejszą noc, nasze spotkanie...

– Skąd macie pewność, że to nieprawda? Jeżeli...

– Bluźnicie, Marcello! Adam w chwili stworzenia otrzymał wolność wyboru między dobrem a złem. Jeśli nie byłoby to prawdą, Bóg wystawiłby pierwszego rodzica na próbę po to tylko, by napawać się widokiem jego upadku, który w jego umyśle już się dokonał.

– Spójrzcie zatem na to! – wykrzyknął starzec i począł kreślić na kawałku pergaminu jakiś kwadrat. – Pokażę wam skrót waszego żywota i to, co was czeka przez lata, które wam zostały. Cierpienie, na które zasługujecie!

Dalej rysował coś krótką nerwową kreską. Pierwszy kwadrat zmienił się w gęstą siatkę. Zaznaczył domy, potem naniósł symbole planet. Rysował z pamięci, obywając się bez pomocy obliczeń.

Musiał posiadać zaiste wyjątkowy umysł, skoro potrafił bez kłopotu spamiętać pozycję każdego z ciał astralnych na ekliptyce, zauważył Dante z podziwem. Lub często kreślił ów diagram w przeszłości i korzystał z tego, co odkrył w trakcie swych studiów.

Lecz nim poeta zdążył o to zapytać, Marcello ukończył rysunek.

– Oto są znaki waszej ziemskiej drogi, *messer* Alighieri. Słońce jaśniejące w Bliźniętach, w czas ostatnich tchnień kapryśnej wiosny, które czyni waszą naturę nieprzeniknioną i obłudną. Łączy się ono z wszędobylskim Merkurym, panem waszej wiedzy wykradzionej starożytnym mędrcom i tak samo próżnej jak ich nauki. Nienasycona chuć – dar Wenus w gwiazdozbiorze Raka, wasze okrucieństwo rozpalane przez Marsa w Lwie. Dalej...

– Widzę, że dokładnie wczytaliście się w historię mego żywota – przerwał mu poeta z kpiną w głosie. – Wielu jest we Florencji takich, co potrafiliby go odmalować dużo ostrzejszym piórem!

– Nikt jednak nie potrafiłby wyłożyć tego, co wam zeń zostało.

Dante wyciągnął rękę, by zabrać pergamin, lecz energiczna dłoń starca przytrzymała go na stole.

– Liczba, która nim rządzi, to dziewięć. Dziewięć. Liczba przeznaczenia Fryderyka, który zmarł przed dziewiątym cieniem o dwu obliczach. – Prior nie wiedział, o co chodzi, nim jednak zdążył coś wtrącić, tamten mówił już dalej. – W wieku lat dziewięciu doznaliście pierwszego olśnienia, w wieku osiemnastu – ukłucia wygłodniałej żądzy. Mając lat trzydzieści sześć, doświadczycie rozpaczy i wygnania. Umierać będziecie jako banita, na obczyźnie, bez nadziei, która niesie pociechę. To wam przepowiadam.

Dante wysłuchał ostatnich słów, zaciskając usta. Ogarniały go zdziwienie i złość.

– A wy, Marcello? Gdzie zapisana jest wasza śmierć? – zakpił. – Czy tylko przyszłość innych widzicie tak wyraźnie?

– Mój koniec zapisany jest w gwiazdach, jak wszystko. I nastąpi w godzinie i miejscu przez nie wyznaczonych, które znam. Zabierze mnie z sobą śmierć wilgotna, zesłana przez wilgotne Ryby. Z wody wyszedłem, jak cały ród ludzki. Do wody powrócę.

Dante w milczeniu wziął do ręki horoskop. Zacisnął palce, jakby w garści chciał zamknąć swój los.

Noc

Tylna ściana baptysterium niemal dotykała skupionych dokoła, starych budynków, od których oddzielał je tylko wąski zaułek. W tym miejscu masa kamienia przesłaniała całkowicie katedrę Santa Reparata. Nie docierał tu nawet migotliwy blask pochodni oświetlających plac.

Dante czekał już ponad godzinę. Co chwilę, w równych odstępach czasu, rozlegał się krzyk. Pewnie jakiś chory wykrzykiwał swoją udrękę. Albo kogoś napastowały demony. Poeta przechadzał się z wolna wzdłuż murów budowli. W końcu przykucnął. Popadał w odrętwienie spowodowane trudami dnia i upałem. Czuł, jak jego umysł faluje, podąża ku bramom snu. Jednak choć sen czaił się gdzieś w głębi czaszki, nie próbował opuścić swojej kryjówki. Jakby jego dusza nie zapragnęła jeszcze uwolnić się od ciężaru strudzonego ciała, które niemal zupełnie opadło z sił.

Po chwili letargu otworzył znów oczy, wzmagając czujność. Zdawało mu się, że słyszy czyjś lekki chód. Ciemna sylwetka wyłoniła się u wylotu uliczki. W obliczu niebezpieczeństwa ożywił się na powrót. Wstał i przylgnął do ściany, nagle nieruchomiejąc. Wytężył słuch. Zacisnął palce na rękojeści sztyletu, sposobiąc się do ataku na nieznajomego, jeśli miałby się on okazać kimś innym niż ten, którego oczekiwał.

Wyrosła przed nim postać szczelnie opatulona płaszczem z lekkiego lnu, który zakrywał również dół jej twarzy. Na głowie miała wiejskim obyczajem wyplatany słomkowy kapelusz naciągnięty na czoło tak, iż spod ronda wystawały jedynie oczy.

A jednak prior w mgnieniu oka rozpoznał dziwnego gościa, który przyglądał mu się, nie bacząc na stalowe ostrze wymierzone weń w odległości kilku cali, mimo iż ciemności panujące za baptysterium rozpraszała jedna jedyna pochodnia.

Monerre zbliżył się i zatrzymał tuż przed nim.

– Słyszałem, że mnie szukaliście – powiedział tylko.

Dante na próżno czekał na kolejne słowa. Stanął tak blisko niego, że niemal sięgał ustami do jego policzka.

– Wiem dobrze, co knujecie. Nie chodziło o fortel dla zarobku, jak można było sądzić po waszych postępkach. To była jedynie przykrywka, jeśliby ktoś nabrał wobec was podejrzeń lub, co gorsza, odkrył maskaradę z Dziewicą.

Przerwał, licząc, że Francuz coś odpowie. Ten jednak, przyglądając mu się, uparcie milczał. Poeta poczuł w sobie narastającą wściekłość.

– Wasz plan był dalece bardziej przewrotny, wiem o tym. Ten, kto za nim stoi, mógł nawet chcieć, aby podstęp z Dziewicą się wydał, ponieważ to ugruntowałoby waszych wrogów w przekonaniu, iż mają do czynienia z garstką nieudolnych oszustów. Ja również dałem się złapać w te sidła, ale na krótko.

Oczy Monerre'a zalśniły.

– Co więc zatem podejrzewacie teraz? – rzekł cicho, przerywając w końcu swoje milczenie.

– Wasz zamiar był inny. Chcieliście, by powtórzyła się historia czwartej krucjaty, gdy zebrano rycerzy, konie i broń i miast do Ziemi Świętej wyprawiono ich przeciw cesarstwu Wschodu, aby je złupili i zrównali z ziemią. Taki sam zamysł zrodził się w waszych głowach: skrzyknąć wiernych, przekonać do czynu, rozpalić dusze nadzieją zbawienia i łupów. Zwabić umysły prostaczków blaskiem cudu. Potajemnie obsadzić wiernymi gibelinami kluczowe miejsca. A potem w drodze do Ziemi Świętej ogłosić prawdziwy cel: Rzym! I zdobyć miasto, jak niegdyś Konstantynopol. Udając, że prosicie o papieskie błogosławieństwo, wprowadzilibyście wasze oddziały na place Wiecznego Miasta. A wtedy łatwo już wywołać tumult, kusząc tych prostaczków zza wpółprzymkniętych bram błyskiem złotego kielicha, tabernakulum wysadzanego klejnotami...

Francuz obserwował go w milczeniu. Jego jedyne oko lśniło w ciemności jak u kota.

– Tam Colonnowie i inne wielkie rzymskie rody, wspomagane złotem Serenissimy, gotowe były się z wami sprzymierzyć, oddając swe wojska. Byle tylko strząsnąć z siebie chciwą rękę Bonifacego! – ciągnął poeta. – Taki był plan Wyznawców, nieprawdaż? Oto skarb, o którym wszyscy opowiadacie: skarbiec świętego Piotra.

– Przyłączcie się do nas, priorze. – Głos Monerre'a zabrzmiał spokojnie, bez emocji. Czuło się jednak w tych słowach ukryty ogień.

– I nie tylko Wyznawców! – prowokował go Dante.

– Przyłączcie się do nas – powtórzył tamten. – Pomścimy ostatniego cesarza, otrutego orła.

– Do was? Do Zakonu Świątyni? – syknął prior.

Ramiona Monerre'a się zatrzęsły. Skinął nieznacznie głową.

– Jak to odkryliście? – W jego głosie nie było złości, tylko zdziwienie. Zakłopotanie małego chłopca przyłapanego na zabronionej zabawie.

– Upewniły mnie w tym wasze słowa. Opowieści o waszych podróżach, a wśród nich obyczaj dzielenia jednego wierzchowca przez dwóch rycerzy. To sztuczka templariuszy. I nie służy ona temu, by prędzej pokonać drogę, lecz by mieć przy sobie zawsze świeżego konia na sam moment walki. Tym sposobem sialiście popłoch wśród pogan, odnosiliście nieprzerwane zwycięstwa, nawet dysponując połową sił przeciwnika. Zwyczaj, który uczyniliście waszym symbolem i wyryliście na pieczęciach.

Twarz Tuluzańczyka rozjaśnił blady uśmiech.

– Nasza pieczęć... macie słuszność. A tylu głupców sądzi, że jest ona symbolem ubóstwa naszego zakonu... Przyłączcie się do nas – powtórzył po raz trzeci. W wątłym świetle kaganka jego blizna wyzierała z pogrążonej w mroku twarzy niczym diabelskie piętno.

– By ugiąć kark i oddać cześć straszliwemu Bafometowi, fałszywemu bogu o dwóch twarzach? Zapamiętałem dobrze waszą pochwałę Janusa, innego z waszych tajemnych symboli. Demona o dwu obliczach, który tak głęboko wniknął w wasze serca, że jemu poświęcacie galiony waszych okrętów, jak owego, co utknął w rozlewiskach Arno. Nadajecie pozory szlachetności drodze, która wiedzie jedynie ku herezji i zatraceniu.

– A więc tu dotarł! – wykrzyknął Francuz, przerywając mu. – Gdzie...

– Dotarł tu z trupami zamiast ładunku. Tego oczekiwaliście?

– Nie rozumiecie, *messer* Alighieri. – Monerre potrząsnął głową. Podniósł oczy, jakby szukał natchnienia pośród gwiazd, którymi obsypane było niebo. – Jak dalekie od prawdy są wasze mniemania i jak niegodne tak znakomitego umysłu. Wśród naszych najświętszych symboli jest głowa o dwu twarzach. Lecz nie czcimy w ten sposób pogańskiego bożka...

– Skąd się zatem wziął ów symbol, którego oblicze sprzeniewierza się harmonii stworzenia? Cóż w nim świętego?

– To pokój, *messer* Durante. Najzacniejsze z dążeń ludzi prawych, ten sam, który i wy opiewacie w swych dziełach. Dwie twarze wzrokiem obejmujące pełny horyzont to symbol ostatecznego pojednania zawartego w krainie, która ujrzała narodziny Chrystusa.

– *Pactio secreta**... to przecież pogłoski – wyszeptał Dante zaskoczony.

– To nie pogłoski. W Jerozolimie, w obecności Fryderyka, w środku szalejącej bitwy, w której na próżno ścierały się z sobą wrogie oddziały, rzeczywiście zawarliśmy przymierze z is-

---

* Tajna ugoda (łac.).

lamskimi mędrcami. Nie ujrzał go żaden pergamin, lecz ów symbol, którym się odtąd posługujemy, stał się jego nienaruszalną pieczęcią. Dwie twarze oznaczają Wschód i Zachód, odmienne, lecz zjednoczone we wspólnym pragnieniu pokoju. Zwrócone w przeciwne strony, by nic nie umknęło ich spojrzeniu.

Dante słuchał w skupieniu. Odczuwał wciąż narastający niepokój.

– Sprzeniewierzyliście się swej misji. Mieliście oswobodzić Ziemię Świętą – rzekł lodowatym tonem.

– Nie, *messer* Durante. Zdradziliśmy jedynie próżne ambicje ludzi małego ducha w imię wyższej idei. Cesarstwa zaprawdę powszechnego.

Dante zaczął się chwiać w swych sądach. Może Republika Wenecka i templariusze, którzy najpewniej stali za spiskiem, rzeczywiście mieli bardziej dalekosiężne plany niźli złupienie świętego miasta.

– Ów znamienity plan legł w gruzach – podjął Monerre. – Przetrącony jak pień cesarskiej dynastii. Lecz wciąż może się on wypełnić, gdy na tron Rzymu powróci prawowity rzymski cesarz, spadkobierca Fryderyka. Przyłączcie się do nas – dodał strapionym głosem.

– Spadkobierca Fryderyka... Chcecie marę przyoblec w ciało. – Dante poczuł, jak pewny ton jego głosu bezwiednie się załamuje. Ogarniały go wątpliwości. Nadzieja...

– Nie, on żyje. Żyje i gotów jest objawić się światu, i poprowadzić nas do boju. A także uczcić chwałę rodzica, doprowadzić do końca najwspanialszy z zamiarów Fryderyka: ustanowić granice świata.

– O czym wy mówicie?

– O jego wielkim niedokończonym dziele.

– Lecz kim jest ów człowiek?

Monerre otwierał już usta, lecz ostatecznie nie odpowiedział. Cofnął się o krok, jakby zamierzał się pożegnać. Po chwili jednak odezwał się ponownie.

– Kimś, kogo wszyscy przysięgliśmy strzec, nawet za cenę przelanej krwi. To najmłodszy syn Blanki Lancii, jedynej kobiety, którą cesarz miłował. Wychowany z dala od dworu, a później ukryty w klasztorze wśród oddanych cesarzowi zakonników, by go uchronić przed zakusami papieża, a potem Manfreda, ambitnego przyrodniego brata.

Dante zamyślił się.

– Czy to potomek, o którym mowa w *Cronice* Mainardina? To dowodów na jego istnienie Bernardo szuka we Florencji?

Tamten spoglądał nań beznamiętnie z zaciśniętymi ustami.

– To jego chcecie osadzić na tronie? Dlatego zabijacie?

Francuz nadal milczał. Cofnął się jeszcze o kilka kroków.

– Przyłączcie się do nas – powiedział ostatni raz. – Jest jeszcze czas!

Gdy zniknął za rogiem baptysterium, Dante usiadł na jednym z sarkofagów stojących obok południowej bramy świątyni. Kamień ciepły był jeszcze od słonecznego żaru.

Starał się nadać sens temu, co przed chwilą usłyszał. Monerre naświetlający plan spisku i proszący, by się do niego przyłączył, wydał mu się szczery. Było jednak w tym wszystkim coś, co nie w pełni przemawiało do Dantego. Powracające lekkie drżenie w głosie, jakby jego słowa podszyte były rozpaczą.

Ów doskonały plan napotkać musiał niewiadomą przeszkodę. Dłoń zabójcy uderzyła w filary wznoszonego gmachu, zadała intrydze cios w serce.

Lecz jeśli celem zabójcy było położyć kres marzeniom cesarza, należało się zastanowić, czy to rzeczywiście Bonifacy poruszał ową splamioną krwią ręką.

Przebiegł go dreszcz. Potem zdawało mu się, że słyszy za sobą czyjeś kroki. Odwrócił głowę.

Na twarz narzucono mu coś ciemnego, zasłaniając oczy. Jakaś ręka wepchnęła mu tkaninę do ust. Przez chwilę czuł cierpki zapach pleśni. Szamotał się, usiłując podnieść się na nogi. Wyraźnie czuł za sobą ciężar napastnika. Instynktownie uskoczył w bok, próbując oswobodzić się z uścisku.

Ostrze przecięło od tyłu niby-kaptur i ześlizgnęło się na ramię. Poczuł, jak chłód stali dotyka gardła, a zaraz potem przeszywający ból u podstawy szyi. I jeszcze jak napastnik wyciąga broń z rany, by zadać następną.

Mocnym szarpnięciem udało mu się wyrwać zabójcy. Wymachiwał rekami na oślep, próbując zadać mu cios. Lecz jego ręce napotykały jedynie powietrze. Zbir przyczaił się gdzieś za mną, pomyślał z przerażeniem, usiłując zedrzeć z głowy zasłonę.

Rzucił się biegiem naprzód, wciąż próbując się od niej uwolnić. Strach spowolnił jednak jego ruchy, poplątał kroki. Miotał się więc tylko jak przymuszone do jarzma zwierzę, pewien, że niebawem znowu poczuje ukłucie stali. I że tym razem cios będzie śmiertelny. Wtem wstrzymująca go siła ustąpiła niespodziewanie, jakby zaciśnięta dłoń wroga naraz się otworzyła. Niesiony odrzutem, zataczał się po omacku do przodu, póki nie potknął się i nie upadł. Leżąc na ziemi, obrócił się gorączkowo na plecy.

W końcu udało mu się pozbyć tkaniny. Przez chwilę panujące na zewnątrz ciemności przedłużyły wrażenie przymusowej ślepoty, potem jego oczy na powrót zaczęły widzieć. Przed sobą rozpoznał wysoką sylwetkę Arriga.

Filozof pochylał się nad nim. Dantemu zdawało się, że zaraz znów go zaatakuje. Rozpaczliwie wierzgając nogami, prior przeczołgał się na plecach kilka metrów do tyłu. Potem nagłym zrywem udało mu się stanąć na nogi. Wydobył sztylet z kieszeni.

Jednak Arrigo nie wyglądał jak ktoś, kto zamierza pozbawić go życia. Wyciągnął ręce w jego stronę, pokazując, że nie ma w nich broni, i przemówił spokojnym tonem.

– Nie obawiajcie się, *messer* Alighieri. Człowiek, który was napadł, uciekł. Pobiegł tędy – rzekł, wskazując palcem gąszcz uliczek na tyłach baptysterium. – Lecz jak wy się czujecie? – dodał po chwili, przyglądając się ranie.

Dante dotknął promieniującego bólem miejsca u podstawy szyi i oderwał stamtąd palce całe we krwi. Tamując ją, odsunął się do tyłu, by zachować kilka kroków dystansu pomiędzy sobą a mężczyzną, który najwyraźniej pragnął mu pomóc.

Arrigo zrozumiał i się zatrzymał. Rozciągnął usta w uśmiechu. Ponownie pokazał mu puste dłonie.

– To nie ja usiłowałem was zabić.

– Ktoś jednak próbował to zrobić. A moje oczy widzą tu tylko was.

Filozof zasznurował usta. Po chwili jego twarz się rozpromieniła.

– Macie słuszność, lecz odwołajcie się do swej wiedzy: świat wypełniają rzeczy, które widzimy, lecz nie posiadają cielesnej postaci. Tęcza, co nadaje barwy niebu, wiatr, co wydyma żagle, śpiew, co czaruje duszę swoją słodyczą. I równocześnie pełen jest rzeczy, które ją mają, choć ich nie widać, jak siateczka niepoliczonych cząsteczek, z których uczynione są nasze ciała, ziemia i cały wszechświat.

Poeta po chwili wahania schował swój sztylet.

– Atomy, o których mówicie, to niewidzialne ziarenka piasku, cząstki bezdusznej nicości. Natomiast ostrze, które chciało zgasić mój oddech, jest jak najbardziej namacalne.

Arrigo wyciągnął z sakwy sztukę lnu. Zbliżył się o krok i podał ją poecie.

– Powiedzcie mi zatem, co tutaj robicie, skoro mam uwierzyć, że nie jesteście po to, aby wyprawić mnie w zaświaty – podjął Dante, naprędce bandażując ranę. – O tej porze nocy, wbrew zakazom... i przezorności.

– Zauważyliście, priorze, jak zmienia się kształt rzeczy w zależności od tego, czy światło omiata je swym tchnieniem, czy cień kładzie się na nich niczym welon.

– To oczywiste.

– Tak więc ja chciałem zobaczyć, jaką postać przyjmuje wasze baptysterium, kiedy zstępują na nie ciemności.

Dante spojrzał na niego zdziwiony, potem wzrok jego pobiegł ku mrocznej bryle za ich plecami. Potężny kamienny oktagon górował nad niewielkimi domami, które otaczały go od północy.

– I cóż tu zobaczyliście?

– Że jest ono, podobnie jak wiele pomników waszej religii, dużo bardziej użyteczne w ciemnościach.

Prior nie był pewien, czy dobrze go zrozumiał. Położył jednak rękę na dygoczącym z emocji ramieniu starego mistrza.

– Naszej religii, Arrigo? Sądziłem, że wasze spekulacje nie przekroczyły wrót apostazji. Że nie pobłądziliście.

Arrigo znów się uśmiechnął, lecz w jego oczach zagościł chłód.

– Nic nie ma w tej skorupie z kamienia, nic oprócz mroku. Lecz właśnie dlatego może okazać się użyteczna.

– Jak mogę pomóc wam w owym szaleństwie, jakiekolwiek są wasze zamiary? – rzekł cicho Dante.

Tamten zdawał się nie pojmować. Chwycił Dantego za ramiona i potrząsnął nim z całej siły.

– Wy macie klucz do tej bramy! – wykrzyknął. Wydawał się zrozpaczony. – Oddajcie mi go, a pociągnę was do swej chwały!

Przez moment Dante miał wrażenie, że filozof stracił rozum. Jego oczy rozszerzyły się niebezpiecznie. Mocnym szarpnięciem oswobodził się z uścisku i odsunął do tyłu. Tamten nie próbował go gonić. Wciąż wyciągał ręce przed siebie, jak gdyby sądził, że wciąż ściska go w ramionach.

Ocknął się po pewnym czasie. Dante zobaczył, jak z roztargnieniem rozgląda się dokoła, jakby właśnie się przebudził i z trudem rozpoznawał swe otoczenie. Potem się odwrócił i skierował w stronę baptysterium. Prior przyglądał się, jak idzie, powłócząc nogą, i zatrzymuje się, dotarłszy do ściany. Tam rozpostarł ramiona. Stał tak nieruchomo przez parę chwil, żałosna parodia krucyfiksu, który niewiele wcześniej wyszydził. W końcu skręcił w bok i zniknął za rogiem tą samą drogą, którą podążył Monerre.

Dante rzucił się w ślad za nim, próbując go dogonić. Kiedy jednak dotarł do rogu budowli, po filozofie nie było już śladu.

9

Ostatnie posiedzenie rady priorów zwołano na godzinę trzecią. Zasiadając za długim stołem w sali zebrań, Dante nie próbował nawet przysłuchiwać się szmerowi słów, które inni wymieniali półgłosem, jakby obawiali się, że może je usłyszeć. Czasem ktoś rzucał w jego stronę ukradkowe spojrzenie, lecz myśli jego zbyt były zajęte wypadkami ostatniej nocy. Po wielekroć zaczynał podążać za domysłem, który nagle rozbłyskał mu w głowie, lecz owa nić gubiła się natychmiast w gąszczu prowadzących donikąd hipotez.

Zebranie ciągnęło się od paru godzin. Jego koledzy marnotrawili czas na niekończące się uchwały, ewidentnie bez znaczenia. Od pewnego czasu jakiś dźwięk wciskał mu się w uszy z irytującym piskiem.

– Należałoby podpisać ów dokument... – usłyszał. Jeden z priorów podszedł do niego, trzymając kałamarz i pióro.

– Nie mam czasu na wasze szpargały! – krzyknął.

– Ale to sprawozdanie z rządów za dwa miesiące – wybąkał Antonio, prior cechu Calimala, zasiadający po przeciwnej stronie stołu. – I waszym obowiązkiem jako członka naszego zgromadzenia jest złożyć pod nim swój podpis. Nie możemy przekazać kolejnym priorom niepoświadczonej...

Lapo Saltarello z wyzywającą miną ponownie podsunął mu pod nos kałamarz. Dante skoczył na równe nogi. Uderzył ręką we flakonik, który przewrócił się, rozlewając na stole ciemną plamę inkaustu. Po czym, ku konsternacji zebranych, obrócił się naraz na pięcie i bez słowa skierował do drzwi.

Pięciu mężczyzn spojrzało na siebie z zakłopotaniem. Po chwili Lapo wziął gęsie pióro i zanurzył je w rozlanym inkauście. Ostatni raz popatrzył na zebranych i nakreślił rząd liter pod sprawozdaniem w miejscu, gdzie widniało nazwisko poety.

– Nie powie teraz, że o niczym nie wiedział – uśmiechnął się złośliwie. – Wszyscy widzieliście, jak się podpisał.

Wyraz zmieszania na twarzach pozostałych ustąpił uśmieszkowi zadowolenia.

Dante rozgoryczony wypadł z sali. Na schodach niemal stratował go zdyszany posłaniec biegnący w kierunku drzwi. Prior zatrzymał go, łapiąc za ramię.

– Co się stało?

Tamten najpewniej go rozpoznał, gdyż skłonił się przed nim. Następnie rzucił trwożne spojrzenie w stronę drzwi, skąd dochodziły podniesione głosy pozostałych priorów.

– Przysyła mnie Komendant. Mam przekazać radzie wiadomość najwyższej wagi – odrzekł wzburzonym tonem. Zamierzał kontynuować bieg.

Dante ponownie chwycił go za ramię.

– Wpierw mnie powiedz, z czym przychodzisz.

– Komendant przysłał mnie, by donieść, że jego ludzie otoczyli grupę buntowników, gibelińskich heretyków, w ich kryjówce w Santa Maddalena. Niebawem wedrą się tam, by pochwycić ich wszystkich. Na wszelki wypadek prosi o zebranie posiłków. Trzeba uderzyć w dzwon, by zwołać kompanie z Oltrarno.

Poeta przygryzł wargi. Po chwili, starając się nie okazać niepokoju, puścił rękę mężczyzny.

– Wracaj natychmiast do swoich zadań. Przekażę radzie tę wiadomość. Nie kłopocz się tym więcej.

Posłaniec niepewnie spojrzał w kierunku drzwi, bez większego przekonania. Przez moment miał chyba ochotę nalegać, by go wpuszczono do sali, lecz ostatecznie obrócił się na pięcie i zawrócił tam, skąd przyszedł. Dante nadstawił uszu w obawie, że ktoś mógł usłyszeć ich rozmowę. Priorzy jednak zdawali się zajęci zebraniem, które toczyło się dalej pośród żartów i wybuchów śmiechu. Spróbował przemknąć się niepostrzeżenie w stronę schodów, patrząc wprost przed siebie i unikając wzroku strażników na dziedzińcu, którzy byli świadkami całej sceny.

Na krużgankach natknął się na sekretarza komuny, który najwyraźniej kogoś szukał.

– *Messer* Alighieri, dobrze, że was widzę. Sądziłem, że was to zainteresuje.

– Co?

– Prosiliście, żebym donosił wam o wszystkim, co ma związek z gośćmi gospody Pod Aniołem. Widziano, jak jeden z nich, *messer* Marcello, zbiera się do wyjazdu. W stajniach przy Porta Romana zażądał muła i tragarzy dla swojego bagażu.

– Wyjechał już? – spytał zawiedziony Dante. – Zarządziłem przecież, by nie pozwolono nikomu oddalić się z miasta...

Ów wzruszył ramionami.

– O nic go nie oskarżono.

Krótką chwilę prior rozważał, czy nie powinien wysłać pogoni za sędziwym medykiem. Nie mógł ujechać daleko. Lecz komu by się w ten sposób przysłużył? Niech jedzie w końcu do Rzymu, aby odkupić swe winy, zabierając ze sobą wszelkie swe lęki. Dużo ważniejsze było to, co miało się wydarzyć w opactwie.

Za murami San Piero nie zauważył niczego poza codzienną bieganiną kupców i rzemieślników, zmierzających ku Ponte Vecchio. Szczęściem wieść o obławie jeszcze się nie rozniosła po mieście. Może uda mu się opanować sytuację, wykorzystując ostatnie godziny swej władzy. Tak, postara się zatrzymać Komendanta, odwoławszy się do nadrzędnego interesu komuny.

W ten sposób zyska trochę czasu, by Cecco i Amara mogli się ratować ucieczką. Pędził ulicą prowadzącą do kościoła, wiedziony przez zgiełk, który narastał z każdym krokiem.

W wąskim przesmyku między domami musiał się zatrzymać. Drogę zagrodziła mu zgięta pod ciężarem wiązki drewna stara kobieta ledwo kuśtykająca powoli w tę samą stronę. Próbował się wcisnąć między mur a jej ładunek i ją wyprzedzić, ale na próżno. Po drugiej nieudanej próbie wykrzyknął rozgoryczony:

– Przesuń się, starucho! Wynoś się do diabła z tym swoim drewnem!

Miast się odsunąć, kobieta obróciła się, tak by spojrzeć mu w oczy.

– Dlaczegóż to mnie obrażacie, priorze? Pomagam uczciwym Florentyńczykom. Pod wieżą Cavalcantich ma zapłonąć stos heretyków. Moje drewno jest suche, dobre na biały dym!

– Kogo chcesz spalić, czarownico? Zatroszcz się lepiej o własną duszę!

– I wy zatroszczcie się o swoją! – odparowała tamta, nie przesunąwszy się ani na krok. – A może śpieszycie im na pomoc? – dodała ze złośliwym błyskiem, który ożywił na powrót jej oczy zmętniałe od zaćmy.

Dante z wściekłością pchnął wiązkę na bok. Starucha, złorzecząc, upadła na siedzenie.

– Bądźcie przeklęci! – krzyknęła, gdy oddalał się biegiem.

Pokonał przynajmniej dwieście kroków, gdy musiał się zatrzymać z powodu zadyszki, która nie pozwała mu oddychać. Osunął się na kolana, żeby zaczerpnąć powietrza. Przed sobą, u wylotu uliczki, ujrzał taniec pochodni przed bramą kościoła. Zaledwie przed chwilą wybrzmiał dzwon na nieszpory i nie zapadły jeszcze ciemności. Te ognie pojawiły się w jakimś niegodziwym celu, pomyślał, rzucając się ponownie przed siebie.

Ulicę przed portalem opactwa wypełniał tłum uzbrojonych po zęby ludzi. Jak gdyby reprezentacja całego chrześcijańskiego świata na dziedzińcu kościoła wyznaczyła sobie spotkanie, gotowa wyruszyć na krucjatę. Od razu rozpoznał obok ludzi Komendanta i gwardii dzielnicy uniformy francuskich pikinierów ze straży d'Acquasparty i genueńskich kuszników. Tu i ówdzie widać było też ciężkie zbroje teutońskich najemników oraz zgrzebne odzienie wieśniaków uzbrojonych w widły.

Na bruku leżało kilka zakrwawionych ciał. Biegnąc, minął jedno z nich, wychudzone, zesztywniałe w uścisku śmierci. Trup leżał na brzuchu, z twarzą dotykającą bruku.

Pochylił się nad nim, powstrzymując jęk. Bernardo zginął od ciosu w plecy, dwie krwawe wyrwy odznaczały się nieco poniżej karku. Nakreślił szybki znak krzyża i zamknął jego wytrzeszczone oczy. A zatem i on należał do spisku, mimo iż poruszał się ostatkiem sił.

A może został w potyczkę wciągnięty przypadkiem? Nie zważając na niebezpieczeństwo, rzucił się w stronę otwartych na oścież bram kościoła. Na ten widok kilku żołnierzy doskoczyło doń z wyciągniętymi mieczami. Na kolczugach mieli kolorowe tuniki, inne niż te, w które odziani byli pozostali uczestnicy walki. Dante wyminął pierwszego z nich, na którego piersi widniała głowa lamparta. Następnie przykucnął, umykając w ten sposób drugiemu, z lwią głową wyhaftowaną na szacie, który się nań zamachnął. Już prawie udało mu się wbiec do środka, gdy odbił się od piersi trzeciego, który się wyłonił z mroku. Z rozpędu runął na ziemię. Z przerażeniem zdążył zauważyć, że mężczyzna dobył z pochwy miecz i szykuje się, by zadać mu cios. Nim instynktownie zacisnął powieki, dostrzegł głowę wilka, którą ów nosił na hełmie.

Ocalił go znajomy głos.

– *Messer* Durante, przybyliście, by wziąć udział w dziele sprawiedliwości? – zaskrzeczał złośliwie Komendant, przytrzymawszy ramię żołnierza. – To przynosi wam zaszczyt: wierny swym powinnościom do ostatniej chwili. Mogliście sobie oszczędzić wysiłku. Rada wybrała już waszych następców.

Dante odzyskał pewność siebie, choć serce z przejęcia wciąż podchodziło mu do gardła. Błyskawicznie się podniósł i otrzepał z kurzu odzienie.

– Mój urząd wygasa o północy. I razem z nim moja władza. Wytłumaczcie mi, co się tu dzieje, natychmiast. Po co sprowadziliście tu tyle wojska bez mojego rozkazu? – zapytał, pokazując palcem kuszników, którzy z impetem poruszali korbami swych kusz opartych na widełkach podtrzymywanych przez służebnych.

– Odkryto spisek przeciw bezpieczeństwu Florencji... priorze. Udając, że zwołują krucjatę, gibelińscy przywódcy gromadzili zbrojnych, niewątpliwie po to by obalić komunę i jej ustawy. Głównym wodzem był zapewne ów Brandano, fałszywy mnich oraz heretyk. A co się tyczy Dziewicy...

– Kto wam dał rozkaz do natarcia? – przerwał Dante z wściekłością. – Świeckie oddziały podlegają zwierzchności Signorii. Nikomu nie wolno przywłaszczać sobie tego prawa!

– Nikt go sobie nie przywłaszczył – odparł tamten, prężąc swą mizerną sylwetkę. – To wasi koledzy wydali ów rozkaz, po tym jak zgodzili się na posłuchanie u świętej inkwizycji w pałacu. Dlatego są z nami ludzie papieża...

Dante pochylił głowę rozgoryczony. Teraz, kiedy jego urząd wkrótce miał wygasnąć, kruki już zaczęły stroszyć swe pióra. Musi być ostrożniejszy. A od północy najważniejsze to nie wzbudzać podejrzeń.

W tym momencie kusznicy, zakończywszy czasochłonne napinanie cięciw, jęli wypuszczać strzały w kierunku prześwitów blankowania i wąskich otworów strzelniczych w murach wieży. Niełatwo było odgadnąć, w kogo lub w co celują, gdyż oprócz paru cieni w górze nie było widać nikogo. Zabrakło też najwyraźniej dowódcy dyrygującego natarciem. Wydawało się, iż każdy z nich strzela, kierując się li tylko własnym kaprysem. Śmiechy i nieprzyzwoite docinki czyniły atmosferę bardziej jeszcze nierzeczywistą, jakby miast śmiertelnej rozgrywki odbywała się tutaj jakaś makabryczna zabawa.

Pierwsza salwa, niezbyt precyzyjnie oddana, chybiła celu. Część bełtów poszybowała ponad wieżą, ginąc w powietrzu, inne trafiały w mur, wzbijając dokoła obłoki kamiennych odprysków oraz pyłu. Mężczyźni, pośród wzburzonych okrzyków, ponownie zaczęli ładować kusze.

Ci Genueńczycy nie dorównują kunsztem wojennym swej sławie, pomyślał Dante. A komuna rujnowała się, by płacić tym przeklętym obibokom za ich usługi. Wtem ciszę przerwał niespodziewany hałas. Coś w górze wieży zaczęło się kruszyć, jakby ktoś próbował wyburzyć jej szczyt. Najpierw w powietrze wzbiła się chmura pyłu i od razu jęła powoli opadać w dół.

Potem wśród trzasków nieduży fragment krenelażu począł się coraz szybciej nachylać ku ziemi, po czym zleciał wprost na głowy oblegających z hukiem pioruna.

W tym momencie Dante wciąż oddawał się rozmyślaniom nad skutecznością kuszników. Odruchowo pochwycił Komendanta za ramię i pociągnął pod wiatę nad bramą jakiegoś sklepu. Upadli jeden na drugiego dokładnie w chwili, gdy potężny kawał muru rozbił się tuż przed nimi i kolumna gruzu łupnęła o bruk.

Na wąskim placyku nie wszystkim żołnierzom udało się znaleźć schronienie. Ze środka chmury z drobin kamienia i zaprawy dochodziły krzyki i zawodzenie na dowód tego, że niejeden z nich został poturbowany.

Poeta podniósł się obolały.

– Przeklęci heretycy, wybijemy was wszystkich! – wydzierał się obok niego posiniały na twarzy Komendant. Nie poruszywszy się z miejsca, siedział z rozłożonymi nogami i dyszał z wściekłości i strachu. Przeciwnik, wpierw tajemniczy i niewidoczny, wyłonił się z ciemności, okazując się równie niebezpieczny jak wróg z krwi i kości.

– Myśleliście, że będą tak dobrzy, iż sami dadzą się waszym żołnierzom ponadziewać na miecze, niczym kukły na rycerskim turnieju? – zadrwił prior.

Tamten zakasłał gwałtownie, próbując pozbyć się kurzu z gardła. Wokół nich nastał chaos. Żołnierze uciekali oślepieni pyłem, w obawie, że kolejna część wieży może lada chwila runąć. Ci, którzy nie ucierpieli, starali się tymczasem zapanować nad sytuacją i przeciągali rannych w bezpieczne miejsce. Oddział kuszników wycofał się do zbiegu trzech ulic, które dochodziły do placu, i stamtąd zaczął na powrót celować w wieżę. Mgławica płonących strzał opadła na mury, uderzając w kamień deszczem iskier.

Część amunicji trafiła do środka przez otwory strzelnicze, część utkwiła w dachu. Pasy nasączonego żywicą płótna obwiązane wokół grotów dymiły w powietrzu. Krzyk bólu, a po nim cień ciała szybującego w dół wśród triumfalnych okrzyków strzelców dowodziły, że przynajmniej jeden pocisk nie chybił celu. Tu i ówdzie, w miejscach gdzie strzały podziurawiły drewniane pokrycie dachu, poeta ujrzał rozbłyskujące czerwonawe plamy.

Zastanawiał się z niepokojem, co powinien uczynić. Przez rozwarte podwoje kościoła dostrzegł poruszające się wewnątrz niewyraźne sylwetki. Wiedziony nagłym impulsem, rzucił się przed siebie i przez wyważone drzwi wpadł na krużganki opactwa.

Rozpędzony, wczepił się palcami w futrynę. Po tym jak uspokoiło się zamieszanie wywołane osunięciem się muru, zaczęli również nadbiegać inni. Miejsce zaroiło się od uzbrojonych żołnierzy, którzy rozbiegli się po otwartej przestrzeni dziedzińca. Ciosami miecza jęli mordować bezbronnych mężów i niewiasty, którzy wśród przerażonych okrzyków i płaczu osuwali się bezwładnie na ziemię.

Cecco i inni byli zgubieni. W jaki sposób może powstrzymać dokonującą się rzeź? Jego władza wygasa za parę godzin. Ogarnięty gwałtownym bólem, okręcił nadgarstki rękawami szaty.

Nie wolno jednak poddawać się rozpaczy, postanowił. Ruszył ostrożnie przed siebie. Dokoła na posadzce pełno było zmasakrowanych trupów. Nieliczni ranni w przedśmiertnej agonii pojękiwali cicho, próbując czołgać się w stronę nieistniejącego schronienia. Żadne z leżących na ziemi ciał nie miało na sobie któregokolwiek z uniformów widzianych przezeń na zewnątrz. Napastnicy musieli poradzić sobie z oblężonymi bez większego trudu: zmarli nie byli osłonięci kolczugami, na posadzce próżno też było wypatrywać zbroi. Widać Boże wojsko nie zdążyło wydobyć mieczy z kryjówki w krypcie.

Drogę atakujących, którzy teraz siali postrach na schodach wieży, znaczyły krwawe smugi. Ze środka, z wysokości pierwszego podestu, dochodziły kolejne jęki i błagania o litość. Dante, nie wiedząc, co począć, zaszył się głębiej w mroku. Jeśli nawet wchodząc do tej rzeźni, miał jakiś pomysł, teraz było już za późno. Wszystko stracone, na zawsze. Dochodził właśnie z powrotem do wyjścia, gdy w ciemnościach za sobą usłyszał stłumiony głos.

Z początku wydawało mu się, że ktoś klepie pacierze. W niewyraźnym, niezrozumiałym bełkocie rozpoznał jedynie słowo „przeklęty" powracające jak refren wśród innych złorzeczeń. Zbliżył się ostrożnie do miejsca, skąd dochodził głos. Znalazł tam człowieka, który przykucnięty za jednym z filarów, zdawał się błagać o litość ścianę. Gdy stanął za nim, ów podniósł się niespodziewanie i rzucił na niego. Fioletowy błysk przeszył zupełne ciemności.

Dante poczuł na ustach uderzenie pięści. Instynktownie podniósł ramię, ratując się przed ciosem sztyletu. Na wargach czuł słodkawy smak krwi. Rozpaczliwym szarpnięciem wyrwał się z uścisku przeciwnika, po czym rzucił się naprzód, również próbując go zranić. W ferworze walki wydostał się na otwartą przestrzeń, porywając za sobą nieznajomego. Łuna bijąca od płonącego dachu oświetliła nagle ich twarze. Przed nim, z twarzą zlaną krwią i wykrzywioną strachem, stał Cecco Angiolieri.

Drżąc jeszcze ze zdenerwowania, Dante oparł się o jeden z filarów. Opuścił broń i wpatrywał się w niego z niedowierzaniem. Jego przyjaciel miał na sobie hełm z piórami, godny rzymskiego cesarza, i pancerz z grubej skóry. Spod niego wystawały jednak bufy kaftana i tradycyjne fioletowe pończochy. W połowie bóg wojny, w połowie satyr. Błazen, jak zwykle.

Tamten najwyraźniej ucieszył się na jego widok. Ciągle dygocząc, objął go i zaczął obcałowywać w policzki. Wyglądał jak uradowany pies.

– Mój przyjacielu, wiedziałem, że nas stąd wyciągniesz! Wyznawcy po wieczne czasy służą sobie pomocą! – Naraz zrobił się podejrzliwy. Rzucił mu badawcze spojrzenie. – To ty wydałeś rozkaz, aby na nas uderzyć? – dodał.

Dante odniósł wrażenie, że był to raczej bolesny wyrzut aniżeli pytanie.

– Powinienem był to zrobić niezwłocznie, gdy ujrzałem głowę węża, który teraz rozpostarł swe zwoje. Ty jednak musisz uciekać, musicie uciekać wszyscy! Gdzie jest Amara?

– Nie... nie wiem – wybąkał Sieneńczyk, podciągając portki. – Rozdzieliliśmy się po wejściu wojska. Widziałem, jak biegła w kierunku wieży.

Tumult i krzyki nad ich głowami nie ustawały. Cecco podniósł na chwilę oczy, a potem ponownie spojrzał na Dantego z przygnębioną miną.

– Rzeź i ta zniewaga* – mruknął po chwili napuszonym tonem, wywijając w kółko klingą niczym jakiś wędrowny aktorzyna na scenie.

Cała górna część wieży stała w płomieniach na podobieństwo olbrzymiej pochodni. Pod wpływem gorąca również tuf, z którego wzniesiono budowlę, jął się kruszyć na kawałki, zamieniając się w niesioną wiatrem piekielną chmurę gorąca. Jeśli ktoś tam szukał schronienia, był już tylko kupką wirującego w powietrzu popiołu.

Coś poruszyło się na wysokości pierwszego piętra, gdzie wąskie okno wychodziło na ciasny murowany taras. Wychy-

---

* Dante Alighieri, *Boska Komedia*, *Piekło*, Pieśń X, w. 85.

lili się przez nie dwaj żołnierze, wzywając swych kompanów z dołu.

Jeden z nich trzymał za włosy jakąś ludzką istotę.

– Patrzcie, kogo znalazłem! – wykrzyknął kpiąco. Brutalnym ciosem wypchnął za balustradę jej ciało, które zwisło w próżni. – Dziewicę Antiochejską... w całości, gotową na kolejny cud!

Kobieta wydała z siebie przerażony jęk. Nagie stopy szamotały się w powietrzu, ręce rozpaczliwie szukały oparcia. Drugi mężczyzna podszedł o krok i z szyderczym uśmieszkiem zerwał z niej szatę, odsłaniając jej przyrodzenie.

– To przecież potwór! – zawołał z odrazą. W obie ręce chwycił miecz przypasany u boku i uniósł go nad głowę. Zamachnął się z całej siły.

Ostrze przeszyło Amarę na wysokości bioder, tnąc delikatną skórę, zatapiając się w trzewiach. Ziemię zrosił deszcz krwi i wnętrzności. Z jej otwartych ust wydobył się tylko szloch, a potem dźwięk przypominający żałosne beczenie zarzynanego baranka i strużka krwi, która zrosiła jej pierś. W ostatnim spazmie poruszała przez chwilę rękami, jak gdyby desperacko próbowała wzbić się ponad ból. Żyła jeszcze, anioł pochwycony przez mieszkańców Sodomy. Człowiek, który ją trzymał, potrząsnął gwałtownie korpusem i wypuścił go z rąk. Burza włosów wysunęła się z jego palców niczym kłębowisko martwych węży i rozpostarła się jak wachlarz, gdy ciało poszybowało w dół.

Dante zasłonił twarz ramieniem, by na to nie patrzyć. Skronie rozsadzał mu huk wzburzonego morza. By nie upaść, musiał oprzeć się o belkę podtrzymującą dach. Obok niego Cecco wybuchnął zduszonym łkaniem.

Ów szloch sprowadził poetę na ziemię. Odwrócił się w stronę przyjaciela, który jak ogłupiały wpatrywał się w zakrwawione szczątki leżące parę kroków od nich.

– Otrząśnij się wreszcie albo skończysz jak ta kobieta! – syknął, potrząsając nim za ramiona.

Tamten nawet się nie poruszył, jakby ogłuchł.

– To nie była kobieta... – wybełkotał. Wyłoniwszy się z ich kryjówki, zbliżył się do ciała. Wpatrywał się w nie oczyma płonącymi dziwaczną żądzą.

– Za mną! – rozkazał Dante i pchnął go w stronę portalu. – Wpierw pomożesz mi odzyskać pewną cenną rzecz.

– Złoto? – wysapał Cecco z nagłym ożywieniem. – Skarb? Zatem wiesz, że istnieje! – wykrzyknął.

– Może nawet coś więcej. Klucz do królestwa.

Ów spojrzał na niego zdziwiony. W opactwie tymczasem rzeczywiście znajdowało się coś cennego. I nieprawdopodobnie niebezpiecznego. Coś, co poeta za wszelką cenę musiał stąd wynieść. Machina Al-Dżazariego schowana w krypcie.

Kiedy żołdacy wytną ostatnich obrońców i zaczną plądrować opactwo, tylko kwestią czasu będzie, kiedy dotrą do sarkofagów. A Komendant widział mechanizm, choć rozbity na kawałki. Może go więc rozpoznać i oskarżyć poetę o zmowę ze spiskowcami. Tym sposobem sam podałby wrogom swą głowę na srebrnej tacy. Machina musiała zniknąć.

Zastygł na progu, przytrzymując Cecca za plecami. Wewnątrz najpewniej nie było nikogo, krzyki i odgłos kroków dochodziły z oddali. Prowadząc przyjaciela za rękę, przemknął cicho w miejsce, gdzie znajdowało się zejście do lochu. Dotarłszy do krypty, uniósł pokrywę sarkofagu i z pomocą Cecca wydobył skrzynię. Pomagając mu, Sieneńczyk cały czas wpatrywał się w nią chciwym okiem, lecz Dante ignorował jego rzucane szeptem pytania.

– Musimy zbiec tą drogą – powiedział, wskazując szczelinę w głębi. – Pomóż mi, we dwóch nam się uda.

Przezwyciężywszy obrzydzenie, jakie wzbudzała w nim cuchnąca jama, zanurzył się w dole. Nie mieli czasu, by szukać pochodni. Powietrze zresztą było tak gęste od rozmaitych miazmatów, iż ogień nie pozwoliłby im oddychać. Na dnie dostrzegł murowany podziemny chodnik. Jął się posuwać na czworakach, trzymając się ręką ściany, by nie stracić orientacji. Strop korytarza biegł tak nisko, że wielokrotnie zmuszony był niemal pełzać.

Poruszali się w zupełnych ciemnościach, zdając się na instynkt. Cecco podążał za nim jak ślepiec za swym przewodnikiem. W ich głowach niczym odległy werbel pobrzmiewały pospieszne kroki żołnierzy. Powietrze stawało się coraz cieplejsze, przesycone silnym odorem spalenizny – znak, że dym pożaru przedostał się i tutaj.

Dantemu zbierało się na mdłości. Czuł, że mu się coraz bardziej kręci w głowie. Skręcały się w nim wszystkie wnętrzności. Pod palcami rozpoznał chropawą regularność ceglanego muru: musieli znajdować się przy fundamentach wieży. Posuwał się dalej naprzód. Za nim Cecco przez cały czas przeklinał wszystko i wszystkich. W niektórych miejscach tunel był tak wąski, że skrzynia blokowała się w przejściu.

Powietrze gęstniało z każdym metrem i prior zaczął się niepokoić. Przedsięwziął ów marsz w podziemiach, nie mając pewności, czy istnieje wyjście. Coraz wyraźniej czuł, że się dusi. Za sobą słyszał zmęczony oddech towarzysza.

Ogarnął go lęk: jeśli z korytarza nie ma wyjścia lub ktoś je zatarasował, czy starczy mu sił, by wrócić tam, skąd przyszli? Jeśli Cecco zasłabnie i się przewróci, jego ciało odetnie mu wszelką drogę ratunku. Albo jeśli skrzynia gdzieś ugrzęźnie...

Widmo okrutnej śmierci majaczyło mu przed oczami. W jego łaknącym powietrza umyśle wszystko zaczęło się mieszać. W panice dopadła go pokusa, żeby zawrócić. Zdawało mu się, że od pewnego czasu nie słyszy Cecca. Może został w tyle, nie znajdując już siły, by iść dalej. Może skrzynia, której ciężar nadal wyczuwał, była tylko halucynacją. A jeżeli... Jeżeli Sieneńczyk naumyślnie wciągnął go w tę zasadzkę, by się go pozbyć? Czyż jego łajdacka rubaszność i łagodność próżniaka nie mogły być jedynie maską skrywającą paszczę morderczej bestii?

Tracił już niemal przytomność, gdy na twarzy poczuł słaby strumień powietrza, wpierw ledwie wyczuwalny, później coraz mocniejszy. W końcu natrafił na pierwszy z szeregu stopni. Wdrapał się po niskich schodach i znalazł się we wnętrzu studni na dawnym forum.

Za nim, głośno dysząc, wyłonił się też jego towarzysz. Twarz miał zlaną potem. Rozglądał się wokół zdezorientowany, próbując złapać oddech.

– Gdzie my jesteśmy? – spytał zdumiony.

Dante rozpoznał nieruchome lustro wody u swoich stóp.

– Na dnie starożytnej rzymskiej studni – odparł, wskazując ciąg wąskich schodów prowadzących na zewnątrz. – Tu powinniśmy być już bezpieczni.

– Przeklęty...

– Komu tak złorzeczysz, Cecco?

– Temu staremu oprawcy... Mojemu ojcu. To z jego winy upadłem tak nisko... Przeklęty! – Strach uczynił głos Cecca jeszcze bardziej piskliwym. – Jeśli powrócę do Sieny w jednym kawałku, zepchnę go ze schodów, przysięgam. Zabiorę mu wszystkie pieniądze, co do skuda, nawet jeśli będę je musiał wydzierać pazurami. A potem zeżrę go kawałek po kawałeczku, połknę i pójdę się wypróżnić do Arno...

Wymachiwał przy tym rękami, na prawo i lewo wywijając sztyletem, który dobył zza pasa. Zdawał się toczyć bitwę z ciemnością, w czasie której jego błazeńska maska przybierała coraz bardziej tragiczny wyraz. Oblicze pod chwiejącym się pióropuszem hełmu pociemniało. Trząsł się nadal z niepohamowanej wściekłości. Kilkakrotnie przytknął palec do piersi poety.

– Dość mam kompanii nędzy. Kiedy nastanie nasz czas, przyjacielu? Właśnie, co jest tutaj w środku? – rzekł nagle podejrzliwym tonem, pokazując skrzynię. – Nic mi dotąd nie powiedziałeś. Chcesz zatrzymać wszystko dla siebie, oskubać dawnego towarzysza broni?

Mówiąc, gwałtownym ruchem pochwycił wieko skrzyni i je uniósł. Na jego twarzy malował się zawód. Wyjął mechanizm, by się upewnić, że pod nim nie kryje się nic więcej.

– Zegar... wszystko przez ten przeklęty zegar... – wybąkał, grzbietem dłoni ocierając ranę na czole. – A... skarb?

– Nie ma żadnego skarbu, idioto! – krzyknął zniecierpliwiony Dante. – On nie istnieje i nigdy nie istniał! Jest tylko śmierć, ciemność i to piekło. Spójrz! – dodał. Schwycił go za kaftan i siłą obrócił jego głową na wszystkie strony.

Cecco się zakrztusił, usiłując mu się wyrwać. Osłabł naraz, jakby uszły zeń wszystkie żywotne moce.

– Skarb... nie istnieje – szepnął niepocieszony. – Wystrychnęli mnie na dudka. Mnie, mistrza.

Usiadł oszołomiony. Dante nie umiał powstrzymać uśmiechu.

– Pędź w kierunku Pistoi, durniu. Przez Porta d'Aquilone – powiedział cicho. – Wszystkie oddziały zajęte są tu, w okolicy, nikt nie zwróci na ciebie uwagi. Odczekaj, aż noc przeminie, a o świcie wmieszaj się między wieśniaków wyruszających w pole. Uda ci się, jeśli los ci sprzyja.

Sieneńczyk natychmiast zerwał się na nogi niczym szmaciany pajac pociągany sznurkiem. Przypadł do poety, chwytając go w ramiona i zasypując pocałunkami. Płakał z radości na myśl o nadziei na ocalenie.

Dante utkwił wzrok w dali i oswobodził się z uścisku. Pytanie, które dręczyło go od pierwszej chwili, wydobyło się mu na usta.

– Dlaczego ich zabili?

Cecco znieruchomiał nagle z grymasem zaskoczenia na twarzy.

– W czym był wam zawadą w spisku sędziwy Bigarelli? A ci nieszczęśnicy ze statku? – ciągnął prior.

– W niczym! Nie wiem, o czym mówisz! – wybełkotał Sieneńczyk. Na powrót stał się podejrzliwy. Obejrzał się nerwowo za ramię, jakby obawiał się zasadzki.

– Nie ma tam nikogo – uspokoił go chłodnym tonem Dante.

– Rzekłem ci już, klnę się na Bacchinę, świętą niewiastę i mą kochankę, oraz na rogi, które mi przyprawia.

– Cecco, wiem o wszystkim. Monerre wyjawił mi wasz plan. Kogo jednak chcieliście wynieść na tron? Jednego z tych, którzy zginęli? Czy też...

– Tak więc Francuz ci nie zdradził, kto stoi u steru? I teraz chciałbyś, bym ja, twój stary przyjaciel, odsłonił karty?

– To coś, co nieźle potrafisz, jak mniemam.

– Och, w oszustwach ty również nie ustępujesz nikomu!

– Kto to jest, Cecco? – ryknął poeta. Złapał go za szyję i potrząsnął z całej siły.

– Arrigo – zakwilił Sieneńczyk, próbując się uwolnić.

Dante zacisnął palce jeszcze mocniej. Oblicze jego cudacznego przyjaciela poczerwieniało. Czuł na twarzy kropelki śliny bryzgające mu z ust zachłystujących się rozpaczliwie powietrzem. Puścił go nagle.

– Arrigo! – wyszeptał.

W głębi duszy tego się właśnie spodziewał. Tak z pewnością było. Wedle praw rozumu, który nie błądzi. Myśl ta przez cały czas się kołatała w jego głowie. Arrigo ze swą kaleką nogą, piętnem odciśniętym przez złośliwą chorobę. Arrigo, „człek niepełny".

Cecco chciał chyba coś dodać. Stał przed nim i rozmasowywał szyję, starając się złapać oddech. Lecz naraz się odwrócił i zaczął iść w kierunku wskazanym mu przez Dantego, który ujrzał, jak znika w tumanach gryzącego dymu.

Poeta ocknął się dopiero po chwili. Ostatkiem sił zarzucił sobie skrzynię na plecy i ruszył ku swemu ostatniemu celowi. Tam, w celi Arriga, znajdzie odpowiedź na wszystkie pytania.

Rozejrzał się wokół siebie: w okolicy roiło się od żołnierzy, lecz nikt nie zwracał nań uwagi. Szedł naprzód, chowając twarz pod swym ładunkiem w nadziei, że nikt go nie rozpozna. Brano go prawdopodobnie za jednego z atakujących, który unosi swój łup.

W tym właśnie momencie, w oddali, płonący dach wieży zapadł się z trzaskiem pod własnym ciężarem i zniknął we wnętrzu, rujnując kolejne piętra. Dante odwrócił się bezwiednie tak, że zdążył jeszcze ujrzeć, jak masa płonących belek zapada się w dół, przez otwory w murze rozsiewając ogniste błyski, jak gdyby jakowaś oszalała armia pędziła z pochodniami w dół schodów. W górze pozostał jedynie ciąg zwęglonych blanek oraz olbrzymi komin, z którego wydobywał się dym i czerwonawe ognie, na podobieństwo paszczy smoka chcącego odgryźć kawałek nieba.

Przeczuwając, że budynek lada chwila runie, żołnierze opuścili go, pozostawiwszy na pastwę płomieni i walących się ścian ciała swych ofiar rozrzucone po całym dziedzińcu. Nie było już tam nikogo, kogo można byłoby zabić, a pożar odebrał wszelką nadzieję na splądrowanie opactwa. Nie czekając na rozkaz, regularne oddziały ustawiały się w szyku, a ochotnicy rozpierzchli się już w ciemnościach.

Minęło go kilka grup zbrojnych, w ogóle go nie zauważając. Z ożywieniem komentowali wypadki niczym myśliwi wspólnie powracający z łowów. Dante, zasmucony, przysiadł na starym rzymskim kamieniu, by zaczerpnąć tchu. Przysłuchiwał się chełpliwym rozmowom owej okrutnej hołoty, wciąż podekscytowanej rzezią. Wokół uwijali się *vigiles** dzielnicy nadbiegający z wiadrami i pompami, by nie dopuścić, żeby ogień się rozprzestrzenił na sąsiednie domy.

Odsapnąwszy, prędko pokonał swą drogę. Główne wejście kościoła Santa Maria Novella było zaryglowane. Przy łuku portalu płonęło tylko łuczywo, które zapowiadało nadchodzącą noc. Jedna z bocznych bram okazała się jednak nadal otwarta. Prior wśliznął się przez nią do środka i szybkim krokiem przeszedł przez pustą nawę.

Z kościoła skierował się na krużganki, a stamtąd na korytarz wiodący do cel. Izba Arriga zaryglowana była od wewnątrz. Postawił skrzynię na ziemi i jął szarpać drzwiami, licząc, że się otworzą. Ze środka dobiegł go metaliczny brzęk zasuwki, która nie chciała ustąpić.

Przeląkł się, że Arrigo zbiegł. Być może przeczuwał, że ktoś trafi na jego ślad. Lub na wieść o rzezi w Santa Maddalena postanowił się oddalić, by ratować, co się da, ze swego planu. Albo może właśnie podąża za kolejną ofiarą, aby nadać swym zamysłom kształt właściwy i ostateczny, pomyślał z drżeniem.

Gdzie jednak mógł się teraz znajdować? Może w celi natrafi na jakąś wskazówkę. Ponownie naparł na drzwi i pchnął je z całej siły. Za drugim razem poczuł, jak rygiel ustępuje, i wszedł do środka.

---

* Strażnicy (łac.).

W celi panował półmrok łagodzony światłem zmierzchu sączącym się zza przymkniętych okiennic. Zatrzymał się na chwilę w progu, by jego oczy przyzwyczaiły się do ciemności.

– Arrigo, przybywam tu jako rządca Florencji, abyście odpowiedzieli za wasze zbrodnie – wyrecytował zdecydowanym głosem. Uniósł rękę, naśladując posągi antycznych sędziów.

Stopniowo widział coraz wyraźniej. Dostrzegł profil filozofa zasiadającego na niedużym zydlu opodal biurka, a przed nim biel kartki papieru. Pomimo mroku mężczyzna zdawał się zajęty pisaniem.

– Wytłumaczcie się, Arrigo! – dodał nieco łagodniej, podchodząc do niego. Absolutne przekonanie o jego winie, które powziął w ostatniej godzinie i które przywiodło go tutaj, chwiać się zaczęło wobec powagi czekającego go zadania.

Może się mylił, wierząc ślepo dziełu Mainardina?

Jeśli Arrigo zaiste był rodzonym synem Fryderyka, w żyłach jego krążyła najszlachetniejsza krew, jaką świat poznał od czasów Karola Wielkiego. Czyż godziło się zatem, by istotę wyniesioną przez Boga sądzić wedle praw ustanowionych z myślą o wieśniakach i sklepikarzach? Czyżby godziło się wydawać w łapy oprawców człowieka, w którym pokładano nadzieję na odrodzenie cesarstwa, najdonioślejszego z pomników ludzkiego ducha, ziemskiego zwierciadła niebiańskiego porządku?

A jeśli kronika mówiła prawdę i Arrigo rzeczywiście był oszustem? Czyż jednak z tego oszustwa nie mógł narodzić się sen o pokoju i potędze? Czyż nie byłby on równie dobrym cesarzem? Długo wyczekiwanym chartem, który rozprawi się w wilkami?

Jego ręka opadła bezwładnie wzdłuż boku. Wulgarne gęby priorów, pycha kardynała d'Acquasparty, okrucieństwo inkwizycji, zepsucie obyczajów mieszkańców miasta... Wszystkiemu mógł zaradzić ów człowiek, którego dziełu właśnie zamierzał położyć kres. Być może jego próba się nie powiodła. Wprawdzie Manfred i Konradyn ponieśli klęskę, lecz przecież wciąż tliła się nadzieja. Można było podjąć wyzwanie.

Pojmać go w najważniejszym momencie... czyż nie to byłoby prawdziwą zbrodnią?

Czy miast tego nie powinien rzucić mu się do stóp i ofiarować swój talent, swe chęci, swą wiedzę na usługi wielkiego dzieła? Być nowemu Fryderykowi doradcą, głosem, tym, który posiadł dzięki swej mądrości i cnocie klucz do jego serca. Naprawić błędy, uleczyć nieroztropność, rozpocząć wszytko od miejsca, w którym zawiódł plan Wyznawców...

A potem wyśpiewać to w swej pieśni, nadać jej kształt duchowej podróży, z mroku rozpaczy ku światłu odnalezionego ładu, oblubieńca ładu. I zostać uwieńczonym poetyckim laurem w San Giovanni!

Podszedł tak blisko, że niemal dotykał ramienia mężczyzny. Głowa Arriga zwisała, jakby spał; jego ręka spoczywała na rozłożonym przed nim arkuszu. Dante podbiegł do okna i otworzył okiennice, by wpuścić do środka resztki dziennego blasku. Ostatnie wieczorne światło rozlało się po niewielkiej celi, rozpraszając nieco ciemności.

Arrigo nie żył. Na papierze, na którym jego ręka nakreśliła parę słów, stał kielich, jeszcze wilgotny od wina. Dante poczuł cierpki zapach winogron zmieszany z nieznaną metaliczną wonią. Z ust filozofa wytoczyła się strużka czerwonawej piany, nieomylne świadectwo trucizny, którą spożył.

Dante delikatnie wyjął spod bezwładnej ręki kartkę, na której niewyraźnym pismem, już w przedśmiertnych konwulsjach, Arrigo napisał słowa: *„Omnia tempus corrumpit, non bis in idem datur hominibus"*.

Czas wszystko niszczy, drugiej okazji ludziom nie dano. Oczy poety wypełniły się łzami.

– Dlaczego na mnie nie zaczekałeś? – krzyknął, pokazując zmarłemu zaciśniętą pięść. Osunął się na stojące przed nim krzesło. Światło zmierzchu rozpalało w oczach Arriga zaskakujące złudzenie życia. Zdawał się przyglądać z dystansem kielichowi, z którego wypił swą śmierć. Wówczas dopiero Dante zauważył wspaniałą formę naczynia, która pod wpływem emocji umknęła jego uwadze.

Robiło się coraz ciemniej. Wyjął z torby krzesiwo i zapalił stojącą na stole świecę. Później przysunął puchar do światła, by mu się lepiej przyjrzeć. Był ze złota, wielki niczym mszalny kielich.

– To naprawdę... – wyszeptał z niedowierzaniem. Krzyk uwiązł mu w ściśniętym gardle. Przesunął palcami po wycyzelowanej czaszy, po girlandzie z róż i liści wawrzynu obiegającej jej krawędź ponad czterema cesarskimi orłami o rozpostartych skrzydłach. Kunsztowna robota, zaprawdę godna cesarskich ust. Ośmiobok czaszy przywodził na myśl doskonałą geometrię jerozolimskiej świątyni. Lecz również dawną nieukończoną fortecę Fryderyka i konstrukcję, która spłonęła na ziemiach Cavalcantich.

Poniżej orłów widniały grawerowane greckie inskrypcje. Kielich wykonano zatem na Wschodzie, może w Konstantynopolu. Ktoś jednak postanowił go oszpecić, wyskrobawszy nań żelaznym ostrzem trzy łacińskie znaki: „F.R.I".

Dar greckiego cesarza Wschodu z prośbą o odnowienie przymierza i ochronę. Puchar, z którego pił ostatniego dnia na tej ziemi. *Federicus Rex Imperator...*

Dreszcz przebiegł Dantemu po plecach. Pospiesznie odłożył przedmiot na biurko, z szacunkiem. Złoto zdawało się płonąć, parzyć go w palce.

Nie był to kielich życia, lecz śmierci. Z jego pomocą czyjaś ręka zadała śmierć Fryderykowi. Niegodziwa ręka „człeka niepełnego".

Przyjrzał się obliczu filozofa, niknącemu już w mrokach wieczoru. Jakby od reszty świata oddzieliła go naraz tafla kryształu. Jego rysy nie zastygły jeszcze w błazeńskiej masce śmierci. Bił od niego spokój, jak gdyby jego zejście ze sceny było ostatnim słowem od długiego czasu ćwiczonej roli, jakby ostatnie drzwi odnalazł i przekroczył bez zgiełku dostojnym krokiem starożytnego Rzymianina.

A przed nim, nieodmiennie blisko, złoty puchar. Arrigo nieprzypadkowo wybrał ten sposób, aby odebrać sobie życie.

Było to jak spłata dawnego długu.

Lecz skoro poświęcił się tak wielce śmiałemu dziełu, dlaczego położył kres swym dniom, nim się dokonało? Owa słabość nie pasowała do wizerunku tego człowieka w takiej mierze, w jakiej Dante zdążył go poznać.

Jął nerwowo przemierzać tam i z powrotem ciasną celę. Podszedł do wyrwanej zasuwki i obejrzał z uwagą drzwi. Nie było cienia szansy, by móc zamknąć je od zewnątrz. Potrząsnął głową, odrzuciwszy hipotezę, która mu przez moment zaświtała. W chwili ostatecznej Arrigo musiał być sam. Pogrążony w swojej rozpaczy.

Dantem znów owładnęło wzruszenie, a jego oczy na powrót zalały się łzami. Huk wodospadu wdarł się w głąb jego czaszki, gasząc umykające zmysły w dziwacznym śnie.

Odzyskał przytomność po nieokreślonym czasie, oszołomiony. Leżał na podłodze, wszystkie członki pobolewały go od upadku. Już za parę godzin jego urząd wygaśnie: powinien wrócić do San Piero i zadbać o przekazanie instrukcji nowym priorom.

Wpierw jednak pragnął zatroszczyć się o krwawe szczątki. Poczynając od ciała Arriga, aby nie spotkał go los samobójców.

Rozpuści wieść o nieuleczalnej chorobie filozofa, że był w drodze do Rzymu, w pielgrzymce pokładając próżną nadzieję na ocalenie. Zresztą ów idiota, główny medyk, nie odróżniłby topielca od ofiary pożaru.

Nerwowość ostatnich godzin opadała powoli, zostawiając po sobie uczucie wyczerpania. Całym skutkiem moich zabiegów był ów pejzaż usłany ruiną, pomyślał z rozpaczą. Na nic zdała się siła jego rozumu, nie pomogła rozwikłać zagadki. Niczym jakiś idiota, co z rozdziawioną gębą przygląda się sztuczkom kuglarza, uczestniczył w fatalnym biegu wypadków, nie umiejąc go w żaden sposób powstrzymać.

Może Marcello miał słuszność, upierając się, że w całym swym życiu człowiek podąża ślepo za przeznaczeniem. Niezgłębiona ironia losu sprawiła, że dwaj ludzie spotkali śmierć, pijąc z tego samego drogocennego kielicha. Pierwszy – padając ofiarą podstępnych zamiarów innych, drugi z własnej woli. Obaj zaś to garść prochu w wiecznym, narzuconym nam cyklu.

Podniósł się z ziemi, oparłszy o biurko. Chciał zakryć twarz Arriga, nim kogoś wezwie. Wtem zawadził nogą o przedmiot, którego wcześniej nie dostrzegł. Bezwiednie wyciągnął rękę i podniósł sporych rozmiarów księgę. Zbliżył rękopis do światła świecy.

Był to kodeks *in folio*, ponad setka zszytych ze sobą pergaminowych stronic: *Decem continens tractatus astronomiae**.

Wielkie dzieło Guida Bonattiego. Najważniejszy traktat astronomiczny współczesnych czasów. Przecież Bonatti był astrologiem Fryderyka. Powracało kolejne widmo przeszłości.

---

* *Traktat astronomiczny w dziesięciu księgach.*

Jakby cesarz z krainy umarłych nakazał po raz ostatni zebrać swój dwór we Florencji, która nigdy nie podporządkowała się jego władzy.

Jego dotyk naraz stał się ostrożniejszy. Z uwielbieniem przerzucił kilka początkowych kart. A zatem, skoro Arrigo wszedł w posiadanie tak cennego dzieła, był również znakomicie obeznany w nauce o gwiazdach. I to do tego stopnia, by móc je komentować, o czym świadczyły liczne uwagi kreślone na marginesach drobnym, nerwowym pismem, z gruntu odmiennym od równej karoliny bezimiennego kopisty, który przepisywał tekst.

Zadziwiające podobieństwo z moim charakterem pisma, zauważył, zatrzymując się wzrokiem na kilku glosach. W autorze owych dopisków było coś, co w niespodziewany sposób czyniło mu go bliskim. Jak przytrafia się to czasem wędrowcom, którzy w odległej krainie rozpoznają ziomka, nim jeszcze zdąży wymienić pozdrowienie lub się przedstawić. Harmonia dusz łącząca wszystkich obywateli Republiki Platona.

Przekartkował kodeks do końca. W oprawę wszyto dodatkowo dwa spore kajety, częściowo zapisane, dzieło tej samej ręki, która kreśliła glosy. Kolejny rozdział, *Liber undecimus de amplitudine rei universalis**.

Rozległość wszechświata. Autor dopisków nie ograniczył się zatem do komentarzy do tekstu, lecz postanowił go uzupełnić spójnym traktatem. Im bardziej Dante zagłębiał się w lekturę, tym większy ogarniał go podziw. Czy było to dzieło Arriga?

Ponownie przyjrzał się profilowi zmarłego: szlachetność jego rysów łatwo mogła podsunąć myśl o pokrewieństwie z wiekowym rodem Staufów. Może i on sam dał się zwieść swemu obliczu, kiedy przyglądał się jego odbiciu w zwierciad-

---

* *O rozległości wszechświata księga jedenasta.*

le. Może rozpaczliwie chciał wierzyć w nieodgadnione wyroki przeznaczenia, kiedy studiował obroty gwiazd; przeznaczenia, które zdawało się upatrywać w nim następcę na tronie domniemanego ojca.

Tronie Fryderyka.

Który odszedł w zaświaty. Podstępem pozbawiony życia.

Nowa myśl objawiła się poecie: a jeśli Arrigo odebrał sobie życie nie z powodu klęski swych planów, lecz wyrzutów sumienia za dawną zbrodnię, której cień towarzyszył mu krok w krok przez pięćdziesiąt lat? Czy to możliwe, by on był zabójcą cesarza, „człekiem niepełnym"?

Czytając dzieło Mainardina, był przekonany, że ową metaforę rozumieć trzeba jako ułomność ciała albo moralną skazę. A może biskup „człekiem niepełnym" nazwał kogoś, kto wówczas był ledwie chłopięciem? I chłopiec ów posłużył jako nieświadome narzędzie w rękach niegodziwców, dając upust swej nienawiści do ojca, który z niezrozumiałych powodów wyparł się go i znieważył w osobie ukochanej matki?

Ów zadawniony ból mógł dać początek tragedii, która sprawiła, że ród wymarł, a cesarstwo obróciło się w gruzy. Jej ostatni akt rozegrał się na jego oczach, gdy we Florencji pojawili się przybysze z czterech stron świata, by śmierć mogła włożyć im swą lodowatą maskę.

I owo miasto, jego miasto, którego puls czuł za murami klasztoru, stało się tego scenerią. Wydawało mu się, że przez ściany, które napierają na niego, zamykając jego żywego i martwego Arriga w jednym kamiennym uścisku, widzi ulice i mury, domy, zaryglowane bramy, wór niemal pękający w szwach od ciężaru zła i niegodziwości. I nie słyszy niczyich kroków. Gdyż to gród Disa, którego bram strzegą demony.

Arrigo zabił człowieka, w którym domyślał się swego ojca, za pomocą tegoż kielicha. Lecz w jaki sposób to uczynił?

Po spisku baronów Fryderyk stał się bardzo podejrzliwy i każdy kęs jadła kazał próbować wiernym Saracenom. Nawet jeśliby truciznę rozpuszczono, by opóźnić jej działanie, inni pomarliby wraz z nim. Wówczas wieść o tym na pewno natychmiast by się rozniosła, tymczasem nie pamiętał głosów, które mówiłyby, że ktoś podążył z cesarzem do krainy cienia.

Może Fryderyk wpadł w pułapkę przez moment roztargnienia, maleńką szczelinę w murze nieufności, zapewne o nic nie podejrzewając nieślubnego syna, którego widywał od maleńkości, na którego nie zwracał już uwagi...

Tojad działa również przez dotyk, przypomniał sobie. Podczas swych studiów sam widział agonię królika, któremu do ucha wlano napar z tojadu. Być może w trzonie kielicha ukryto igłę, która się wkłuła w palec władcy?

Złota poświata wypełniała maleńką celę. Z najwyższą ostrożnością ujął znów w ręce przedmiot niczym w milczącym ofertorium. Przesunął palcami po czaszy, próbując znaleźć miejsce, w którym cesarz mógł oprzeć wargi, pociągając śmiertelny łyk.

Zamknął oczy i kolejny raz w myślach stanęła mu osoba cesarza. Obecnie ciało jego spoczywa zabalsamowane w Palermo. Lecz gdzie znajduje się serce, niegdyś wydarte z piersi? Czyż tu, w owej celi, nie pobrzmiewa echo jego umysłu, tym bardziej donośne, że nie unosiło się nad jego rozłożonym truchłem, nad strzępami królewskiej szaty zamkniętymi w sarkofagu?

Może taki właśnie był ukryty sens przepowiedni Michała Szkota: *„Sub flore morieris"*. Dokonasz żywota we Florencji.

Tak jak i jego wielki architekt. Człowiek, który pragnął zapewne wznieść jego grobowiec. Budynek, który spłonął na ziemiach Cavalcantich, był to zapewne cesarski cenotaf, wspaniały monument wzniesiony na pozór po to, by uczcić jego pamięć, w rzeczywistości zaś, by ukryć zbrodnię.

Czy taki był zamysł Arriga? Włożyć na skronie koronę w owej replice Castel del Monte ustrojonej cudownymi lustrami, które w nieskończoność zwielokrotniałyby jego chwałę, przez niemające końca powtarzanie obrazu czyniąc ją wieczną?

Dreszcz przeszył Dantego na myśl o szaleństwie owego planu: Neron kazał zbudować dla siebie tron, który poruszał się niczym wóz słońca. Arrigo najwidoczniej pragnął sam być słońcem tkwiącym nieruchomo pośrodku jaśniejącego układu planet.

Otworzył oczy i znów jego myślami zawładnął doszczętnie przepych kielicha, który wciąż ściskał w dłoniach.

Pomyślał o swym dziele, nadal nieukończonym. Widome świadectwo poetyckiej ułomności, rzekł sobie w duchu z goryczą. A może to był kształt dla jego raju, którego tak długo już poszukiwał? Ogromny złoty puchar, taki sam jak ten, co stał się narzędziem ofiary Fryderyka, lecz potężny niczym tysiąc nieb, w którym dusze wybranych zażywały kąpieli wiecznego oczyszczenia?

Odstawił kielich, przerażony własną bezbożnością, uderzając nim mocno o stół. Wówczas w ciszy rozległ się metaliczny szczęk. Przyjrzał się pucharowi uważnie. Światło świecy precyzyjnie wydobywało z mroku jego sylwetkę. Wybrzuszenia i wklęsłości trzonu układały się na płaszczyźnie blatu w dwie ludzkie twarze zwrócone w przeciwne strony. Cień człowieka o dwóch obliczach, o którym mówił Marcello. Dziewiąty cień...

Co mogło to oznaczać? Ponownie podniósł kielich i, wytężając słuch, odstawił go na stół. Znów wydało mu się, że słyszy ten sam cichy metaliczny odgłos. Powtórzył ruch: mała rzeźbiona kolumna najwyraźniej skrywała w sobie jakowyś fortel. Dzieło nie zostało więc odlane w jednym kawałku, lecz składało się z co najmniej dwóch części. Raz jeszcze zrobił to samo, mocniej naciskając dno, po czym rozczarowany, rzucił się na zydel. W wyglądzie niosącego śmierć pucharu nie zaszła żadna zmiana. Nie pokazał się żaden sekretny kolec zdolny zranić dłoń pijącego.

Cała jego teoria rozsypała się wobec oczywistości dowodów. A jednak w głębi ducha był przekonany, że taki właśnie był bieg wypadków. Kilkakrotnie uderzył pięścią w czoło, wśród znajdujących się w celi przedmiotów desperacko szukając czegoś, co podpowiedziałoby mu rozwiązanie. Wtem przyszło mu coś do głowy.

Dziewięć. Według Marcella liczba, która łączyła ich losy. Jął na powrót uderzać kielichem o stół. Za piątym razem na dnie utworzyła się niewielka szczelina, niezauważalna, gdy puchar był pełen. Tym sposobem wino mieszało się z trucizną ukrytą w trzonie. Za każdym razem, gdy cesarz odkładał kielich na stół, ukryty mechanizm zbliżał go o krok do śmierci.

Nawet jeśli ktoś spostrzegł, że trzon jest nieznacznie obluzowany, myślał zapewne, że to błąd rzemieślnika. Zresztą któż ośmieliłby się podnieść ów kielich do ust? Jedynie cesarz go używał, jedynie on mógł wpaść w pułapkę. Tak zginęli ojciec i człowiek, który rozpaczliwie wierzył, iż jest jego synem. Lub rozpaczliwie pragnął się nim okazać.

Z niepokojem rozejrzał się dokoła. Teraz rozumiał, czemu zabójca wydarł z kroniki tylko końcowy fragment: chciał, by on domyślił się w śmierci dziedzica dowodu winy Arriga. A gdyby nie udało mu się odkryć sekretu kielicha, dałby się wywieść w pole, wierząc jak inni w samobójstwo samozwańczego pretendenta do tronu – zabójcy przygnieciony klęską i pogrążonego w rozpaczy.

Zbrodnia skrywana przez pół wieku jawiła się teraz jego oczom. Może zaiste niezwykła była gwiazda, która jaśniała na niebie w chwili jego narodzin i kierowała jego krokami. Być może słuszność miał Marcello: każdy z nas ślepo podąża wytyczoną ścieżką, życie to nic innego jak bezmyślny marsz.

Wyjął z torby pomiętą kartkę, na której medyk nakreślił linie jego przeznaczenia, drogi cierpienia oraz triumfu. W spazmach migreny siatka kresek i punktów migotała mu przed oczami. Począł sunąć palcem wzdłuż znaków układających się w jego przyszłość. Aż do podstępnego kwadratu Jowisza, w którym Marcello odczytał zapowiedź jego wygnania. Podrapał się po czole i potrząsnął głową.

Linie horoskopu, jego oznaczenia płonęły przed nim żywym ogniem. Te litery, drobne pismo...

Niespodziewanie przyszedł mu do głowy pewien pomysł. Przypadł do manuskryptu *Decem continens...* i jął porównywać litery. Nawet w bladym świetle świecy widać było, że ślady pióra, które nakreśliło bieg jego losu, oraz ręki, która dodała komentarz do tekstu, jedynej, która mogła się rzeczywiście poważyć, by uzupełnić księgę, są identyczne. I że musiała to być ręka ich autora, największego astrologa wszech czasów.

Na myśl o tym, kto prorokował jego upadek, zmroził go dreszcz. Po chwili otrząsnął się, probując odgonić od siebie bolesne przeczucie. Nie, owe znaki na papierze niewiele mogą. O własnym losie decyduje on sam.

Ze złością chwycił arkusz w palce, zamierzając go podrzeć. Naddarł zaledwie brzeg i zamarł. W swej furii przypadkowo obrócił kartkę i wtedy, po raz pierwszy, coś zauważył.

Astrolog wykreślił horoskop od ręki, na arkuszu wyciągniętym z torby na chybił trafił. W ferworze dyskusji, która ich pochłonęła, nie zorientował się, że rysuje na odwrocie kartki ze szkicem Bigarellego, zabranej przezeń po śmierci rzeźbiarza.

Dantego przytłoczył ciężar prawdy. To Marcello zabijał. Ale dlaczego? Wykrzyczał to pytanie do głuchych kamiennych ścian i nieruchomych zwłok Arriga. Po pewnym czasie powrócił do rysunku, który, dygocząc z emocji, wciąż ściskał w dłoni.

Usiadł za biurkiem w pobliżu świecy i wygładził arkusz. Wielki ośmiokąt z mniejszym ośmiokątem przy każdym z wierzchołków. Castel del Monte z koroną swych baszt. Jednak różnił się on od planów, które widział w cechu budowniczych.

Mapę komnat i korytarzy uzupełniały niezrozumiałe symbole: osiem odcinków nakreślonych sangwiną w każdej z ośmiu sal, przy każdej dopisane zdanie: *„lucis imago repercussa"*, i obliczenie kąta. Czerwonawe znaki połączono między sobą cienką linią pociągniętą inkaustem.

– Odbicie świetlistego obrazu... – wyszeptał Dante, przygryzając dolną wargę. Odkrycie zdawało się uśmierzać ból głowy, jakby podniecenie duszy było w stanie pokonać każdą cielesną słabość. – Odbite ośmiokrotnie... w ośmiu zwierciadłach.

Nadal studiował szkic Bigarellego zachwycony geometryczną perfekcją linii dorysowanych na planie, wyznaczających zagadkowe położenie przedmiotów i relacje między nimi. Jeśli w pięknie i harmonii kształtu objawia się prawda, w owym rysunku, w jego symetrii kryć się musiała prawda równie szlachetna jak jego piękno.

Był jeszcze jeden napis drobniuteńkim pismem, prawie niewidoczny. Nawet on musiał dobrze wysilić swój orli wzrok, by go odczytać. Chodziło najpewniej o uwagi dotyczące budowy.

Przejechał palcem po wgłębieniu pozostawionym przez pióro. Jakby Bigarelli chciał oznaczyć szaloną wędrówkę jakiegoś żywiołu, obraz w nieskończoność powtarzany przez lustra w potężnym pierścieniu ślepych murów zamku, odbijający na koniec do środka budowli, prawdopodobnie tam gdzie znajdował się wewnętrzny dziedziniec. W tym miejscu parę nerwowych kresek, parę kół układało się w schemat pewnego przedmiotu. I jeszcze detal, znacznie powiększony, obwiedziony czerwoną linią: oś z dwoma półksiężycami na przeciwległych końcach i ludzkie oko spoglądające na jeden z krańców...

Lucis imago repercussa... Doznał olśnienia. Przypomniał sobie coś, co wyczytał w kronice, gdy w celi Bernarda wertował jej strony. Teraz wydobyła się na powierzchnię żyznego jeziora jego pamięci: „I stanął cesarz na progu wielkiej próby. Mędrzec Michał obmyślił, jakim sposobem jej dokonać, mimo sprzeciwu nadwornego astrologa...".

Jego oczy naraz się rozjaśniły. Uniósł głowę. *Lucis imago repercussa.* To, czego wielki Fryderyk nie zdążył zobaczyć, powstrzymany przez śmierć. Teraz on znajdował się u wrót owej wiedzy, gotowych w każdej chwili się otworzyć.

Spojrzał na sekretarzyk uginający się od stosów cennych manuskryptów. Ostrzem sztyletu wyważył drzwiczki. Lampa Eliasza. Rozumiał już sens wszystkiego. Oto dlaczego wzniesiono kopię Castel del Monte, wezwano Fabia dal Pozzo, matematyka, by przygotował obliczenia...

To chciał mu powiedzieć Arrigo pod murami baptysterium, które było dlań cenne przez wzgląd na ciemności panujące pod jego sklepieniem. Jezioro mroku, którego filozof potrzebował, by urzeczywistnić dawne marzenie ojca.

Nie pragnął odrodzenia imperium, które rozsypało się w proch w zawierusze dziejów. To był plan ludzi z północy, z Wenecji, templariuszy. Arrigo jedynie z niego skorzystał. Przez swą wspaniałomyślność całym sercem zaangażował się w spisek. Lecz jego umysł był gdzie indziej, podążając za odmiennym marzeniem. Marzeniem, które także Dante w końcu pojmował.

Ogarnął go nagły lęk. Czyż próba zgłębienia tej tajemnicy nie jest próbą zgłębienia tajemnicy Boga? Poczuł, jak oczy zachodzą mu łzami, a gardło się zaciska. Pokonany bólem, wybuchnął płaczem.

– Tego właśnie pragnąłeś? – szlochając, zwrócił się do Arriga.

– Co się dzieje, mistrzu? Źle się poczuliście? – usłyszał głos dobiegający zza drzwi. Z trudem opanował płacz.

– Nie! – odparł szorstko. – To tylko zły sen – dodał w nadziei, że nieproszony gość sobie pójdzie. Zobaczył jednak, że drzwi się otwierają.

W progu stanął jeden z zakonników, trzymając w garści latarnię. Podejrzliwie rozejrzał się po celi, kilkakrotnie przemierzając wzrokiem dystans między nim a trupem.

– Ale... priorze, co wy tu robicie? A *messer* Arrigo...

– Nie żyje, przyjacielu. *Sed non a Deo advocatus**. Z własnego wyboru. Zapragnął przed czasem połączyć się z duchami ojców. Nieszczęsną ręką odebrał sobie życie – zakończył, widząc, że tamten wciąż nieufnie mu się przygląda.

Na te słowa mnich zakrył usta z odrazą.

– Samobójstwo... tutaj, w świętym miejscu... Muszę powiadomić przeora – bełkotał, spoglądając na zmarłego.

– Uczyńcie to. Lecz później. Wpierw poślijcie po kogoś z Ospedale della Misericordia z wózkiem na trupy.

Zakonnik wpatrywał się weń z osłupieniem.

– Należy jak najprędzej wyprawić pogrzeb – wyjaśnił poeta. – Nie byłoby dobrze, gdyby wasz klasztor naraził się na podobny skandal. Chcę, by jeszcze tej nocy ciało przewieziono za mury, bez świateł.

Zakonnik przytaknął i zniknął.

---

* Lecz nie przywołał go Bóg (łac.).

Upłynęła być może godzina, kiedy oznajmiono mu, że wóz, o który poprosił, czeka pod bramą. Wiadomość przyniósł sam przeor, zatroskany. Obrzucił zmarłego krótkim spojrzeniem i szybko odwrócił oczy, jakby obawiał się, że ów widok może go zbrukać. Za nim w drzwiach tłoczyła się grupka braci, wyciągając szyję, by lepiej widzieć.

– Owińcie ciało w kawałek płótna i znieście je na dół – rozkazał Dante.

Przeor dał głową znak, by spełniono jego życzenie. Bracia najwidoczniej pragnęli jak najszybciej uwolnić się od kłopotliwej obecności nieboszczyka. Szybko zniknęli wraz z ciałem.

Poeta zarzucił na ramię skrzynię z mechanizmem i podążył za nimi, chwyciwszy uprzednio w drugą rękę latarnię Eliasza owiniętą płótnem.

Przed klasztorem ujrzał ciemne sylwetki dwóch członków bractwa, z głowami ukrytymi w przepastnych kapturach. Pierwszy trzymał dyszel ręcznego wózka na wielkich kołach, przykrytego czarnym płótnem, w którym zakonnicy umieścili już ciało Arriga.

– Tutaj jesteśmy, bracie – odezwał się drugi, który miał w ręku niewielką latarnię. – Co to jest? – spytał po chwili zdumionym tonem, utkwiwszy wzrok w skrzyni i zawiniątku.

Dante bez słowa załadował je na wózek, obok stóp zmarłego.

– Jedźcie za mną. Do opactwa Santa Maddalena.

– To stamtąd przybyliśmy. Po bitwie byliśmy tam potrzebni do późnej nocy – odrzekł tamten z zakłopotaniem.

Prior wyrwał mu z ręki latarnię.

– Chodźcie, ja was poprowadzę. Wpierw musimy zabrać z sobą parę rzeczy – powiedział, ruszając do przodu. Za plecami usłyszał szept zmieszanych zakonników.

W końcu wyższy z nich zebrał się na odwagę.

– Messere, to jakiś żart? Czy pogrzeb pomylił się wam z przeprowadzką?

– Róbcie to, co wam każę, i nie obawiajcie się. Jestem priorem Florencji i to, co zamierzam, ma sens. Nic z tego, co ujrzycie, nie stoi w sprzeczności z waszą regułą.

Szybkim krokiem skierował się w stronę składu wełny, prowadzony ich rozeźlonym spojrzeniem. W maleńkiej izbie obok zaryglowanej bramy stróż spał już w najlepsze. Rozbudzony, wyszedł stamtąd z poirytowaną miną, która natychmiast przeszła w osłupienie, gdy ujrzał, kto się ośmielił przerwać mu sen.

– Czego... czego sobie życzycie? – wydusił z siebie przerażony. Wydawało się, że zaraz zemdleje z obawy, iż ów widmowy orszak przybył tu po niego. Dopiero, gdy rozpoznał priora, jego nerwowy dygot nieco się uspokoił.

– Wełny kupca Fabia dal Pozzo. Zmuszony jestem ją zarekwirować. Odsuńcie się, znam drogę.

I nie czekając na reakcję oszołomionego mężczyzny, Dante zagłębił się w labirynt regałów i ciężkich dębowych stołów, prowadząc wózek grabarzy ciasnym przejściem, aż do miejsca gdzie leżał puch Wenecjanina. W magazynie wypełnionym towarem niemal po sufit z gorąca prawie nie dawało się oddychać.

– Pomóżcie mi załadować te worki. Tylko ostrożnie. W środku jest coś bardzo cennego oraz kruchego. Uważajcie, by ich nie upuścić.

Dopiero teraz, gdy ponownie miał przed oczami lustrzane tafle, w pełni zdał sobie sprawę z ich rozmiarów. Na wozie brakowało miejsca. Błyskawicznie, na oczach osłupiałych konfratrów, chwycił trupa Arriga pod pachy i podciągnął go do pozycji siedzącej. Następnie wskazał im osłonięte puchem tafle i kazał je ułożyć obok nieboszczyka.

Członkowie bractwa wydawali się coraz bardziej zdumieni. Pod ciężarem ładunku oś wózka zaskrzypiała niepokojąco.

– To chyba marmur! – wykrzyknął jeden z nich ociekający od potu pod swoim kapturem. Drugi tymczasem z pomocą Dantego kierował wózkiem. – Powiedzcie, co jest w środku.

– Marzenie – odezwał się cicho prior, ocierając czoło. – Marzenie wielkiego męża.

– Będziemy musieli powiadomić o tym wszystkim kapitana bractwa.

– Jutro. Jutro będziecie mieli czas na wszystko.

Niewielki żałobny orszak wyłonił się z bramy magazynu, ponownie mijając stróża, który wciąż trząsł się ze strachu.

Panujące ciemności łagodziła księżycowa poświata. Dante obrał kurs na baptysterium. Pchnięty przezeń wózek potoczył się w tamtą stronę.

Na zakręcie wyrósł przed nimi patrol straży dzielnicy. Na widok zakapturzonych członków konfraterni żołnierze natychmiast odsunęli się na bok, żegnając się w popłochu. Prior minął ich, nawet na nich nie spojrzawszy. Przez moment miał wrażenie, że dwaj konfratrzy pragną zwrócić się do żołnierzy o pomoc i wszystko im opowiedzieć. Zdecydowali jednak milczeć i posłusznie ciągnęli wózek.

W oddali, u wylotu ulicy widać było Santa Reparata. W głębi placu potężny marmurowy tambur baptysterium jaśniał na tle nieba niczym cesarska korona owinięta rozgwieżdżonym płaszczem. Dante nerwowo przyśpieszył kroku.

Wjechali na pusty plac, między stosy materiałów budowlanych. Nieco dalej z ziemi wyrastały już mury przyszłej katedry.

Zdecydowanym krokiem podążył ku baptysterium. Był tam ktoś, kto na niego czekał.

– Witajcie, *messer* Alighieri – usłyszał głos dochodzący z ciemności. – Wiedziałem, iż upór doprowadzi was tutaj, prędzej czy później. W gwiazdach dzisiejszej nocy zapisano dokładną godzinę tego waszego szaleństwa.

Mężczyzna siedział na jednym z rzymskich sarkofagów przylegających do ściany baptysterium. Na głowę naciągnął skrywający jego rysy kaptur podróżnej szaty, lecz Dante rozpoznał go natychmiast. Wystąpił kilka kroków ku niemu.

– I wy witajcie, *messer* Marcello. Ja również wiedziałem, że się spotkamy, pewnego dnia. A może powinienem nazwać was waszym prawdziwym imieniem, od wielu lat słynącym.

Jego słowa nie wzbudziły żadnej reakcji mężczyzny.

– Guido – mówił dalej Dante. – Guido Bonatti. Astrolog królów i cesarzy. Mag. Człowiek, który zna drogi gwiazd... i zabójca.

Starzec nadal nie odpowiadał. Uniósł tylko głowę ku górze, jakby w ciemności szukał gwiazd, o których była mowa.

– Jego kształt jest doskonały – wyszeptał, wskazując górujący nad sobą kamienny tambur. – To doskonałość bezużyteczna, jak zawsze, gdy człowiek pragnie w swych uczynkach przedrzeźniać naturę – dodał z sarkazmem.

Dante podszedł do niego. Gestem ręki nakazał dwóm konfratrom się zatrzymać. Wóz stanął opodal sarkofagu.

Astrolog podniósł róg płóciennej płachty i zajrzał ostrożnie do środka. Jego wzrok padł na spokojne oblicze Arriga, a potem na skrzynię u jego stóp. Potem zwrócił się do poety.

– Zatem była w waszych rękach. Powinienem był się domyślić – powiedział, wskazując pakunek z machiną. – Byłem przekonany, że ją zniszczyłem.

– Alberto, *mechanicus*, złożył ją na powrót... zanim wysłaliście go w zaświaty.

Guido Bonatti przytaknął.

– Był zaiste doskonały w swym kunszcie. Widziałem w warsztacie jego dzieła. Niemal tak biegły jak owe diabelskie bestie, które stworzyły to – rzekł, ponownie wskazując mechanizm.

– Jak ów mąż ze Wschodu, którego zamordowaliście, dostawszy się na pokład wiozącego go statku. Czy to na Malcie dołączyliście do załogi? Czy też wmieszaliście się między pasażerów jeszcze przed wypłynięciem z Outremeru?

– Przebywałem w Sydonie, kiedy dotarły do mnie wieści, że ów bezbożny zamiar się zrodził na nowo. Przekonałem tych mężów, że mogę im się przydać.

– Dokonaliście masakry, by zabić jednego tylko człowieka.

– Trzeba było pozbyć się jego umysłu. Wymazać pamięć. Nic ponadto nie miało znaczenia.

– Nawet życie owych niewinnych ludzi, których uśmierciliście waszą straszliwą trucizną, tą samą, która zabiła ojca i syna?

– Nie ma ludzi niewinnych – powiedział Bonatti, unosząc ramiona z pogardą. – Arrigo nie był synem Fryderyka. Mógł to sobie roić tylko w swej szalonej pysze.

– Arrigo nie narodził się z krwi cesarza, był jednakoż godnym synem jego rozumu i choćby przez wzgląd na to zasłużył, by żyć i sprawować rządy. Przez wzgląd na uwielbienie, jakie żywił dla umysłu Fryderyka. Uwielbienie, które wy wykorzystaliście, schlebiając mu, każąc wierzyć, że jego przyszłość jako cesarza jest poświadczona w gwiazdach. Dlatego pokazaliście mu swój traktat o ubóstwieniu. A potem namówiliście, by wypił za pomyślność swego przedsięwzięcia ze wspaniałego kielicha, który niegdyś należał do jego ojca. I który pozbawił go życia w ten sam sposób, w jaki zabił Fryderyka.

– Mój traktat... dzieło całego życia – wyszeptał Bonatti głosem nabrzmiałym smutkiem. – Utracony. – Po chwili jednak wzruszył ramionami i na powrót przybrał ton kpiny. –

A z jakiej przyczyny to uczyniłem? Wielbiłem mego cesarza. Potrafilibyście mi to wyjaśnić, Alighieri?

– Tak. Teraz to wiem. Teraz wiem wszystko – wykrzyknął poeta triumfująco. – Ponieważ Fryderyk czynił przygotowania do próby, która mogła wykazać, iż próżna jest wszelka wasza pewność.

– I dlatego przybyliście tutaj? – spytał Bonatti. – Z nim? – dodał i machnął ręką stronę ciała Arriga, nie odrywając wzroku od Dantego.

– Tak. On też ma prawo zobaczyć to, co ujrzę ja.

Starzec aż się zgiął, słysząc te słowa, jakby uderzył weń gwałtowny wicher.

– A cóż takiego zamierzacie zobaczyć? – zapytał po chwili ze złością.

– Marzenie Fryderyka. Królestwo światła. By przygotować to dzieło, wezwał na swój dwór najtęższe umysły. Eliasza z Cortony, by swą alchemiczną sztuką stworzył płomień tak jasny jak ów w dzień stworzenia. I Michała Szkota, by wymyślił, jak dokonać próby, i Leonarda Fibonacciego, by swymi rachunkami obliczył jej wynik. I mistrza Tinkę z jego niedoścignionymi szkłami. A z krain Orientu Al-Dżazariego z jego machinami i jeszcze Guida Bigarellego, by wzniósł miejsce, w którym miano przeprowadzić eksperyment. Odkryć, jaką drogę pokonało światło w czasie sześciu dni stworzenia. Pragnął poznać rozmiary wszechświata, zmierzyć królestwo Boga.

Bonatti przytaknął powoli.

– Fryderyk był szaleńcem i bluźniercą. Próbował niemożliwego. Jeśliby światło mogło się poruszać, nadal rozchodziłoby się w przestrzeni w podróży ku pustce przerażającej i bezmiernej. Wszelka pewność sądów, wszelka wiadoma wiedza o stworzeniu stałaby się bezużyteczna. Nie wolno było do tego dopuścić. W gwiazdach napisano, że ja mam to uczynić.

– To wy jesteście szaleni. Poznanie rozmiarów stworzonego wszechświata byłoby najświetniejszym dziełem ludzkiego rozumu, pieśnią ku chwale Boga.

Astrolog zerwał się na nogi z zaskakującą werwą i ruszył w jego stronę. Dante cofnął się o krok. Ale Bonatti najwyraźniej nie zamierzał na niego napadać. Wpatrywał się w coś za jego plecami. Poeta obrócił się instynktownie: przypomniała mu się podwójna rana na ciele nieboszczyków i przeląkł się, że ukrywa się za nim druga zabójcza ręka.

Nie było tam jednak nikogo. Bonatti kontemplował gwiazdozbiór, który pojawił się tuż nad horyzontem.

– Oto wschód Skorpiona... Tak jak napisano, tak się stanie – wyszeptał, zamykając oczy, zadziwiająco nieobecnym głosem. – Cała podstępność Maurów wraz z ich czarnoksięstwem na nic się nie zdadzą w obliczu zachwycającej architektury stworzonego świata, nieruchomego światła i jego stałych granic.

– To nie Maurowie szukali prawdy, lecz najzacniejsze umysły naszego wieku, naszej rasy, naszej religii, naszego języka! I tchnienie wielu z nich zgasiła wasza ręka – odparł z wściekłością Dante. – To nie wasza pewność sądów, lecz strach uczynił z was zabójcę.

Starzec wyciągnął pięści w jego stronę. Składał usta do odpowiedzi.

– Ile lat przeżyliście, *messer* Bonatti? – ponaglił go prior. – Czyż nie większą część tego stulecia? I po tylu latach patrzenia i pojmowania chcielibyście się pozbawić najdonioślejszej wiedzy? Wyzywam was na tę próbę: w baptysterium z jego doskonale użyteczną geometrią. Co nie było możliwe w Apulii, dokona się tutaj – ciągnął zdecydowanym tonem, wskazując ręką marmurowy blok za ich plecami.

– Jak święty Tomasz chcecie szukać prawdy we krwi – powiedział cicho astrolog głosem zduszonym urazą. – Krew owa ugasi ogień piekielny waszej pychy, utemperuje waszą butę. Nie boję się waszego wyzwania. Przestąpcie więc progi świątyni, jeśli macie czelność ją skalać waszą mętną nauką.

– Północnym wejściem. W baptysterium kończą pracę nad wielką mozaiką w kopule, dlatego zostawia się je otwarte dla robotników.

Dwaj konfratrzy przez cały czas przyglądali się ich potyczce. Milczeli, skrywając zdumione oblicza w obszernych kapturach. Cała grupa ruszyła wzdłuż ścian baptysterium, przeciskając się naprzód wąską uliczką, oddzielającą je od pobliskich domów.

– Wepchnijcie wózek do środka, a potem zostawcie nas samych. Ja sam zatroszczę się o przewiezienie trupa – rozkazał Dante, wchodząc do kościoła. – Powróćcie też na miejsce bitwy i pochowajcie szczątki Dziewicy Antiochejskiej za San Lorenzo. – Głos jego wypełnił się bólem. – I potraktujcie je z należytym szacunkiem, gdyż koniec jej był dalece bardziej okrutny niż jej przewina. Co zaś się tyczy tego, co tu wiedzieliście, zapomnijcie o wszystkim.

Bonatti trzymał się nieco z boku. Gdy tylko zostali sami, drżącą z emocji dłonią odsłonił ciężką filcową pokrywę, skrywającą jedno ze zwierciadeł, a potem przesunął palcami po lodowatej powierzchni, jak ślepiec, który posługując się dotykiem, chce się przekonać o kształcie przedmiotów, jakie dotąd widział tylko w swej wyobraźni.

W bladym świetle księżyca, wpadającym przez wielkie okna, Dante odszukał kandelabr i, skrzesawszy kilka iskier, zapalił kawałki świec. Potem spojrzał w stronę Guida Bonattiego, który przysiadł przy brzegu sadzawki chrzcielnej. Zlany potem, wyglądał na wyczerpanego, jak gdyby naraz ujawniły się wszelkie symptomy starości. Z trudem oddychał ciężkim, dusznym powietrzem, wpatrując się w martwe oczy Arriga.

Poeta wydobył z kieszeni rysunek Bigarellego. Lecz astrolog, ożywiwszy się niespodziewanie, począł przemierzać posadzkę baptysterium wielkimi krokami, tak jakby ów rysunek wypalono w jego pamięci rozżarzonym żelazem.

– Po tysiąckroć odczytywałem ów diabelski plan, tysiące dni budziłem się z nim pod powiekami, tysiące nocy zstępowałem w mrok snu, niosąc go ze sobą. Nie potrzebuję tego świstka. W tym miejscu ustawcie pierwsze zwierciadło.

W rogu ciało Arriga owinięte w swój całun zdawało się przyglądać ich ruchom. Rąbek tkaniny osunął się, odsłaniając twarz. Dobrze się stało, że jest tutaj, pomyślał Dante. Od jego śmierci nie upłynęły dwie godziny, jego dusza błąkała się jeszcze na granicy królestwa cienia. Mógł jeszcze wszystko zobaczyć.

Kolejne tafle, jedna po drugiej, znalazły swe miejsce przy każdej ze ścian. Bonatti krążył wzdłuż obwodu budowli i z pamięci recytował wartości kąta nachylenia, jakby kreślił na kamiennej powierzchni swój ostatni, niezwykły horoskop. Dante podążał za nim, sprawdzając za pomocą świecy, czy w każdym lustrze widoczne jest odbicie tafli po prawej stronie i czy przekazuje je ono dokładnie tafli po lewej, tworząc ciąg zwielokrotnionych obrazów.

– Naprawdę wierzycie, że to wszystko ma jakiś sens? – odezwał się astrolog. Skrzyżował ręce na piersi, czekając, aż ostatnie zwierciadło trafi na właściwe miejsce.

– Tak. Jestem tego pewien – odparł poeta. Posługując się płomieniem świecy, starał się wyznaczyć punkt, w którym należało ustawić lampę Eliasza, by skierować ją w stronę pierwszego zwierciadła.

Ostatni raz spojrzał na Arriga. Kiedy otwierał drzwiczki lampy, dłonie drżały mu z emocji. Następnie zdecydowanym gestem umieścił ampułkę w ogniu.

Biały proszek zapłonął śnieżnobiałym zygzakiem. Wiązka promieni skupiona przez mosiężną tarczkę zdawała się przeskakiwać po powierzchni szkła. Jasność rozbłysła wokół nich, obejmując ściany baptysterium niczym korona ognia. Światło Eliasza odbijało się w drobinkach kurzu, które promienie zmieniły w miriady gwiazd. W górze, pogrążone w ciemności, widniały nieruchome oblicze Chrystusa Pana i jego anielskie zastępy, niemi świadkowie wszystkiego, co się działo.

– Oto one! – wykrzyknął Dante do swego adwersarza, wskazując świetliste pasma odbijane od jednej powierzchni zwierciadła do drugiej. – Oto wiązki promieni, o których mówi Al-Kindi. Światło biegnie od jednego lustra do drugiego!

– Mylicie się! Świetlisty krąg wokół nas pojawił się w jednej chwili, a nie stopniowo. Dowodzi to nie poruszania się, lecz odwiecznego bezruchu światła. Wszechwiecznego i stałego na podobieństwo swego stwórcy.

Prior z całej siły potrząsnął głową i zwolnił sprężynę mechanizmu. Zębate koła poczęły się obracać, wpierw powoli, później coraz szybciej. Przysunął oko do otworu po przeciwnej stronie lampy. Dokoła jaśniała aureola światła, lecz wewnątrz panował gęsty mrok.

Również Bonatti zbliżył się do miejsca obserwacji. Odsunął twarz od otworu z drwiącą miną.

– Przyjrzyjcie się tym ciemnościom, które są karą za waszą głupotę, *messer* Alighieri! – wykrzyknął z pogardą. – Znam dobrze naturę owego diabelstwa, odkąd Michał Szkot objaśnił mi jego działanie. Jeśli światło przejdzie przez zębate krawędzie umieszczonych naprzeciw siebie kół, będzie to dowodem na jego ruch. Była to jednakoż tylko uługa jego zamroczonego umysłu. Nic podobnego się nie zdarzy.

Dante niepewny zagryzł wargi. Powietrze wypełniał coraz głośniejszy turkot trybów, w miarę jak pod naporem sprężyny zwiększała się szybkość, z jaką się obracały. Skrzydełka regulatora uniosły się i zaczęły wyhamowywać obroty. Wkrótce oś osiągnęła zamierzoną prędkość i machina zastygła w jednostajnym ruchu.

Wciąż na próżno wpatrywał się w szczelinę. Otarł ręką zroszone potem czoło. Powoli ogarniało go gorzkie poczucie klęski ciążące niczym głaz. Naraz jednak otwór wypełnił niespodziewany błysk, a po nim strumień oślepiającego światła wystrzelił mu w twarz. Bezwiednie uniósł ramię, by zasłonić oczy przed blaskiem, który boleśnie wdzierał się w jego źrenice.

Gdy próbował rozprawić się z chwilową ślepotą, usłyszał obok siebie głuchy jęk. Dojrzał niewyraźnie Bonattiego, który oszołomiony, wpatrywał się w jego płonącą blaskiem twarz.

– Światło Boga! – wykrzyknął Dante, wciąż broniąc się przed promieniami. – Porusza się... jak wszystko się porusza!

Kształt niebios, tak długo poszukiwana kraina sprawiedliwych, która zawsze wymykała się jego słowom, znajdowała się teraz przed nim, jaśniejąca pierwotnym splendorem. W jego oczach, nadal oślepionych błyskiem, świetlisty oktagon zdawał się pląsać w nieziemskim tańcu.

– Fryderyk miał słuszność! – zawołał.

Astrolog kilkakrotnie potrząsnął zdecydowanie głową. Zacisnął powieki, jak gdyby nie chciał już ujrzeć nic więcej.

– Zdaje się wam, że zwyciężyliście? – rzekł po długim milczeniu, któremu towarzyszył jedynie frenetyczny terkot nieprzestającego się obracać mechanizmu.

– Tak! I tu, w San Giovanni, zdobędę swój laur! – odpowiedział Dante wciąż wpatrzony w światło, upojony jasnością. Miał przed sobą tak wytęskniony obraz niebiańskiej chwały, tu i teraz Komedia znajdowała swój koniec. – To, co Bóg zapisał w naturze niezmierzonego blasku, język mój przeleje na karty pergaminu, to ludzie czytać będą, by umocnić się w wierze!

Guido Bonatti jakby zamienił się w kamień.

– Nie... to niemożliwe! – wybąkał, pochodząc do niego. Wymachiwał rękami w powietrzu, jak gdyby pragnął pochwycić promienie światła i je zatrzymać. Poeta się odsunął, tak by ów mógł spojrzeć we wnętrze mechanizmu.

Astrolog potrząsał przez chwilę głową. W końcu pochylił się nad otworem. Wkrótce potem odskoczył do tyłu, krzycząc i zakrywając twarz rękami, jakby z machiny wydobył się płomień żywego ognia.

– Co powiecie na ten znak, *messer* Bonatti! – zakpił prior. – W jakimż to teraz zdradliwym horoskopie nadacie mu kształt?

Długie włosy starca w blasku krążących promieni wyglądały tak, jakby zajęły się ogniem. Powoli zdjął jedną z rękawic.

– To jakaś magiczna sztuczka... To nieprawda... nieprawda... – wybełkotał jeszcze. Jego lewa dłoń, właśnie odkryta, zalśniła w świetle srebrzystym blaskiem.

„Człek niepełny". Człowiek przeklęty przez Mainardina.

Dante ujrzał, jak zdrową ręką wprawia w ruch jakiś mechanizm uczepiony przy nadgarstku. Palce małe i wskazujący niespodziewanie się wydłużyły, zmieniając się w dwa roziskrzone języki.

Na ów widok odsunął się w tył. Bonatti uniósł swą broń tak, by przecięła wiązkę promieni. Stal zapłonęła świetlistym odbiciem. Wyglądał jak anioł z ognistym mieczem.

– Poznajecie tę broń, *messer* Alighieri? – rzekł cicho starzec zaskakująco spokojnym tonem. – Wykutą w Damaszku dla nadwornego oprawcy kalifa i zahartowaną w krwi jego więźniów. Dla człowieka, który wcześniej był złodziejem i został okaleczony przez katowski topór. Kowale wykuli tę rękę, by mógł on czynić swoją powinność.

Przybliżył podwójne ostrze do swej twarzy i wpatrywał się w nie z uwagą, jakby w tej właśnie chwili odkrył jakowąś jego nieznaną właściwość.

– Kolejny wytwór tych diabelskich synów, których geniusz, zdaje się, tak jest wam drogi. Uczyniony po to, by można było oślepiać więźniów jednym tylko ciosem. Zauważyliście, że odległość między ostrzami odpowiada dokładnie rozstawowi ludzkich oczu?

Wyciągnął broń w stronę Dantego, najwyraźniej po to by poeta osobiście się o tym przekonał. Ten cofał się nadal, dopóki nie poczuł na plecach chłodu kamiennej ściany. Ostrza przybliżały się niebezpiecznie, te same ostrza, które dwojakim ukłuciem wyprawiły tylu ludzi w zaświaty.

W desperackim geście zasłonił się ramieniem, by się bronić. Jednak Bonatti najwyraźniej nie zamierzał ugodzić go swą bronią. Wpatrywał się z zachwytem w ostrza zanurzone w strumieniu światła. Wtem gwałtownym ruchem nagiął się ku nim i wykłuł sobie oczy. Przerażony Dante ujrzał tryskające z podwójnej rany szkarłatne strugi, po tym jak starzec wyciągnął broń z oczodołów bez najcichszego jęku. Jego twarz zmieniła się w krwawą maskę.

– Jeśli twoje oko jest dla ciebie powodem grzechu, wyłup je. Tak każe Pismo. Tak też uczyniłem. Nawet cesarz nie jest w stanie sprzeciwić się Bożym zamysłom. Wasza magia na nic się nie zda przeciw mej nauce – wybełkotał konwulsyjnie przez zaciśnięte zęby.

Potem, opuściwszy ręce, zawrócił i chwiejnym krokiem jął się posuwać przed siebie. Broń upadła na ziemię, odsłaniając nagi kikut. Dante podszedł do niego, pragnąc mu pomóc, lecz Bonatti zdawał się nieczuły na wszystko, pogrążony w swym świecie mroku i doskonałych powtórzeń. Odpędził poetę zdecydowanym gestem, jakby przez szkarłatny welon, który zasłaniał mu oczy, wyczuł jego obecność.

Zmierzał ku centrum baptysterium. Dante podążał za nim wzrokiem, z wrażenia nie mogąc się poruszyć. Ujrzał, jak zbliża się do wypełnionych wodą sadzawek chrzcielnych i potyka o krawędź jednej z nich. Starzec zachwiał się, szukając w powietrzu jakiegoś oparcia, po czym runął głową w dół w środek okrągłego basenu. Woda zabulgotała od wysiłków, jakie starzec czynił, by się z niej wyłonić. Wymachiwał rozpaczliwie nogami. Pod powierzchnią wód przeznaczonych do ablucji jego dłonie ślizgały się po gładzi starożytnych marmurów, nie znajdując zaczepienia.

Przez pewien czas Dante nie reagował. Przypatrywał się nieruchomo, jak wilgotna śmierć nadchodzi, by ukarać zabójcę wedle jego własnego proroctwa. Może oto właśnie dokonywała się sprawiedliwość, kładąc kres fatum sprzed połowy wieku.

Naraz jakiś gniewny wstrząs wyrwał go z otępienia, które nim owładnęło. Jeśli jego słowa się wypełnią, Bonatti go pokona, choćby rozpaczliwym ostatkiem sił. Woda wypełni jego płuca, wnikając w nie przez wykrzywione w kpiącym grymasie usta. Spotka go taka śmierć, o jakiej upewnił się swą kłamliwą nauką. I zatriumfuje nad nim na zawsze.

Rzucił się biegiem do basenu. Złapał starca za kostki i spróbował wyciągnąć go z wody, która tymczasem zmieniła się w krwawą pianę. Ciało mężczyzny stawiało opór, zwielokrotniony przez namokłe szaty. Dante zaparł się na jednej nodze i pociągnął za nie z całej siły. Pod jego naporem pękła jedna z kolumienek, ale poecie udało się utrzymać ciężar starca i wyciągnąć go na zewnątrz.

Bonatti żył jeszcze. Wsparł się na łokciach, z masą mokrych włosów oblepiającą głowę i skrywającą zmasakrowane oblicze. Obok niego Dante z trudem trzymał się na nogach. Oparł ręce o kolana, dysząc ciężko ze zmęczenia.

Pozostali tak przez pewien czas. Potem astrolog zerwał się niespodziewanie na nogi, jakby zawładnęła nim jakowaś diabelska siła. Poeta przypomniał sobie, co mu niegdyś opowiadano: zdarzają się umarłe już ciała, które siły piekielne obejmują w posiadanie i karmią je swoim oddechem.

Ujrzał, jak starzec z wolna kieruje się do północnej bramy, wciąż otwartej, zostawiając za sobą krwawą smugę, a potem znika w labiryncie uliczek.

– Wilgotna śmierć was nie chciała, Guido! Niewiele jest warta wasza nauka, ślepa jak i wy sami! – krzyknął za nim. Tamten chyba go jednak nie usłyszał.

Korona ognia wokół Dantego poczęła tracić swój blask, w miarę jak wyczerpywała się moc fosforu. Teraz został z niej już tylko blady cień świetlistej glorii, która rozpłomieniła baptysterium swym blaskiem.

Dante podniósł z ziemi ostrza, całe jeszcze oblepione krwią i kawałkami mięsa. Machina Al-Dżazariego właśnie się zatrzymywała, wydając ostatni tykot.

Wówczas zatriumfowały nad nim emocje. Osunął się po ścianie, czując, jak jego zmysły zapadają się w nicość.

Kiedy odzyskał przytomność, odkrył, że leży w ciemnościach ledwie łagodzonych poświatą księżyca sączącą się z okien. Musiało minąć trochę czasu, lecz ile? Poczuł szorstką rękę, która nim potrząsała, i usłyszał ochrypły głos przemawiający doń po imieniu.

– Zbudźcie się, *messer* Durante! Co tu się stało?

Wkoło niego krążyły mroczne cienie, które poruszały się w pustej przestrzeni baptysterium. Rozpoznał krępą sylwetkę Komendanta zakutego po zęby w zbroję.

– Co się stało, priorze? – Usłyszał, jak dowódca powtarza tonem, w którym brzmi nieufność. – Ta krew...

Dante ostatkiem sił spróbował się podnieść na nogi.

– Straże z Porta ad Aquilonem wezwały posiłki, myśląc, że w San Giovanni wybuchł pożar. Kiedy dotarliśmy na miejsce, baptysterium lśniło w mrokach nocy, jak gdyby w środku płonęły tysiące pochodni. Co tu się wydarzyło? – zapytał po raz trzeci, wskazując mechanizm stojący w rogu i lustra, wciąż tkwiące w zagłębieniach ścian. – Kto zniszczył balustradę wokół basenu? Czy to wy? Oszaleliście? Odpowiecie za to – zawyrokował jeszcze z nutą satysfakcji w głosie.

Dante go nie słuchał. Wpatrywał się w ciemności przez otwarte na oścież drzwi, za którymi zniknął Guido Bonatti. Dwukrotnie mu się zdało, że jego cień chwieje się w oddali między grobami przy San Lorenzo.

– Co to jest? – kolejny raz spytał Komendant, wskazując palcem machinę i zwierciadła.

Prior podniósł z ziemi jeszcze dymiącą latarnię Eliasza i przyjrzał się jej w skupieniu. Z jego piersi wydobyło się głębokie westchnienie.

– Światło. Owo światło, z którego utkane są sny – odparł.

I oddalił się z wolna.

OD AUTORA

Machina wymyślona przez Michała Szkota i zbudowana przez arabskich mechaników, choć naturalnie jest tworem mej wyobraźni, nie jest całkiem odległa od prawdy naukowej. Wzorowałem ją na urządzeniu, które w połowie dziewiętnastego wieku skonstruował francuski fizyk Armand Fizeau i wykorzystał do pomiaru prędkości światła i opisania jego ruchu.

Działanie owej aparatury zasadza się na użyciu dwóch kół zębatych umieszczonych na jednej osi, lecz przesuniętym względem siebie, tak że w przerwie między dwoma zębami pierwszego koła wypada zawsze ząb drugiego.

Po wprawieniu osi w ruch obrotowy o dużej prędkości kieruje się wiązkę światła na pierwsze koło: przechodzi ona przez szczelinę między zębami, odbija się w zwierciadle umieszczonym w znacznej odległości i powraca do drugiego koła, które tymczasem obróciło się tyle, by ją przepuścić przez kolejną przerwę.

Obliczając zależność między odległością pokonaną przez zęby koła i tą, którą przemierzyła wiązka światła, można ustalić w dużym przybliżeniu jej prędkość.

Mając na uwadze względną prostotę mechanizmu, można przypuścić, że eksperyment Francuza wyprzedziła intuicja uczonych z otoczenia wielkiego Fryderyka Drugiego. Że tak się w istocie nie stało, może być źródłem zawodu dla historyka. Pisarza zbytnio nie martwi.

Nie zachodzi natomiast konieczność, by wiązka światła poruszała się po trajektorii ośmiokąta, jak to opisałem w powieści. Jednak myśl, że zagadkowa architektura Castel del Monte mogła być czymś na kształt trzynastowiecznego tokamaku, zafascynowała mnie do tego stopnia, iż podjąłem ryzyko, by podzielić się nią z czytelnikami.

Społeczny Instytut Wydawniczy Znak,
ul. Kościuszki 37, 30-105 Kraków. Wydanie I, 2006.
Druk: Drukarnia Kolejowa Kraków, ul. Bosacka 6, Kraków.